Granjas, aldeas y ciudades

Peter S. Wells

GRANJAS, ALDEAS Y CIUDADES

Comercio y orígenes del urbanismo
en la protohistoria europea

EDITORIAL LABOR, S.A.

Traducción de

Anna Pujol i Puigvehí
Doctora en Historia

Cubierta de:

Jordi Vives

Primera edición: 1988

Título de la obra original:

**Farms, Villages and Cities. Commerce and Urban Origins
in Late Prehistoric Europe**

Copyright © 1984 by Cornell University Press
Edición autorizada por Cornell University Press
© de la edición en lengua castellana y de la traducción:
    Editorial Labor, S. A. - Calabria, 235-239 - 08029 Barcelona, 1988

Depósito legal: B. 20073-1988
ISBN: 84-335-6221-5

Printed in Spain - Impreso en España

Impreso en Imprenta Juvenil, S. A.
Maracaibo, 11 - 08030 Barcelona

ÍNDICE

Introducción   7
Agradecimientos   11

1. Las primeras ciudades de la Europa prehistórica   13
2. Europa en el año 1000 a. de C.   33
3. La aparición de centros de producción y comercio (800-600 a.
    de C.)   71
4. El crecimiento de los centros comerciales (600-400 a. de C.) . . .   91
5. Incursiones y migraciones hacia el sur de Europa (400-200 a. de C.) 113
6. La aparición del urbanismo en la protohistoria europea (200-15 a.
    de C.) 129
7. El paréntesis romano y la formación de las ciudades medievales . 165

Resumen 183
Notas bibliográficas 185
Obras citadas 205
Origen de las ilustraciones 243
Índice analítico 247

INTRODUCCIÓN

Este libro interpreta los cambios que tuvieron lugar en la vida cultural de Europa durante el milenio previo al nacimiento de Cristo. Las primeras comunidades que pueden calificarse como villas y ciudades aparecieron en este período y en él se establecieron muchos de los modelos sociales, comerciales e industriales que caracterizarían la cultura europea hasta el Renacimiento y, en las regiones rurales, hasta la Revolución industrial. Los últimos años de la prehistoria europea fueron una época de grandes cambios, cuya naturaleza y resultados son básicos para entender el desarrollo de la Europa medieval y moderna.

No he intentado, en modo alguno, resumir aquí ni una ínfima parte de los datos de este período. La bibliografía sobre la protohistoria europea es de gran volumen y ni una obra corta ni tan siquiera una voluminosa enciclopedia podría contener todo el material publicado hasta el presente. Más bien me he limitado a un estudio muy general de las principales realizaciones de los distintos períodos de este milenio y a apuntar una interpretación de los cambios que tuvieron lugar. Hago referencia a los principales yacimientos arqueológicos, pero dejo sin tratar muchos otros. En la bibliografía cito las obras más importantes para orientar al lector hacia los estudios principales de cada apartado en las que puede encontrar una más completa bibliografía.

Mi interés está en la formación de las comunidades mayores y más complejas, más que en los pueblos y aldeas agrícolas que constituyeron el modelo de asentamiento predominante desde inicios del neolítico hasta la Revolución industrial. En la Europa al norte de los Alpes hasta el siglo VIII a. de C. no empezaron a desarrollarse comunidades mayores y hasta unos ciento cincuenta años a. de C. no llegaron a alcanzar los mil habitantes. En mi opinión, similares procesos de cambio se dieron en la formación de todas las comunidades mayores de la Europa protohistórica, y estos procesos fueron como los que condujeron al desarrollo de las primeras ciudades de la Edad Media europea, durante la segunda mitad del primer milenio después de Cristo. Muchos estudios de la prehistoria europea y muchas síntesis sobre el período medieval terminan y comienzan respectivamente con los romanos. Pienso que los modelos culturales que se desarrollaron en la época protohistórica fueron similares a los del período medieval, y por eso, para ilustrar este punto amplío mi razonamiento hasta la Edad Media.

Consideré dos maneras de presentar el material en la obra. Una consistía en utilizar una perspectiva multicausal como la que Colin Renfrew (1972) utilizó con tanto éxito en su estudio clásico sobre el mundo egeo del tercer milenio a. de C. En un enfoque de este tipo se subraya la compleja variedad de factores interactuantes, se describen sus interacciones y se explican los efectos de las interacciones en los cambios culturales. Un enfoque alternativo consistía en examinar los cambios culturales en un factor determinado y estudiar los otros factores que están en relación con él. Yo he escogido la segunda vía porque una perspectiva multicausal habría creado un análisis demasiado complejo para mis propósitos. Los factores que entraron en juego en el desarrollo de la primeras villas y ciudades de Europa fueron numerosos y la combinación de los factores varió en las distintas regiones y según los momentos diversos. La aproximación multicausal podría funcionar bien en el estudio de un solo asentamiento o del conjunto de asentamientos de una misma región, pero no en un estudio de los numerosos centros mayores europeos a lo largo del último milenio antes de Cristo. La elección de uno de los factores más importantes, los avances de la actividad comercial, me permitió ofrecer un panorama coherente del proceso que llevó a la formación de estos centros.

Bajo el título de actividad comercial incluyo la minería, las manufacturas y el comercio. El desarrollo de las primeras ciudades de la primera Edad del Hierro, como Hallstatt, Stična, el Heuneburg y Mont Lassois, puede entenderse mejor en relación con el aumento de la actividad comercial, como han manifestado muchos científicos desde distintos puntos de vista. Se está menos de acuerdo en las razones de la formación de los centros de la segunda Edad del Hierro —los *oppida* de los dos últimos siglos antes de Cristo—, pero los cambios comerciales son los que tienen un mayor peso en los modelos observados. Al concentrarme en los cambios económicos, y más específicamente los comerciales, como la fuerza que motivó el desarrollo de las primeras ciudades y villas de Europa, ofrezco una gran simplificación de una situación muy compleja. Pero mi objetivo es ayudar al lector a ver algunos modelos coherentes en la multiplicidad de cambios que ocurrieron durante los últimos mil años de la prehistoria.

He concentrado mi estudio en la Europa central, en las tierras comprendidas entre el este de Francia, el sur y el centro de Alemania, Checoslovaquia, el este de Hungría, el noroeste de Yugoslavia, Austria y Suiza. Dejando aparte las tierras mediterráneas, en esta región de la Europa central la formación de comunidades mayores fue donde se produjo de manera más clara y por primera vez, y estas regiones proporcionan la mejor documentación arqueológica. Sin embargo, trato también los asentamientos o acontecimientos importantes de otros lugares de Europa cuando es necesario. Por ejemplo, las sociedades urbanas de Grecia, Etruria y Roma (si bien el curso de su desarrollo es muy distinto al de las comunidades al otro lado de los Alpes) en algunos momentos ejercieron su influencia en algunos cambios que se produjeron en la Europa central.

Muchos estudios anteriores sobre los pueblos de la Edad del Hierro en Europa central se basan, en gran medida, en las afirmaciones de autores clásicos como Polibio, Diodoro de Sicilia, Tito Livio y Julio César. El cuadro que pintan es el de una sociedad aristocrática compuesta de individuos belicosos básicamente interesados en la lucha y la riqueza. Éstos fueron los aspectos que los observadores griegos y romanos vieron en las sociedades centroeuropeas, porque ellos trataron con la elite de estas sociedades, en la guerra y en el comercio, y éstos fueron los aspectos que los autores clásicos narraron. Insistieron en lo que les resultaba más extraño y en los aspectos que más les sorprendieron de estas sociedades bárbaras. ¿Algún ciudadano culto de Grecia o del Imperio romano hubiera estado interesado en leer un relato sobre cómo los campesinos centroeuropeos recolectaban sus cosechas o forjaban sus arados de hierro? Estos historiadores modernos que llaman a las sociedades de la segunda Edad del Hierro «heroicas» y que describen a sus miembros como aventureros fanfarrones, no se han dado cuenta de que lo que los autores clásicos seleccionaban para narrar era precisamente lo no usual. Con toda seguridad, existieron algunos casos que propiciaron estas descripciones, pero se trataba sólo de una ínfima proporción de los europeos de la Edad del Hierro.

La documentación arqueológica ofrece a menudo con relativa claridad lo que ocurrió en la Europa prehistórica, pero rara vez dice cómo y por qué sucedió. La única vía para contestar este cómo y este por qué es la de la analogía. El razonamiento analógico en arqueología, en muchos casos, es una cuestión de simple sentido común. Dado que nunca será posible penetrar en la mente de los habitantes prehistóricos de Europa, lo mejor que podemos hacer para intentar entender por qué la gente actuó de la manera que lo hizo es trabajar con modelos que derivan de circunstancias parecidas.

Una fuente valiosa para este cometido la constituyen los documentos altomedievales, ya que los pueblos de aquella época eran herederos directos, tanto en lo étnico como en lo cultural, de las poblaciones de la Edad del Hierro (desde luego, con la adición de nuevos elementos culturales y étnicos durante el período romano). Los modelos de organización económica y social de la protohistoria y de los primeros tiempos medievales eran similares. Cuando falla la documentación del contexto medieval o es muy escasa, puede ser útil la información de otras sociedades tradicionales no para la construcción de modelos específicos de comportamiento sino para señalar los tipos de comportamientos que pueden entrar en juego en algunas situaciones determinadas. Pruebas documentales de períodos posteriores en Europa y de otras sociedades en niveles comparables de desarrollo económico, pueden informarnos sobre los motivos y mecanismos probables de la conducta humana y puede intentarse buscar una confirmación en las pruebas materiales aportadas por la arqueología.

Las modernas sociedades industriales evolucionan rápidamente en todos los campos, pero en las tradicionales sociedades campesinas los cambios se producen de manera muy lenta. Muchos aspectos de la vida rural en el año 1000 á. de C. eran muy parecidos a los del año 1600 de nuestra era. Durante los últimos mil años antes de Cristo, el cambio principal fue la sustitución del bronce por el hierro en las herramientas y en las armas, y la consiguiente proliferación, en los dos últimos siglos antes de Cristo, del instrumental de metal para la agricultura y otras tareas productivas.

Una vez que la economía se había desarrollado más allá de un nivel de subsistencia y podía soportar adecuadamente un número relativamente grande de productores no dedicados a la obtención de alimentos, un cambio que en Europa se produjo durante la Edad del Bronce, podía dedicarse más energía humana a ocupaciones como la minería y al comercio de los metales o al transporte de productos de lujo. También debió jugar su papel el aumento de la población absoluta. Con el desarrollo de la minería y de la metalurgia a gran escala, la eficiencia de la producción agrícola pudo incrementarse con la manufactura y uso de las hoces de bronce y, más tarde, las guadañas y arados de hierro. El desarrollo del comercio de los metales como el bronce y el de las mercancías de lujo como la sal, el vino, el ámbar, y el vidrio dio a los mercaderes la oportunidad de obtener beneficios y a los agricultores de aumentar su producción para generar excedentes para el intercambio. Los cambios que ocurrieron en el último milenio antes de Cristo pueden entenderse por la interacción entre la economía de subsistencia básica y la economía mucho más reducida, pero mucho más dinámica, de las manufacturas y el comercio. Los negociantes que se aprovecharon de las nuevas posibilidades que les ofrecía el comercio y la industria jugaron un papel importante en los cambios culturales.

PETER S. WELLS

Cambridge, Massachusetts

AGRADECIMIENTOS

Muchas personas e instituciones me han proporcionado una valiosa información para la preparación de este libro. Bernard Wailes, de la Universidad de Pennsylvania, me dio importantes ideas en un primer estadio de mi obra y le agradezco su tiempo y atención. Arthur Bankoff, del Brooklyn College, también aportó su valiosa ayuda en los primeros momentos de realización de mi obra. Otros que me han hecho partícipe de sus conocimientos son Peter I. Bogucki (Princeton), Richard Bradley (Reading), John Coles (Cambridge), Geoffrey W. Conrad (Indiana), Carole Crumley (Carolina del Norte), Stephen L. Dyson (Wesleyan), Antonio Gilman (Universidad del Estado de California en Northridge), David Herlihy (Harvard), P. J. R. Modderman (Leiden), Radomir Pleiner (Praga), Margarita Primas (Zurich), Sian E. Rees (Cardiff), Zeph Stewart (Harvard), Caroline Q. Stubbs (Harvard), Kathryn M. Trinkaus (Nuevo México) y Geoffrey Wainwright (Londres). Las fotografías me fueron amablemente proporcionadas por Wilhelm Angeli (Naturhistorisches Museum, Viena), René Joffroy (Musée des Antiquités Nationales, St.-Germain-en-Laye), Wolfgang Kimmig (Universidad de Tubinga) y Hilmar Schickler (Württembergisches Landesmuseum, Stuttgart).

Walter H. Lippincott, Jr., director de Cornell University Press, me ha ayudado y guiado a lo largo de la preparación del libro. Los editores Carol Betsch y Allison Dodge me han aconsejado en la redacción definitiva del manuscrito. Todas las personas e instituciones que me han proporcionado ilustraciones se citan al final del libro.

P. S. W.

1. Las primeras ciudades de la Europa prehistórica

El concepto de ciudad y pueblo ha sido muy debatido en los estudios antropológicos, históricos y sociológicos. Los arqueólogos se han basado mayoritariamente en la definición de urbanismo dada por V. Gordon Childe (1950), que fija diez requisitos que debe reunir toda comunidad para poder ser calificada como ciudad. Estas condiciones son: 1) gran extensión en superficie y gran densidad de población; 2) presencia de especialistas que a tiempo completo se dedican a la artesanía, el transporte, el comercio o la religión; 3) los tributos procedentes de los productores de alimentos mantienen a los especialistas; 4) edificios públicos monumentales; 5) grupos dirigentes de carácter religioso, civil y militar; 6) sistemas de archivo; 7) ciencias elaboradas como las matemáticas o la astronomía; 8) estilos artísticos sofisticados; 9) comercio a larga distancia, y 10) grupos organizados de artesanos. Como Childe dejó claro, estas diez condiciones se eligieron basándose en una comparación entre los centros mesoamericanos y los del Próximo Oriente y diferenciándolos de comunidades más pequeñas. Su definición tenía como modelo estas concretas partes del mundo y no es aplicable a todos los contextos.

La mayoría de los diccionarios definen las palabras *ciudad* y *pueblo* enfatizando las diferencias de densidad de población. Según los arqueólogos, antropólogos e historiadores, las dos principales características de las ciudades son su mayor población con respecto a la de otros asentamientos y el mayor número de productores de mercancías con respecto a los productores de alimentos. Algunos investigadores han apuntado algún límite absoluto, usualmente unos quinientos habitantes, para trazar la línea que separa el poblado de la ciudad, mientras que otros se inclinan por una vía más relativa, insistiendo en los contrastes entre asentamientos mayores y menores. Este último camino es el tomado por muchos investigadores europeos incluyendo a Karl Christ, Vilém Hrubý, John Alexander, Daphne Nash y Richard Hodges.

En la Europa prehistórica, y atendiendo a su tamaño y complejidad económica, pueden establecerse tres tipos principales de asentamientos. Los asentamientos agrícolas consistentes en una sola casa pueden llamarse granjas. Las comunidades agrícolas concentradas pueden designarse como aldeas o poblados. Están habitados por más de una familia, a veces tienen decenas de casas, pero su base económica es aún fundamentalmente agraria. En la prehistoria europea era poco usual que los poblados estuvieran habitados por más de doscientas personas. Las comunidades mayores que emergieron en la Europa prehistórica pueden calificarse como ciudades. Tenían muchos más habitantes que los poblados agrícolas, pero se distinguían especialmente por el considerable número de sus pobladores que se dedicaba al comercio. La distinción entre villas y ciudades es arbitraria porque ambas son ejemplos por igual del fenómeno del urbanismo. Propongo que para la Europa prehistórica se establezca una división arbitraria entre villa y ciudad en el millar de habitantes. En la primera Edad del Hierro se desarrollaron las primeras villas (capítulos 3 y 4) y en la segunda Edad del Hierro llegaron a convertirse en ciudades (capítulo 6). Se debe remarcar que esta división, como hemos dicho, es relativa y difícil de establecer con precisión, en particular por el estado actual de nuestros conocimientos. Una comunidad considerada como ciudad en la protohistoria europea podría no serlo en otras partes del mundo.

Durante la protohistoria, las villas y ciudades de la Europa templada tenían unas características distintas de las del Próximo Oriente y de la región egea, en parte a causa de las diferencias del medio ambiente y en parte porque los modelos de desarrollo comercial e industrial eran diversos, como Childe (1950, 1958) y otros han puesto de manifiesto. Durante la Edad del Bronce y la Edad del Hierro se desarrollaron por toda Europa muchos centros pequeños y dispersos, mientras que en algunas partes del Próximo Oriente, el Egeo, Mesopotamia y Perú sólo se desarrollaron unos pocos centros de gran tamaño. Como ha dicho Fernand Braudel (1981), hasta los tiempos modernos ninguna ciudad de la Europa templada se aproximó al tamaño de los antiguos centros urbanos del Cercano Oriente y del Mediterráneo.

En la primera Edad del Hierro (800-400 a. de C.) por primera vez en la Europa templada algunas comunidades crecieron mucho y se volvieron mucho más activas desde el punto de vista comercial con respecto a la gran mayoría. Por lo que sabemos, antes del 800 a. de C. ninguna comunidad superaba la categoría de una pequeña aldea, con una población que probablemente no llegaba al centenar de personas. Durante el siglo VIII a. de C. se desarrollaron grandes comunidades al este de los Alpes, y algunos de sus miembros desempeñaron importantes actividades manufactureras y comerciales. Centros comerciales similares emergieron en otras partes de Europa durante los siglos VI y V a. de C. Desde aproximadamente el año 200 a. de C. hasta la conquista romana, en la segunda mitad del siglo primero antes de Cristo, muchas comunidades grandes, con una población de varios centenares de personas, se establecieron a todo lo ancho de la Europa central y se dedicaron a un amplio abanico de industrias especializadas.

La economía y la sociedad europeas se mantuvieron relativamente poco

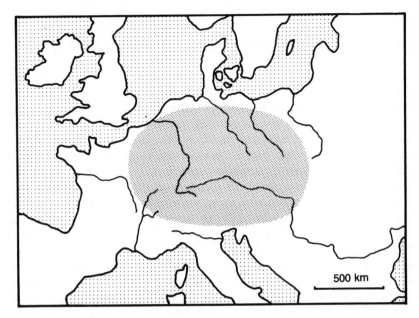

F̲ɪɢ. 1   Área centroeuropea especialmente estudiada en este libro.

desarrolladas a lo largo de los tiempos prehistóricos. Incluso después del
800 a. de C. y hasta la conquista romana, la inmensa mayoría de los europeos
vivieron en menudos poblados, y la economía del continente, en su conjunto, reflejaba este modelo disperso de asentamiento. Durante el último
siglo antes de Cristo, cuando las actividades artesanales y comerciales se
desarrollaron intensivamente en los *oppida* (los centros comerciales más
importantes, como los llamaba Julio César), el mismo tipo de actividad comercial y artesanal se practicaba en los poblados más pequeños, aunque a
una escala mucho más reducida.

El medio natural de Europa continental fue un factor importante en la
formación de estos modelos culturales. Casi toda Europa, a excepción de
las regiones montañosas, puede producir suficiente comida para sustentar
desahogadamente a poblaciones del tamaño de las prehistóricas. La mayor
parte del suelo es de calidad buena o excelente para la agricultura. El clima
es templado y las precipitaciones moderadas, en general. Europa carece de
desiertos y selvas. Casi todas sus tierras pueden atravesarse fácilmente;
pasos a través de las montañas cruzan incluso los altos Alpes. Las primeras
poblaciones agrícolas se expansionaron gradualmente por los territorios,
según que las regiones fueran más o menos aptas para la roturación. No
había oasis por los que luchar, ni canales de riego que construir, y no falta-
ban productos básicos. Con este panorama tan uniformemente productivo
no se desarrollaron ni economías palaciegas como las del Próximo Oriente
ni centros ceremoniales como los de Mesoamérica. Con ese medio tan pro-
picio y homogéneo ¿por qué surgieron comunidades mayores que basaron
su prosperidad en el comercio?

INTENTOS DE URBANISMO EN LA EUROPA PREHISTÓRICA

El estudio de la prehistoria europea generalmente no se ha inscrito en un marco antropológico, en el que los procesos de cambio y los problemas de tipo social y económico tienen especial importancia. Hasta el presente, la investigación se ha centrado en la tipología y la cronología. Desde los inicios del estudio sistemático de la protohistoria europea, a mediados del siglo pasado, los investigadores del suelo como Oscar Montelius, Paul Reinecke y Joseph Déchelette, para nombrar sólo los más famosos, se entregaron con todo esfuerzo a establecer secuencias cronológicas para los materiales arqueológicos recuperados de forma accidental o por medio de excavaciones sistemáticas. Un tema que se repetía en muchos de sus trabajos era la conexión entre el mundo mediterráneo y las sociedades de la Europa templada en las edades del Bronce y del Hierro. Los centroeuropeos eran vistos muy a menudo tal como los autores griegos y romanos los habían descrito, como gentes bárbaras tribales que se organizaron socialmente por primera vez de forma compleja hacia la época de nacimiento de Cristo, como resultado de la conquista romana. Los investigadores modernos han hecho poco hincapié en que gran parte del material arqueológico de la Europa templada reflejaba un desarrollo económico y social complejo. Muchos asentamientos de la Edad del Hierro que proporcionan importante documentación sobre la formación de los primeros centros comerciales, como Hallstatt en la alta Austria, Magdalenska Gora en Eslovenia, Bibracte en el este de Francia y Stradonice en Bohemia, eran bien conocidos por los arqueólogos de principios de siglo, pero existía poco interés en analizar la prehistoria europea desde el punto de vista económico y social (intensificación de la producción y el comercio y formación de comunidades mayores y más complejas).

Durante el segundo cuarto del siglo xx se emprendieron en Europa trabajos de campo sistemáticos y a mucha mayor escala. Los resultados de las excavaciones en varios yacimientos importantes ampliaron la limitada información que proporcionaban los enterramientos, y establecieron una nueva base para analizar los modelos de comportamiento económico y social. Las excavaciones de Hans Reinerth en Buchau, en Alemania (1928, 1936) constituyeron un modelo de investigación y las investigaciones de Gerhard Bersu en el yacimiento de Goldberg, en el sudoeste de Alemania, y en Little Woodbury, en el sur de Inglaterra (1940), abrieron nuevas perspectivas sobre la estructura y la economía de los establecimientos de la Edad del Hierro. También se hizo algún importante trabajo interpretativo, como el que sobre urbanismo y los *oppida* de la segunda Edad del Hierro realizó Joachim Werner en 1939, pero existía poco interés científico en general por síntesis amplias de los datos acumulados en una excavación.

Después de la segunda guerra mundial empezó en muchas partes de Europa una nueva etapa de investigación en los asentamientos. Particularmente importantes han sido las extensas excavaciones realizadas en Alemania, en el Heuneburg, en el Württemberg meridional, y en Manching, en Baviera. Otras importantes excavaciones a gran escala en asentamientos incluyen a Třísov y Závist en Yugoslavia, y Hrazany en Bohemia, así como Staré Hradisko en Moravia; en Alemania oriental, la de Steinsburg, en Turingia, y la de Danebury al sur de Gran Bretaña.

A pesar del rápido crecimiento de los datos disponibles sobre la organización, las manufacturas y el comercio de los poblados, aparecieron relativamente pocos estudios interpretativos sobre el desarrollo de las complejas comunidades de la Edad del Hierro. Sólo unos pocos investigadores centrados en el continente, como Herbert Jankuhn y Ernst Wahle en Alemania, Carl-Axel Moberg y Berta Stjernquist en Suecia, Klaus Randsborg en Dinamarca, Jiří Neustupný en Checoslovaquia y Kalr-Heing Otto y Joachim Herrmann en Alemania oriental, se han preocupado de los aspectos antropológicos, pero estos investigadores han tenido pocos seguidores en sus propios países. La aproximación antropológica a la protohistoria europea y, en particular, un interés por explicar los cambios evidentes, pueden encontrarse fundamentalmente en los investigadores ingleses y americanos.

V. Gordon Childe fue el primero que intentó explicar sistemáticamente los cambios que tuvieron lugar durante las edades del Bronce y del Hierro y relacionarlos con avances más recientes de la economía y de la sociedad europeas. Sus principales estudios sobre estos temas se publicaron entre 1930 y 1958. Al igual que Oscar Montelius y otros antes que él, Childe consideró que los progresos decisivos en la Europa prehistórica habían sido estimulados por contactos con el mundo mediterráneo. Childe argumentaba que los grandes cambios en la organización de las sociedades europeas que se iniciaron durante la Edad del Bronce cristalizaron en respuesta a la solicitud de metales por parte de los mercaderes del área egea. Las sociedades micénica y minoica eran ricas y urbanizadas y necesitaban grandes cantidades de materias primas, incluido el bronce. Esta demanda y el atractivo de un comercio de mercancías de lujo que se ofrecían a cambio de las materias primas estimuló a las sociedades europeas a aumentar la producción y el comercio.

Especial importancia en la tesis de Childe tiene el carácter social que él atribuye a los metalúrgicos europeos. Childe afirmaba, basándose en la prueba de los enterramientos, depósitos y asentamientos, que los metalúrgicos del Bronce europeo vivían fuera del sistema comunitario. Según Childe, eran itinerantes, vivían como extranjeros en las comunidades en las que estaban trabajando y nunca llegaron a atarse a ninguna de ellas. Incluso llega a sugerir que podría haber existido algún tipo de «unión intertribal» entre los metalúrgicos del bronce. Lanza la hipótesis de que estos forjadores itinerantes a menudo se reunían e intercambiaban ideas y a estos intercambios regulares atribuía la excepcional inventiva de las industrias del Bronce europeo en comparación con las del Próximo Oriente. Creía que la independencia política de los broncistas europeos fue única en el mundo antiguo y había permitido a estos artesanos actuar como negociantes y comerciantes de su propia producción, es decir, serían los primeros hombres de negocios de Europa. Esta especial situación, siguiendo la teoría de Childe, dio a los metalúrgicos sureuropeos un rango considerablemente más alto que el de sus colegas del Próximo Oriente y fue esta diferencia, pensaba Childe, la que condujo al surgimiento de Europa como el mayor poder comercial de la Edad Media.

Según la tesis de Childe, la profesionalización y la ausencia de afiliación a una comunidad dio a los broncistas de la Edad del Bronce europea una posición ventajosa y les permitió el control de la producción y distribución de los objetos metálicos. Así, fueron ellos los negociantes que intensificaron el comercio y la industria que condujo a la formación de comunidades mayores y más complejas. Childe no se planteó de manera directa la cuestión del desarrollo de las villas y ciudades de la Europa prehistórica (asentamientos como el Heuneburg, Manching y Staré Hradisko sólo habían empezado a ser excavados sistemáticamente en el momento de su

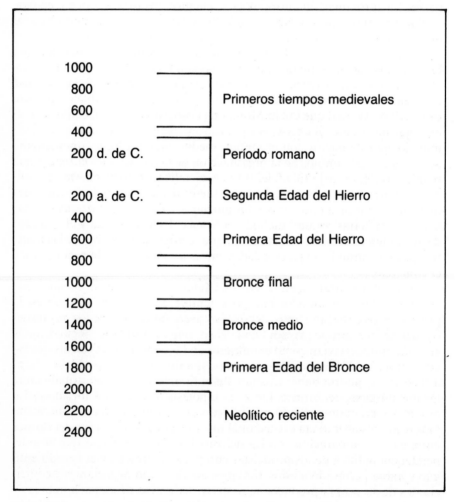

Fig. 2 Fechas aproximadas de los períodos mencionados en este libro.

muerte), pero su interés primordial por el aumento de la complejidad económica y social descansa directamente en este factor.

Nadie más se ha planteado unas síntesis tan amplias y una interpretación de la prehistoria europea como hizo Childe, aunque algunos prehistoriadores se han enfrentado con los problemas interpretativos en estudios más breves. Como Childe, también Christopher Hawkes (1940) describe a los metalúrgicos como especialistas privilegiados en posesión de unos secretos técnicos de los que dependían la riqueza y el poder de los miembros de la elite social. Grahame Clark y Stuart Piggott (1965) también destacan el alto rango de los obreros de artes y oficios, que derivaba, según su punto de vista, en gran parte de los grupos privilegiados cuyas apetencias ellos servían. David Clarke (1979, 319) enfatiza de manera especial los cambios de poder y de rango de los metalúrgicos, que se consolidaron con el desarrollo de la metalurgia del hierro. Puesto que el mineral de hierro era abundante en Europa, una vez que el trabajo del nuevo metal fue conocido de manera amplia, la riqueza y el poder de las elites de la Edad del Bronce decayó, puesto que ellas habían controlado el acceso a aquel metal, y así, el sistema económico pasó a ser más democrático. Ludwig Pauli (1978) destaca la especial independencia y potencial empresarial de los individuos involucrados en la producción para el comercio, en particular los mineros. La certeza de Pauli surge de la excepcionalmente excelente documentación arqueológica del Dürrnberg y de las fuentes escritas medievales.

Recientes debates sobre la opinión de Childe a propósito de los metalúrgicos europeos de los primeros momentos han puesto en entredicho su modelo de mineros independientes, itinerantes. Basándose en un amplio abanico de ejemplos etnográficos, Michael Rowlands (1972) piensa que los metalúrgicos solían ser a menudo especialistas a tiempo parcial en las sociedades premodernas y fundamentalmente se dedicaban a la producción de alimentos, como la mayoría de la población. Rowlands dice que durante la Edad del Bronce y la Edad del Hierro europeas, los metalúrgicos eran, más que profesionales a tiempo completo como dice Childe, miembros plenamente integrados en sus comunidades y realizaban su trabajo sobre todo en aquellos períodos en que el ciclo agrícola es más lento. Sarunas Milisauskas (1978) está, en lo esencial, de acuerdo con Rowlands. Las investigaciones de Pauli en el Dürrnberg (1978) también apoyan esta teoría, mostrando a los expertos mineros de la sal como miembros de comunidades que presentan los mismos modelos de enterramientos y cultura material que cualquier otro de la Europa central.

Mientras Childe y alguno de sus seguidores han puesto énfasis en la importancia de los metalúrgicos y de los hombres de oficio en general en la intensificación de la actividad económica de la protohistoria europea, otros investigadores han puesto el acento en la competencia social para conseguir los escasos lujos y en el desarrollo del mercado comercial como factores decisivos. Jan Filip (1962) apunta que las comunidades fortificadas de los siglos VI y V a. de C. tales como el Heuneburg, Mont Lassois y Závist, surgieron como instrumento de los grupos de elite para protegerse a sí mismo y a sus propiedades de los otros miembros de sus sociedad. Filip ve el alto grado de diferenciación en la riqueza de las tumbas como prueba de la existencia de un sistema social estratificado, y por ello interpreta los nuevos asentamientos fortificados en relación con la lucha de clases. Susan Frankenstein y Michael Rowlands (1978) explican el funcionamiento de estos nuevos establecimientos más como una competición social por las mercancías de lujo.

Teniendo en cuenta la aparición de los *oppida* (las únicas comunidades de la Europa prehistórica que con razón pueden llamarse ciudades) durante los últimos 150 años a. de C., muchos investigadores, entre ellos Filip (1962), Piggott (1965) y John Collis (1979, 1982), insisten en que la defensa es el factor esencial de su razón de ser. Sin embargo, Carole Crumley y Daphne Nash, que han estudiado los *oppida* más occidentales, consideran el comportamiento social como un factor de peso. Crumley (1974*a* y *b*) opina que durante los últimos siglos antes de Cristo apareció en la Galia, donde antes sólo había existido una clase aristocrática poderosa una clase media de artesanos, mercaderes y burócratas, cambio estimulado por el impacto de las mercancías de lujo procedentes del mundo mediterráneo. La rivalidad por estas mercancías de prestigio contribuyó a aumentar la estratificación social. Nash (1976) resalta la lucha entre los grupos de elite por estas materias lujosas y considera la formación de comunidades mayores y más complejas como un reflejo de una mayor centralización política desencadenada por los cambios sociales.

John Alexander (1972) cree que el comercio local y a larga distancia fue el factor esencial en el desarrollo de los primeros centros urbanos de la Edad del Hierro europea y destaca la importancia de las manufacturas especializadas, en especial los metales, que se realizaban en estos centros. Según la tesis de Alexander, los factores sociales y políticos no jugaron un papel significativo en el desarrollo de los *oppida*. En algunas de sus publicaciones, Collis (1976) también remarca el papel del comercio, aunque, además, señala la defensa como un factor determinante. También apunta que puede haberse desarrollado una economía de mercado en alguno de los centros principales a fines del período prehistórico.

Muchos autores que se han enfrentado a estos problemas distinguen entre dos tipos de comercio en la protohistoria europea. Uno especializado en objetos de lujo y de prestigio, relacionado con pautas tradicionales de entregas de presentes y obligaciones sociales; y otro dedicado a artículos de valor y uso más corriente y más dependiente de la oferta y de la demanda que de valores sociales determinados. La cuestión de qué tipo de comercio fue más importante forma parte del debate de la antropología económica sobre sustantivismo-funcionalismo. La mayor circulación de materiales probablemente se daba como un intercambio tradicional, socialmente determinado, tanto dentro del seno de una comunidad como entre individuos de comunidades distintas. Así, aunque la finalidad «comercial» se daba para una una pequeña proporción de materias en circulación, fue en esta esfera comercial donde la expansión podía ocurrir y ocurrió de forma rápida.

El ejemplo que pongo a continuación se basa en el concepto de conducta empresarial en el comercio. Los individuos que son capaces de invertir riqueza, energía y tiempo pueden amasar riqueza personal y así ganar una mayor seguridad material, y a la vez el prestigio y nivel social que usualmente acompaña a la riqueza. Estos individuos frecuentemente influyen en el comportamiento de otros dentro e incluso fuera de sus comunidades. El factor crítico en el proceso de cambio que empezó a fines de la Edad del Bronce fue el gran aumento de las cantidades de metal producido y procesado en objetos elaborados. Puesto que había más bronce disponible, podía acumularse más riqueza. Podían manufacturarse para nuevas herramientas una más eficiente producción de alimentos y otras mercancías. Al contrario de Childe, yo no creo que los metalúrgicos fueran los únicos negociantes. Mercaderes comerciantes de bronce y otras materias actuaban también como negociantes. Individuos que acumulaban bronce para el comercio podían también haber actuado como negociantes, así como otros que utilizaban la tecnología basada en el metal podían incrementar la productividad de diversas mercancías. Basándome en la amplia evidencia de metalurgia local de bronce en los asentamientos excavados, disiento de Childe en que los mineros fueran itinerantes, individuos anárquicos al margen de sus comunidades. La mayoría de los metalúrgicos eran granjeros a tiempo parcial y miembros de pleno derecho en las comunidades en que estaban trabajando. Pienso que un pequeño grupo de metalúrgicos altamente especializados introdujeron nuevas técnicas y estilos en las regiones abastecidas por forjadores residentes en los poblados. Estos metalúrgicos, probablemente itinerantes, no tenían necesariamente que haber sido negociantes en el sentido de acaparadores de riqueza. Por el contrario, su movilidad les habría dificultado poder controlar mucha riqueza.

Junto con la general intensificación del comercio y las manufacturas, la tradicional circulación, no comercial, de vituallas, objetos de lujo y materiales rituales seguía sin disminuir. Bajo ningún concepto un sistema de intercambio funcionó en detrimento del otro. Ambos eran sistemas distintos que probablemente trataban la mayoría de veces productos distintos y que operaban en diversos contextos sociales. El tradicional sistema de intercambio basado en la obligación social y la entrega de regalos fue probablemente una corriente estabilizadora y conservadora en los sistemas económicos, mientras que el intercambio comercial pudo expandirse y jugar un mayor papel en los cambios económicos.

La tesis expuesta no niega ni afirma la existencia de una «aristocracia guerrera», tan a menudo citada en los estudios de protohistoria europea y comparada a menudo con las sociedades descritas por Homero y la épica medieval. La existencia de estas aristocracias y caudillos no fue un factor importante en el nacimiento de las villas y ciudades. No fue la tradicional jerarquía sociopolítica la que estuvo detrás de la formación de los centros comerciales de Hallstatt, Stična, el Heuneburg y Manching, sino más bien individuos emprendedores que captaron la oportunidad y se arriesgaron a sacar provecho de las empresas comerciales en expansión. Sus esfuerzos dieron como resultado la introducción de toda una variedad de nuevas y atractivas mercancías comerciales y el estímulo del deseo por tales productos. A fin de poder adquirirlos, las comunidades debían generar productos intercambiables. Las ciudades de la Europa templada llegaron a existir como centros para la producción de materiales que debían ser intercambiados por las importaciones.

La tesis aquí expuesta es parecida a la de Alexander (1972) en el sentido de insistir en el papel del comercio y la industria. Al contrario de Filip (1962), yo no creo que los conflictos de clase jugaran un papel importante en la formación de las ciudades prehistóricas. El aspecto defensivo de las ciudades y villas de la primera y de la segunda Edad del Hierro puede entenderse mejor por la necesidad de proteger la nueva riqueza que se generaba y transportaba de un lugar a otro. Y mi interpretación difiere de las de Crumley (1974a y b) y Nash (1976) en un matiz sustancial. Ellas se centran en los cambios sociales que ven reflejados en los documentos arqueológicos y escritos desde fines de la Edad del Bronce. Revisando todos los documentos desde el Bronce final hasta el período romano encuentro que la primacía la tuvieron los cambios comerciales y todos los demás cambios derivaron de aquéllos.

LA ACUMULACIÓN DE RIQUEZA EN LA PROTOHISTORIA

Hay pocas pruebas de que en los primeros períodos de la Europa prehistórica, el paleolítico, el mesolítico y el neolítico, hubiera posibilidad de conseguir y acumular riqueza, o que la llegaran a tener más que unas pocas familias. Se han hallado adornos de conchas, huesos, dientes, ámbar y piedra en las tumbas, indicando que se producían algunas adquisiciones de mercancías no relacionadas directamente con la supervivencia. Sin embargo, la documentación indica que no fue hasta el comienzo de la Edad del Bronce que se acumularon cantidades considerables de riqueza y de objetos no utilitarios, cuya posesión se veía restringida a unos pocos individuos. Adornos de oro aparecieron en escasa proporción en las tumbas de Bell Beaker, y la necrópolis de Varna en Bulgaria, con su extraordinaria riqueza en oro, indica que algunas personas estaban acumulando grandes cantidades de riqueza a inicios de la Edad del Bronce, hacia el 2000 a. de C. En aquella época empezó a atesorarse gran cantidad de riqueza, especialmente en forma de bronce, pero también en oro y otras materias especiales. Los objetos de bronce eran comunes en las tumbas de este período, por ejemplo, en la gran necrópolis de Straubing, en Baviera, y en la de Branč, en Eslovaquia. Los mapas de la distribución de los depósitos de cobre fundido en forma de anillas o barras y de lingotes de bronce indican una fuerte concentración de los mismos en los territorios inmediatamente al norte de las minas de cobre del Tirol y Salzburgo, y muestran que los individuos de estas regiones acumulaban este tipo de riqueza.

Un escaso número de ricas tumbas contenía objetos de bronce decorado, como dagas y adornos de oro. La tumba de Leubingen, en Alemania oriental, se hallaba bajo un gran túmulo, en una cámara de roble cubierta por una cúpula de piedra. Contenía los restos de los esqueletos de un hombre y un niño, acompañados de tres dagas de bronce, una alabarda de bronce, dos hachas de bronce, tres escoplos de bronce, un hacha de serpentina, un brazalete de oro, dos agujas de oro, dos pequeños anillos de oro y otro formado por un hilo en espiral, también de oro. En esta tumba y en las pocas que se le parecen vemos claramente un modelo que persiste a través del resto de la prehistoria europea y en tiempos históricos: la presencia de unas pocas tumbas con ajuares mucho más ricos que la mayoría, incluyendo la presencia de armas. La mayoría de necrópolis de inicios de la Edad del Bronce muestran formas de distribución de la riqueza similares a las de fines del período neolítico, sin grandes diferencias en los niveles de riqueza en los enterramientos individuales (aunque se manifiesta un aumento generalizado de la riqueza).

A mediados del segundo milenio antes de Cristo, el Bronce medio según la cronología centroeuropea, esta tendencia a una mayor acumulación de riqueza, en forma de objetos de bronce especialmente, se refleja de manera mucho más intensa en las tumbas. Depósitos de objetos de bronce, a menudo fraccionados en pedazos de manera intencionada, son frecuentes en la Europa central. Algunos investigadores han interpretado estos fragmentos como unidades de valor para los intercambios. Espadas mucho mayores que cualquier otra arma anterior, lo que hace necesario más metal y permite una mayor efectividad en el combate, se han hallado en las necrópolis de esta época. Las agujas para sujetar los vestidos tanto masculinos como femeninos podían ser algunas veces excepcionalmente grandes, utilizando también mucho más metal que las pequeñas y delgadas agujas de los siglos anteriores. Las dagas de bronce y las hachas y adornos de oro están bien representados en las tumbas ricas. En Gran Bretaña, los ricos enterramientos de Wessex de esta época contenían elaboradas dagas de bronce y una gran variedad de adornos de lámina de oro. Esta tendencia hacia la concentración de la riqueza alcanza su momento álgido a fines del segundo milenio antes de Cristo, el momento en que comienza este libro.

LA BASE ECONÓMICA

Las sociedades de la protohistoria europea eran agrarias. La inmensa mayoría de la gente eran agricultores y criadores de ganado. Su vida cotidiana transcurría en el cuidado de sus cosechas y animales y desempeñando las otras tareas esenciales de la tradición campesina: construcción y reparación de casas, graneros y cobertizos; confección y reparación de las prendas de vestir; fabricación de herramientas y equipamiento de la casa con huesos y piedra y cuidado de los niños. Muchos podían realizar otras tareas en su tiempo libre, como tejer, fabricar cerámica y fundir el bronce. Las únicas comunidades que diferían de modo evidente de este modelo eran los pequeños y escasos grupos de mineros, básicamente metalúrgicos del cobre y del estaño, que extraían metal para la producción del bronce, y los de las minas de sal, como las de Hallstatt.

Se están llevando a cabo experimentos agrícolas a largo plazo en la granja Butser, al sur de Inglaterra, utilizando plantas y animales de especies similares a las de los tiempos protohistóricos, con las herramientas y las técnicas de aquella época. El resultado de tales experimentos muestra que los campos agrícolas podían haber sido muy grandes, potencialmente mucho mayores que los campos registrados en los documentos de la primera etapa medieval. Los documentos escritos de la época medieval pueden señalar campos más pequeños que los que en realidad estaban en explotación (para reducir al mínimo las cargas), pero estos documentos constituyen la base del conocimiento moderno sobre la agricultura medieval. Ciertamente, la productividad variaba de una región a otra durante la Edad del Hierro europea, según los tipos de suelo, las condiciones climáticas, las especies de animales y plantas que se utilizaban y la tecnología, sin olvidar la tradición cultural. La planificación agrícola de la Edad del Hierro probablemente estaba encaminada a disminuir el peligro de la desnutrición, la carestía y el hambre durante los años de tormentas, sequía o enfermedad. Lo más probable es que se consiguiera un excedente la mayoría de los años, a veces de un volumen considerable. A medida que la tecnología agrícola fue mejorando (con la introducción de gran número de hoces de bronce a partir del Bronce final, y con la aparición, más tarde, en la Edad del Hierro, de las rejas de arado y guadañas de este material) podrían incluso producirse mayores excedentes. La moderna investigación etnográfica muestra que, a menos que estuvieran obligados a hacerlo, la mayoría de las comunidades campesinas no intentaban producir grandes excedentes. En la protohistoria europea algunas comunidades campesinas estaban motivadas para producir un excedente de comida y objetos para comercializarlos por una variedad de productos de lujo muy deseados.

El comercio y las manufacturas especializadas dependían de la solidez de la base de subsistencia. Aunque el comercio y las manufacturas representaban una muy pequeña proporción de la economía prehistórica europea, era en estos campos que se daban una mayor experimentación e invenciones. Los cambios en los sistemas de subsistencia iban muy despacio y en gran parte eran el resultado de la intensificación de las artesanías y manufacturas: en las industrias en desarrollo se construían nuevas herramientas agrícolas, que después contribuían a posibilitar a los agricultores la alimentación de un creciente número de artesanos especializados. Pero, en general, los campesinos no experimentaban nuevas técnicas de producción de alimentos; se hallaban esencialmente ocupados en minimizar las pérdidas, a fin de poder seguir con vida, más que en intentar aumentar las ganancias y a obtener beneficios.

EL TRUEQUE

En las últimas décadas se ha intensificado el debate entre los arqueólogos, antropólogos e historiadores de la antigüedad y de los siglos medievales sobre el intercambio en las sociedades preindustriales. Karl Polanyi (1944), Johannes Hasebroek (1933) y Moses Finley (1973), especialmente, han argumentado que las economías tradicionales no puede analizarse partiendo de los principios de una economía de mercado, sino que deben analizarse a partir de las obligaciones sociales y las relaciones de parentesco. La primera épica europea, como la *Odisea* de Homero y el *Beowulf* describe el intercambio de objetos motivado por la conveniencia social en forma de intercambio de regalos, y muchos investigadores creen que su valor, como concepto independiente de las relaciones sociales, no era tenido en cuenta.

De hecho, variados mecanismos de circulación estaban operando a la vez, como han demostrado Philip Grierson, Marc Bloch y David Herlihy para los inicios del período medieval. La primitiva épica, citada por Marcel Mauss (1967) y otros para demostrar que las leyes de mercado eran inexistentes en las primeras sociedades medievales de Europa, trata casi exclusivamente del comportamiento de individuos de la elite, como jefes, reyes y nobles. En estos poemas épicos, tales individuos estaban motivados por alianzas políticas y militares a intercambiar regalos con amigos y huéspedes. Cuestiones tales como la forma en que los campesinos conseguían el hierro para sus cuchillos, aunque pueden decirnos mucho de cómo funcionaba la economía, no son materia de los cantos épicos. Aunque las fuentes literarias no los mencionan, las pruebas arqueológicas ponen de manifiesto el desarrollo de talleres que producían objetos a gran escala, básicamente para el comercio de exportación, durante los siglos VIII, IX y X: por ejemplo, la cerámica de Badorf y Pingsdorf en Renania y las artesanías de piedra, hueso, ámbar y metal en centros comerciales como Dorestad, Haithabu, Helgö, Birka y Southampton (véase el capítulo 7).

Al igual que en la Edad Media, bien documentada con textos, en la Europa prehistórica la mayoría de los intercambios tenían lugar dentro de las comunidades, de acuerdo con principios sociales tradicionales. Con el crecimiento del comercio en la protohistoria, en particular a medida que las cantidades de productos de fuera del territorio inmediato a la comunidad se hacían más imprescindibles para su vida económica, fueron tomando importancia otros factores, aparte de las relaciones sociales. Los materiales importados, si bien a menudo presentes, por lo general no son abundantes en los asentamientos y tumbas del período neolítico; casi todo lo que utilizaban era obtenido dentro del territorio de cada poblado. Las importaciones, como las conchas del Mediterráneo, pedernal y piedra para las hachas pulimentadas, pueden haber circulado por intercambios sociales. Pero parece que sólo ciertos individuos en una especial posición social tenían acceso a estas mercancías, y mantenían relaciones con sus iguales de comunidades lejanas a fin de obtener estos objetos por medio del intercambio. Este modelo está bien documentado en contextos etnográficos.

La situación cambió con el comienzo de la Edad del Bronce, cuando esta aleación fue poco a poco adoptada por todos los europeos. En el Bronce final (1200-800 a. de C.) las comunidades de todo el continente confiaban en las importaciones masivas de bronce. Los enterramientos muestran que el metal no estaba restringido a un pequeño grupo de gente sino que podía ser poseído por una parte importante de la población. En la producción y la distribución del metal, incluida la extracción, la aleación, el comercio y el almacenamiento, es poco probable que todas las operaciones, incluyendo la confirmación final de propiedad, se llevaran a cabo según obligaciones sociales; más bien el metal era comercializado según unos principios de valor determinados por la distancia de las fuentes de aprovisionamiento. Estaba involucrada demasiada gente y en distancias demasiado grandes, para que pudieran desarrollarse unas relaciones sociales coherentes. A partir de fines de la Edad del Bronce, la masa de mercancías que se comercializa a la vez constituye una prueba en contra del argumento de que la circulación comercial se basaba esencialmente en motivos sociales.

La nueva gran cantidad de materiales (bronce en particular, pero también ámbar, vidrio y oro) que se comercializa a partir, aproximadamente, del 1200 a. de C., y el consecuente crecimiento de la escala de intercambios basados en el valor, posibilitaron en gran medida la obtención de beneficios a los individuos relacionados con el comercio. Este nuevo factor incentivador jugó un papel esencial en la formación de las primeras ciudades al norte de los Alpes.

LOS NEGOCIANTES

Un negociante, un individuo que emprende una aventura para sacar provecho, debe estar en condiciones de manipular las fuentes de riqueza y de asegurarse la confianza de otras gentes para su empresa. Los negociantes de éxito deben ser capaces de descubrir las oportunidades de ganancia, seducir a los demás para que cooperen (a menudo, trabajadores de campos especializados), organizar el transporte de las mercancías y llevar el negocio a satisfacción de todos. Así, esta persona debe tener conocimientos económicos, habilidad para mantener tratos con los demás e inspirarles confianza y energía personal. Esta combinación de rasgos es difícil y sólo unos pocos individuos en cada sociedad son negociantes de éxito, aunque algunas sociedades producen más que otras. Un negociante puede tener un origen aristocrático o humilde. Reyes y jefes pueden ser negociantes, como pueden serlo los miembros del nivel más bajo de la escala social; como en la Roma antigua, donde incluso antiguos esclavos amasaron grandes fortunas con astutas operaciones. La habilidad de los negociantes para actuar con éxito depende de toda una serie de complejos factores de la organización económica y de los modelos sociales. La base de subsistencia de una sociedad debe ser ampliamente segura para permitir que algunas personas se dediquen a actividades no relacionadas con ella. La organización social debe ser suficientemente flexible para permitir a sus individuos marcharse de la comunidad para dedicarse al comercio. Las materias deseadas deben estar disponibles pero no ser accesibles a todos inmediatamente. Un número suficiente de personas o comunidades debe poseer la riqueza excedente necesaria para intercambiarla por los productos deseados. Estos individuos que tienen éxito en generar beneficios (y a menudo los que cooperan con ellos) juegan un papel importante en los cambios que se producen en los modelos económicos y en otros aspectos de la vida cultural. «De

alguna manera... los negociantes son los motores que mueven la sociedad.»
(Schwartz, 1979, vii.)

En este libro defino al *negociante* en un sentido amplio, como una persona que se aventura a sacar beneficios, ya sea de los intercambios comerciales, de las incursiones de saqueo de otras comunidades, o algunas veces de ambas. Durante el último milenio de la prehistoria europea y en la Alta Edad Media, la invasión de otras comunidades por el botín (oro, plata, ganado y esclavos) era una actividad normal y una de las principales fuentes de riqueza para la nobleza (las incursiones vikingas sobre el noroeste de Europa fue sólo uno de los casos más espectaculares). Este tipo de actividad negociante era un importante complemento de formas menos violentas de circulación de mercancías que conocemos con el nombre de comercio.

En sus esfuerzos para conseguir beneficios, los negociantes cambian el *status quo* económico. Un negociante debe animar a una comunidad para que produzca más madera para la exportación prometiéndole mercancías de lujo importadas, y esta madera excedente puede entonces ser usada para el comercio de lucro. La organización económica de la sociedad sería alterada a partir de este momento. Un negociante que dirige el saqueo de otro poblado tendría un claro efecto sobre la economía de esta desgraciada comunidad.

En el medio cultural disperso, no centralizado, de la Europa prehistórica, ninguna personalidad política o militar emergió para obtener el control de amplias regiones. La organización económica y social era a pequeña escala y no centralizada. Por ello los individuos podían actuar en el medio que constituían sus comunidades y regiones locales sin entrar en conflicto con sistemas comerciales de más envergadura, más organizados. La competencia y la lucha a pequeña escala eran inevitables, dada la falta de una política regional o de controles militares.

LA DISTRIBUCIÓN DE LA RIQUEZA

Los hallazgos arqueológicos no revelan mucho sobre la organización social tal como este concepto se define por etnólogos y sociólogos, ya que tiene que ver con la estructura de los poblados, la subsistencia y el comercio. Muchos arqueólogos han intentado interpretar la información obtenida según los esquemas de organización social utilizados por los etnólogos (por ejemplo, Service, 1962), pero tales esquemas no han contribuido de forma convincente al conocimiento de la organización social de la prehistoria. Un ejemplo especialmente claro y bien documentado de esta falta de correspondencia entre los estudios etnográficos y la realidad arqueológica lo constituye el intento de los arqueólogos medievalistas de identificar en las formas de enterramiento los varios niveles sociales de las personas descritas en los primeros documentos de esta época. Tenemos interesantes y, en términos relativos, abundantes descripciones escritas de las escalas sociales y de las relaciones jerárquicas entre ellas en la Alta Edad Media. Los ajuares de las tumbas no se corresponden en absoluto con estas descripciones. Las categorías sociales tal como las entienden los etnólogos, sociólogos y simples historiadores, no tienen paralelo con las categorías de riqueza que los arqueólogos han observado en las tumbas.

En este libro trabajo con elementos materiales particularmente bien representados en las tumbas y evito los conceptos sociales introducidos por la etnografía y la historia. La mayoría de estudios que tratan de los modelos sociales de la Europa prehistórica utilizan términos como «jefes», «caudillos» y «príncipes» para designar a los individuos sepultados en las tumbas más ricas. El uso de estos términos implica paralelismos entre la organización social de las comunidades prehistóricas y estructuras identificadas en sociedades actuales por los etnólogos e historiadores. Al considerar aquí las relaciones entre grupos sociales, mi interés se centra en la distribución de la riqueza material de la sociedad, que se refleja de la manera más evidente en los enterramientos.

Puesto que la inclusión de ajuares en las tumbas depende de una serie de factores, algunos de aparente carácter religioso, se hace difícil la comparación de la respectiva riqueza de necrópolis de diversos momentos y lugares. Pero dentro de una misma necrópolis, la información de la distribución de la riqueza entre individuos puede derivarse de las pruebas que proporcionan los enterramientos. Aunque pueden encontrarse ejemplos etnográficos que muestran que la riqueza material colocada en las tumbas no siempre se relaciona directamente con la riqueza y el nivel social de esta comunidad en vida, de hecho, la mayoría de las veces puede admitirse esta correlación que se da, de forma particularmente clara, en la tradición funeraria europea.

Para comparar entre sí las tumbas de una misma necrópolis necesitamos una medida estándar de la riqueza. Teóricamente, podríamos calcular el valor de los materiales de cada una de las tumbas basándonos en el valor que para la comunidad tenían las materias primas que utilizaron y en la cantidad de tiempo y energía que dedicaron a la producción de los objetos. Sin embargo, tenemos muy poca información sobre estos valores en la protohistoria europea; los estudios de John Coles (1973, 1979) al realizar copias de bronce de estos objetos es un paso importante, pero todavía no disponemos de suficiente información para poder aplicar este criterio.

A falta de estos datos, el sistema más util consiste simplemente en contar los objetos de cada tumba. (El peso de un objeto es un criterio útil excepto cuando los objetos enterrados son de distintos materiales porque carecemos de información sobre los valores relativos de aquéllos.) Sin embargo, también existen problemas con el simple método de contar. Por ejemplo, una espada era seguramente mucho más difícil de realizar que una aguja y necesitaba mucho más material. Un cuenco de oro trabajado probablemente tenía más valor que una pequeña copa de cerámica sin decoración. Por otra parte, las tumbas que guardaron estos objetos excepcionales, espadas, vasijas de bronce, adornos de oro, generalmente también contenían unos ajuares mucho más ricos cuantitativamente que las otras tumbas. Así, las simple suma de objetos de hecho proporciona un método razonablemente satisfactorio mediante la comparación entre las tumbas de una misma necrópolis.

Deben añadirse dos puntualizaciones. Algunos objetos, como los carros y los arneses, comprenden numerosas partes de metal; más que contar cada una de ellas como objetos individuales, he considerado el conjunto como uno solo y he remarcado el carácter especial de tales objetos en las tumbas individuales. Un juego de objetos, como botones o cuentas, que en su conjunto constituyen un solo objeto, se han contabilizado como tal; sin embargo, las agujas se han contado por separado, puesto que tales objetos se utilizan tanto individualmente como en juegos.

Las excavaciones en la necrópolis de Nebringen, de la que se han analizado sus bien conservados restos humanos, ha dejado claro que a menudo existen grandes diferencias entre la riqueza de los enterramientos masculinos y los femeninos. En Nebringen, todas las tumbas con un gran número de objetos eran tumbas de mujeres, básicamente porque las tumbas femeninas contenían a menudo muchas piezas de joyería. En las tumbas de los hombres, muchas de la cuales contenían espadas y un casco en una de ellas, había pocas joyas, y el número total de objetos era mucho menor. En las sociedades preindustriales de Europa los miembros de la misma familia nuclear (la unidad básica de la actividad económica) tenían la misma posición social. La riqueza material pertenecía a la familia en su conjunto; sin embargo, se repartía entre los individuos para su uso y se distribuía en sus tumbas a su muerte. Así, la relativa distribución de la riqueza de la comunidad se reflejaba en las tumbas, tanto si eran los hombres como las mujeres los que recibían mayor número de objetos.

Las categorías sociales determinadas por etnólogos e historiadores, la mayoría de las veces surgen de cargos oficiales en la sociedad, pero nada cuentan de la efectividad de tales individuos en su desempeño o de la posición social que sus contemporáneos les otorgaban. Un individuo puede desempeñar un título honorífico pero su ineptitud puede privarle de acumular riqueza o de ejercitar su posición y su autoridad en la sociedad. La cantidad de riqueza que acompaña a un individuo en su tumba puede proporcionar un cuadro muy exacto de los medios económicos, posición social y poder que realmente tenía.

Doy aquí por supuesto que muchos individuos querían poseer riquezas. Para el período que estamos analizando las pruebas manifiestan que así era. En el contexto histórico europeo, desde el inicio de la época medieval hasta los tiempos modernos, hay una clara asociación entre la posesión de riqueza material de un individuo y su posición y poder en la sociedad. No hay ninguna razón para pensar que este modelo era diferente durante el último milenio antes de Cristo.

La mayoría de las necrópolis de este milenio muestran un modelo común en la distribución de la riqueza en las tumbas. La mayor parte de los enterramientos contienen poco ajuar, unos pocos contienen mucho, pero existe un escalonamiento gradual de los más pobres a los más ricos, sin rupturas en el *continuum* de la riqueza. Esta evidencia muestra que las mercancías no estaban distribuidas equitativamente, ni siquiera en las comunidades pequeñas, de base familiar. A lo largo del milenio siempre hubo unas tumbas de mayor tamaño y estructura más elaborada, con cámaras y ataúdes, y con unos ajuares mucho más ricos que los de la mayoría. A menudo contenían no sólo cantidades excepcionalmente grandes de objetos sino que también éstos eran excepcionales. Se distinguían por objetos como las espadas, las vasijas de bronce, los adornos de oro, los vehículos de ruedas y el equipo para la montura a caballo. Tales tumbas implican la existencia de individuos con una riqueza sustancialmente mayor que la de sus convecinos.

El capital en forma de acumulación de riqueza transportable permitía a esta gente invertir en negocios como el comercio (demostrado por las mercancías de lujo extranjeras que aparecen en sus tumbas); el empleo de artesanos especialistas que producen las magníficas armas, vasijas de bronce y vehículos; y las expediciones de rapiña. Si estos individuos se parecían a los jefes de la Antigüedad y de la Alta Edad Media descritos por los autores e historiadores de aquellas épocas, su principal motivo en la vida era ganar riqueza, prestigio y rango social, todo lo cual podía adquirirse mediante la manipulación del capital que pudieran acumular del excedente de producción de las comunidades agrícolas. Al igual que sus iguales de épocas más recientes, estas personas que actuaban en las esferas económica, política y religiosa, probablemente vivían apartados de los productores del sector primario y no producían su propia comida. Es decir, sus actividades no estaban ligadas a un tipo de vida agrícola. Sus principales relaciones con los miembros de las comunidades agrícolas pueden haber sido la recogida y redistribución del excedente producido y presidir los actos de estas comunidades, como las ferias, fiestas y proyectos de construcciones, así como supervisar la producción especializada de los artesanos y su comercio. Los individuos involucrados en este papel probablemente animaban a su comunidad a aumentar la producción, especialmente para él comercio de los objetos de lujo extranjeros.

LA INTEGRACIÓN POLÍTICA

Las formas de integración política a menudo atribuidas a las sociedades prehistóricas, tales como bandas, tribus, caudillajes y estados, aunque pueden ser útiles en algunos contextos, tienden a oscurecer más que a aclarar la situación social y política de la protohistoria europea. El mejor medio para entender los cambios económicos y sociales de la protohistoria europea es considerar el panorama cultural como descentralizado y disperso y cualquier divergencia de este modelo como el resultado de esfuerzos específicos por parte de los individuos para obtener prosperidad a través de una u otra forma de comportamiento negociante, ya sea el comercio en su sentido de competencia como en el de la clientela. La mayoría de las comunidades de mayor tamaño y más ricas que emergieron, se organizaron principalmente basándose en el comercio y en la producción para el comercio, aunque la centralización de las actividades económicas puede también ser el resultado de la centralización de las funciones de gobierno. Desde luego, existen muy pocas pruebas de que comunidades como el Heuneburg y Manching fueran centros políticos en el mismo sentido que las ciudades del Próximo Oriente o los centros ceremoniales de Mesopotamia. Puesto que el Heuneburg, Manching y la mayoría de otras comunidades mayores duraron sólo un siglo o poco más, cualquier tipo de centralización política que hubiera empezado a desarrollarse hubiera tenido una vida muy corta.

Conocemos centros políticos de inicios del período medieval que funcionaban aparte de las ciudades comerciales; por ejemplo, Tara en Irlanda, Winchester en Gran Bretaña y Uppsala en Suecia. Cada una de ellas tenía fuertes asociaciones con sus rituales y tradiciones y servían de residencias reales. Centros políticos como éstos podían haber existido en la Edad del Hierro europea, pero por el momento no han podido ser identificados por la documentación arqueológica.

LOS CAMBIOS

Algunas sociedades cambian más rápidamente que otras y la pauta de cambio en una sociedad varía con el tiempo, pero el cambio existe siempre en toda sociedad, no importa lo inamovible que puede parecer. Aparte del cambio continuo y, casi siempre, gradual, cambio perceptible para los arqueólogos pero probablemente no para las gentes que vivían en aquella época, siempre se producen unas variaciones más pequeñas de carácter fortuito. Algunos individuos se conducen de forma distinta a la norma cultural establecida; un metalúrgico, consciente o inconscientemente, realiza un molde de una manera nueva o intenta una diferente aleación de metales. Sin embargo, la mayoría de estas variaciones idiosincrásicas quedan en nada (el experimento es un fracaso o, incluso si tiene éxito, cae en el olvido). En el estudio de los cambios culturales, puede calificarse de «estorbo», un cambio que no tiene un resultado sustancial como conviene a un desarrollo a largo plazo. Sin embargo, si los resultados de esta conducta heterodoxa se perciben como ventajosos, pueden repetirse intencionadamente. Cuando esto sucede, ya no se le puede calificar de «estorbo» sino que nos encontramos ante un cambio iniciado por uno o más individuos con un motivo determinado en su mente.

El cambio también pueden promoverlo de forma intencional individuos con deseo de conseguir unas ventajas concretas. Un metalúrgico puede inventar un nuevo sistema de fundición de hachas que utiliza menos metal para una igual efectividad de la herramienta. Un mercader puede transportar sus mercancías a una zona nueva en búsqueda de mejores beneficios para su comercio. Un individuo puede animar a los otros miembros de la comunidad a producir un excedente mayor para poder tener más mercancías que intercambiar por productos de fuera. Cuando un individuo realiza un cambio para ganar o tener algún tipo de ventaja, su éxito depende de dos tipos de condiciones: en primer lugar, la calidad de este individuo (su ambición, inteligencia, perseverancia y adaptabilidad) y, en segundo lugar, las circunstancias del individuo y del contexto en el que opera. Estas circunstancias, en términos amplios, incluyen las condiciones económicas generales de la sociedad y de la comunidad del individuo, su riqueza y prestigio en su grupo, la situación política y militar dominante, y un amplio abanico de circunstancias más específicas, como la posibilidad de obtener materias primas y la competencia con otros individuos de intereses similares. Una persona no puede llevar adelante un cambio si las condiciones culturales y del medio no son apropiadas. Bien es cierto que un individuo puede influir en las condiciones sociales y económicas que le rodean y también adaptar su propia conducta a las circunstancias. La clave de la interacción está entre el innovador y su contexto cultural.

El lector debe tener presente a lo largo del libro la dicotomía entre las vidas de la gran mayoría de la gente que dedicaban todo su tiempo a hacer de agricultores y las de aquel reducido número de personas que no lo hacían. Para los campesinos la vida cambió muy poco a través de los siglos. Los que no estaban ligados de manera directa a la vida agraria y que podían adquirir riqueza por sus propios esfuerzos o por herencia, tenían acceso a un capital disponible en forma de objetos de bronce, metales preciosos y otros materiales deseados, incluidos los productos de subsistencia que podían usar para alimentar a familias más numerosas y más sanas que las de sus coetáneos. Libres del encorsetamiento del modelo agrario y en posesión de un capital disponible, estos individuos podían invertir en aventuras que podían generar riqueza adicional. En definitiva, su comportamiento propició los cambios de la sociedad protohistórica que constituyen nuestro objetivo.

Defiendo en este libro que el principal factor que motiva los cambios creativos en el trabajo es el interés personal: el deseo de los individuos de acumular riqueza para su propio provecho, por la seguridad que significa, para conseguir prestigio social y, algunas veces, poder. Este deseo parece ser un objetivo humano universal. Esta idea se documenta bien con la investigación arqueológica, puesto que la riqueza es una prueba material fácilmente documentable.

2. Europa en el año 1000 a. de C.

Los siglos inmediatos al año 1000 a. de C. fueron tiempos de profundos cambios de los modelos económicos en la Europa continental, afectada de modo particular por la novedad de la abundancia de producción y circulación de los objetos de bronce. Con el crecimiento de la producción de bronce se podía disponer de más riqueza. Esta nueva riqueza proporcionaba medios a algunos individuos para aumentar su nivel social y su autoridad, dándoles un nuevo poder sobre sus contemporáneos. Varios aspectos de la organización económica, como los asentamientos y la población, los modelos de subsistencia, las manufacturas y el comercio se vieron en gran manera afectados por la obtención de esta nueva riqueza y, al mismo tiempo, influyeron de modo directo en la acumulación y distribución de la riqueza.

La distribución de los asentamientos del Bronce final, comparada con la de los períodos precedentes indica un incremento de la desforestación y la conversión de estos territorios en pastos y tierras de cultivo, fácilmente rastreables en muchas partes de Europa. Existieron más y mayores asentamientos y necrópolis en este período que en cualquiera de los precedentes, lo que demuestra un aumento sustancial de la población en la mayoría de las regiones. Durante el Bronce final también por primera vez muchos asentamientos fueron ocupados durante varios siglos, en lugar de sólo por un par de generaciones. Que la gente pudiera instalarse más tiempo en un lugar indica el desarrollo de técnicas que conservan la fertilidad de la tierra, como la rotación de cultivos, el barbecho y la utilización de abonos.

Las comunidades se relacionaban entre sí de manera mucho más frecuente y pasaron a formar parte de un único sistema económico que podemos llamar europeo. Un cambio importante se produjo en la realización de la cerámica y objetos de bronce. Hasta ahora las formas y estilos eran regionales, pero en el Bronce final se llegó a un alto grado de estandarización. Por ejemplo, vasijas cerámicas de poblados del centro de Francia, Suiza, sur de Alemania y Bohemia guardan grandes similitudes. Este cambio refleja un aumento de la comunicación entre los ceramistas y los broncistas, unos intercambios de información y el compartir unos mismos modelos y técnicas de producción. Y esto demuestra que la economía europea se hizo mucho más uniforme durante este período.

Este aumento de la integración se refleja en el aumento de la producción de bronce. El cobre y el estaño debían ser transportados desde las minas, juntados para su aleación y distribuidos a las comunidades que deseaban metal. El aumento de las cantidades de metal en los depósitos, en las tumbas y en los asentamientos de esta época demuestra que había más metal en circulación. También el comercio aumentó la diversidad de mercancías, además del bronce. El grafito se hizo popular para decorar la cerámica y generó un activo comercio; el ámbar de las regiones bálticas se comercializaba cada vez en mayores cantidades; por primera vez las cuentas de vidrio se produjeron y circularon ampliamente; y el oro era objeto de intercambios como nunca lo había sido con anterioridad.

EL PAISAJE, LA POBLACIÓN Y LOS ASENTAMIENTOS ENTRE LOS AÑOS 1000 Y 800 A. DE C.

El paisaje del primer milenio antes de Cristo difería del de nuestros días básicamente por la superficie de los bosques. Si bien muchas zonas fueron desforestadas desde inicios del período neolítico en adelante, gran parte del continente siguió cubierto por densos bosques de robles. Es difícil de calibrar la extensión precisa de las áreas arboladas y de las desforestadas, pero podemos hacernos una idea bastante aproximada por los mapas de distribución de los asentamientos conocidos en las regiones bien estudiadas arqueológicamente, por ejemplo el sur de Baviera durante la primera Edad del Hierro (Kossack 1959, lám. 149). Estos mapas muestran que algunas áreas ya estaban sustancialmente desprovistas de bosques por estar ocupadas por comunidades campesinas, que muchos valles fluviales tenían ocupación humana y que entre las regiones ocupadas persistían grandes extensiones de tierra virgen, la mayoría cubierta de bosques. Incluso en la época de la conquista romana, en la segunda mitad del siglo I a. de C., el continente se encontraba aún cubierto en gran parte por los bosques originales.

Aunque es muy difícil hacer estimaciones precisas sobre la población de la protohistoria europea, trabajos muy minuciosos proporcionan una orientación útil de sus proporciones para poder avanzar en su invetigación. McEvedy y Jones (1978, 67) apuntan una población de un millón de habitantes en Alemania hacia el 700 a. de C., mientras ahora cuenta con ochenta millones.

Casi todos los asentamientos europeos al norte de los Alpes en el Bronce final podrían clasificarse como pequeñas aldeas o granjas, aunque los datos estimativos de la población de algunas comunidades son altos. Por ejemplo, Reinerth sugiere doscientas personas para Wasserburg Buchau (1928, 38); Bersu estima en cuatrocientas las de Wittnauer Horn (1946, 7) y Wyss cree que serían quinientas las que vivirían en Zürich-Alpenquai (1971a, 104). Sin embargo, los datos muestran que estas estimaciones son

Fig. 3   Principales yacimientos mencionados en el capítulo 2.

demasiado altas y que la población de las comunidades anteriores al 800 a. de C. rara vez excedía de cincuenta personas y, con toda probabilidad, sólo en casos excepcionales llegaba a las cien. Muchas de las estimaciones altas se basan en los restos de estructuras de los yacimientos, una pobre base en el contexto europeo al norte de los Alpes, donde las edificaciones estaban casi con exclusividad construidas con barro y las condiciones meteorológicas requerían frecuentes reconstrucciones. Algunas veces los arqueólogos piensan que todas las estructuras descubiertas en los asentamientos prehistóricos podrían pertenecer a un mismo momento. Sin embargo, esta hipótesis carece de lógica para estos asentamientos europeos que fueron ocupados durante varias generaciones. El yacimiento de Elp en Holanda clarifica el problema. Los dibujos de la planta del yacimiento dados por los arqueólogos (fig. 4) muestran unos treinta edificios que

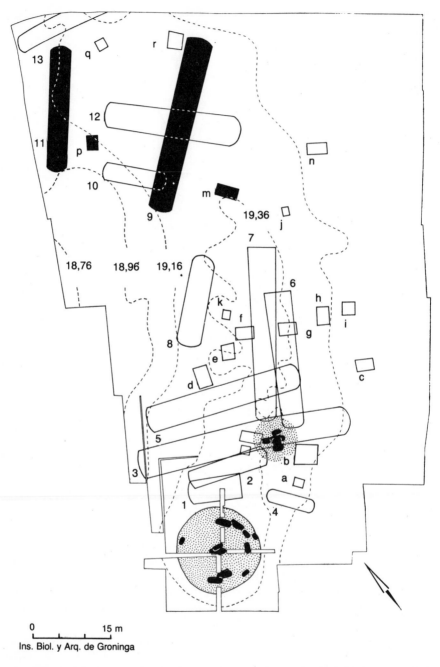

FIG. 4   Plano esquemático del yacimiento de la Edad del Bronce final de Elp, en Holanda. Las largas estructuras de casas granero y las más pequeñas de almacenes pertenecientes a la primera fase de ocupación se han representado en negro. De las de otras fases (sin diferenciar) sólo se han dibujado los contornos. Las estructuras auxiliares (pequeñas estructuras rectangulares) comprenden cobertizos y pesebres. Las áreas punteadas de la parte izquierda son necrópolis. Los números de cuatro cifras indican las cotas de nivel.

tradicionalmente se interpretarían como almacenes y graneros de varias unidades familiares. Sin embargo, la datación radiocarbónica y una meticulosa observación y excavación han demostrado que el asentamiento consistía en una sola granja cuyo edificio principal fue reconstruido muchas veces en el asentamiento a lo largo de quinientos años. La experiencia de Elp nos demuestra que el plano de un asentamiento no indica el tamaño de una comunidad en un momento dado sino el número total de estructuras que en cualquier momento pudieron levantarse en el emplazamiento. Puesto que la interpretación de los datos de un asentamiento son cuestionables, las tumbas proporcionan una base mucho más fiable (aunque no exenta de problemas) para estimar la población de una comunidad.

Cuando las necrópolis han sido totalmente excavadas y puede demostrarse que una necrópolis sólo ha sido utilizada por una comunidad y, a la inversa, que una comunidad ha utilizado solamente esta necrópolis (un presupuesto que casi siempre resulta cierto en la Europa prehistórica), los cálculos estimativos de su población pueden obtenerse con la fórmula

$$P = \frac{De}{t} + k$$

en la que P es el conjunto de población de la comunidad, D el número de individuos enterrados en la necrópolis, e el promedio de esperanza de vida al nacer, t el número de años que la necrópolis estuvo en uso y k un factor de corrección del 20 % para compensar las tumbas destruidas antes del hallazgo de la necrópolis y, por tanto, perdidas para la excavación. La esperanza de vida es difícil de determinar para comunidades específicas representadas en las necrópolis, pero un cálculo aproximativo de treinta años podría ser bastante razonable para la Edad del Hierro europea. (En realidad, la esperanza de vida varía según la zona, el rango social, la época y otros factores.) Basándonos en esta fórmula, ofrecemos las siguientes cifras de población de algunas comunidades del bronce final a partir de los datos de sus necrópolis. Estas cifras se dan sólo con la intención de obtener una idea de su tamaño, no para darles un valor por sí mismas.

Comunidad	Población aproximada
St. Andrä	5-10
Grünwald	5-10
Unterhaching	20
Gernlinden	30
Kelheim	45

Entre las necrópolis que se han excavado, ninguna muestra una población que se acerque al centenar de personas. De las necrópolis que nos sirven de muestra, Kelheim, Gernlinden y Unterhaching se encuentran entre las de mayor tamaño de la Europa central en este período. Muchas tienen el tamaño de St. Andrä y Grünwald y presumiblemente representan el lugar de enterramiento de una sola familia. Las mayores probablemente eran lugar de enterramiento de comunidades formadas por unas pocas familias.

Existen tres situaciones topográficas usuales para los asentamientos de este período: sobre una tierra llana y seca, en las orillas de los lagos y en la cima de una colina. Los asentamiento en la llanura, el más numeroso de los tres tipos, a menudo se localizaban en suelos de loes, fértiles y de fácil roturación, en las terrazas que dominaban el valle de los ríos. La principal característica de su localización es su proximidad al agua corriente y a los fértiles campos. Los asentamientos situados en tierras pantanosas cercanas a los lagos se dan particularmente en Suiza y el sudoeste de Alemania y revisten una especial importancia arqueológica porque su medio natural preserva de manera excelente las materias orgánicas. Igual que en el caso anterior, estas comunidades vivían de la agricultura, como indican los hallazgos de restos de plantas e instrumental agrícola. Los asentamientos en altura empezaron a ser comunes por primera vez en el Bronce final y se caracterizan por las remarcables fortificaciones de tierra, barro y piedra. Estas fortificaciones y su ubicación en altura indican su función esencialmente defensiva, si bien muchos de estos asentamientos dan la impresión que más bien se ocupaban como refugios en tiempos de peligro.

Mientras los asentamientos en altura tenían defensas naturales, reforzadas por trabajos complementarios, muchos asentamientos en la llanura y en las orillas de los lagos necesitaban murallas. En el de Wasserburg Buchau una empalizada de trescientos troncos que estuvo en pie durante un

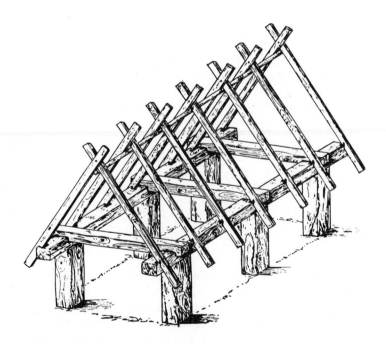

Fig. 5   Típica techumbre de un edificio de un yacimiento del Bronce final en el centro de Europa. Este dibujo se basa en la distribución usual de las huellas de postes halladas en tales asentamientos. La longitud del edificio es de unos cinco metros.

período de trescientos años, rodea el yacimiento (cada poste podía durar entre veinte y treinta años).

Los asentamientos excavados en los tres tipos de localización son muy parecidos en cuanto a estructura interna, tamaño y actividad económica; no existen pruebas de una especialización económica asociada a una determinada topografía. El área de los yacimientos excavados oscila desde menos de mil metros cuadrados hasta varias hectáreas, sin que aparentemente exista correlación entre el tamaño y la ubicación. Al considerar su tamaño nos enfrentamos de nuevo con el problema de determinar qué partes y cuánta superficie del yacimiento se utilizó en un determinado momento y este análisis sólo puede llevarse a cabo durante la excavación de cada yacimiento.

Viviendas, graneros y otras estructuras se construían siguiendo cualquiera de las dos técnicas constructivas. Una utilizaba por lo general seis postes verticales en dos filas clavados en agujeros del suelo para aguantar las paredes y el techo (fig. 5). La otra utilizaba troncos horizontales para formar los cimientos y sobre ellos se apoyaban otros también horizontales pero en sentido transversal para formar las paredes, como en las cabañas de troncos de la primera colonización americana. Hemos podido aprender mucho sobre las técnicas de construcción y los materiales a través de las excavaciones de los asentamientos en las orillas de los lagos, ya que en este medio de agua estancada se han podido conservar muchas de las estructuras de cimentación. Aunque en muchos casos la madera no ha podido sobrevivir al clima húmedo de la Europa central, aún pueden reconocerse las huellas de postes en los lugares en que se utilizó el sistema de troncos verticales, e incluso pueden encontrarse en los asentamientos de altura y en la llanura. La técnica de cabañas largas ha dejado muy pocos o ningún rastro, a excepción de los de algunos asentamientos lacustres. En muchos asentamientos donde se usó ese método los únicos restos consisten en fragmentos del enlucido de las paredes con impresiones de los troncos y elementos vegetales sobre los que reposaba, conservándose en las zanjas que rodean el asentamiento y en los silos excavados en el subsuelo para el almacenaje de granos u otros materiales. De hecho, la mayoría de los asentamientos de este período son conocidos sólo por sus silos.

De los restos de estos cimientos podemos obtener una idea del tamaño de los edificios. Oscilan desde estructuras muy pequeñas, probablemente establos y pesebres de sólo unos pocos metros cuadrados hasta lo que probablemente eran cabañas de una sola habitación, de 25 o 30 metros cuadrados, o grandes edificios de 100 metros cuadrados y, en Elp y otros asentamientos del norte de Europa, de más de 200 metros cuadrados. Estas estructuras tan grandes comprendían tanto las áreas de habitación de los habitantes humanos como los establos para los animales, un modelo que todavía se mantiene en gran parte del norte de Europa. Por lo regular, el tamaño de las estructuras más usuales de los asentamientos se encuentra entre 30 y 60 metros, lo que puede considerarse el tamaño medio de casa de este período. En Gran Bretaña las casas tenían aproximadamente el mismo tamaño que en el continente pero su planta era redonda en lugar de rectangular.

Prácticamente todos los asentamientos pertenecían a comunidades agrícolas. Los asentamientos en llanura estaban por lo general situados directamente sobre los campos agrícolas. Los habitantes de las zonas lacustres y de los asentamientos en altura estaban algo más apartados de sus campos pero tenían cerca las buenas tierras de cultivo. Los restos de plantas y los huesos de animales recuperados de los estratos arqueológicos de todos estos yacimientos son parecidos y no parece haber existido diferencias en las actividades artesanales o comerciales.

No existen pruebas de que ningún yacimiento o grupo de ellos fuera superior a los demás en cuanto a la población, la actividad artesanal, el comercio o la riqueza y el poder. Las comunidades eran totalmente independientes, relacionándose sólo para comercializar el bronce y unas pocas chucherías como las cuentas de vidrio y grafito. Las únicas comunidades especializadas económicamente eran las dedicadas a la minería en las regiones montañosas de Europa.

Durante el Bronce final europeo aparecen por primera vez importantes defensas en gran cantidad de asentamientos en altura. Junto con esta muestra de un aumento de las necesidades defensivas existen indicios de una violencia generalizada por los abundantes depósitos de destrucción (delgados depósitos de carbón indican luchas en grandes áreas de yacimientos) en numerosos asentamientos de llanura. También se incrementó el uso de armas y su tipología demuestra que la lucha debía ser más seria. Todas estas pruebas del aumento de la violencia pueden interpretarse a la luz de las crecientes cantidades de riqueza material que poseían los individuos y las comunidades.

Algunos investigadores han señalado la escala importante de los trabajos defensivos en los asentamientos en altura y han apuntado que debió ser necesario el poder de un jefe fuerte para dirigir la construcción y, por tanto, debieron existir marcadas diferencias sociales. Estudios experimentales de construcciones de terraplenes han demostrado, sin embargo, que el número de horas de trabajo requerido puede haber sido menor que el supuesto. Las fortificaciones construidas alrededor de los asentamientos del Bronce final estaban dentro de las posibilidades de una comunidad campesina de veinte a treinta individuos que las podían levantar fácilmente en su tiempo libre; por tanto, no había ninguna necesidad de una jerarquía social.

LA ECONOMÍA DE SUBSISTENCIA

Sólo después que las comunidades han establecido el sistema de procurarse los alimentos pueden desarrollar otras actividades como la artesanía y el comercio y pueden conseguir la acumulación de riqueza. La mayoría de comunidades prehistóricas europeas después del neolítico tenían una economía mixta basada en la agricultura y la cría de ganado. Sin embargo, la recolección de plantas y la caza de animales siguió teniendo un papel importante en el suministro de alimento de las sociedades prehistóricas y en los tiempos medievales. Poca cantidad de información puede obtenerse de los escasos restos de fauna y flora de los yacimientos y no podemos calcular la importancia relativa de los productos animales y vegetales en la dieta.

Plantas comestibles

Las siguientes plantas cultivadas se encuentran bien representadas en los asentamientos del Bronce final. Esta lista se basa, en gran parte, en los trabajos de Udelgard Körber-Grohne (1981) y Werner Lüdi (1955).

Cereales: el trigo en sus variedades *dicoccum, monococcum, spelta, compactum* y *aestivum* (candeal); la cebada, el mijo en sus variedades *maliaceum* y *Setaria italica* (panizo); la avena.

Hortalizas (y plantas de huerta): las habas, los guisantes, las lentejas, la adormidera y el lino.

También existen pruebas de que en esta época se cultivaban los manzanos y perales en lugar de aprovechar los frutos de los ejemplares silvestres. También se encuentran representadas en los yacimientos una gran abundancia de plantas silvestres como las avellanas, las cerezas, las uvas, las fresas, las ciruelas, las frambuesas, las moras y las nueces. Muchas otras plantas como el chual *(Chenopodium)*, las preseras *(Galium)* y las acederas *(Rumex)*, que en aquellos momentos servían de comida, aunque nosotros ya no las comemos, están también representadas en abundancia en los yacimientos.

Queda de manifiesto que se cultivaba un amplio muestrario de vegetales y que los silvestres se utilizaban para complementar la dieta o bien, sin necesidad, por un simple deseo de variedad. El mapa de distribución de Körber-Grohne que señala las proporciones relativas de las distintas especies domésticas de plantas en treinta asentamientos de la Edad del Bronce, evidencia que no existe una clara concentración geográfica de ninguna de las especies vegetales (1981, 205, fig. 23). En algunos poblados se han encontrado silos que contenían muchas especies distintas de vegetales, lo que indica que una sola comunidad podía cultivar una gran variedad de plantas comestibles. Por ejemplo, cuatro agujeros de postes de lo que se piensa que pudo haber sido una estructura para almacenamiento de grano en el poblado de Langweiler, cerca de Düren, en Alemania occidental, contenían 1402 granos de cebada, 225 de trigo de la variedad *spelta* o *dicoccum*, 13 tallos de espigas de la variedad *spelta*, 27 de la variedad *dicoccum*, 129 de avena silvestre, 13 tallos de espigas de avena y 4 de mijo de la variedad *Setaria italica*. En Elp, de tres conjuntos de granos examinados, el 57 % era trigo *(dicoccum)*, el 43 % cebada y había también mijo *(Panicum maliaceum)* y avena silvestre. En Wasserburg Buchau los granos de cereales eran, el 80 % trigo *(spelta)*, el 4 % trigo de la variedad *dicoccum*, el 10 % cebada, el 5 %, trigo enano y el 1 % trigo de la variedad *monococcum*. El asentamiento de Ichtershausen, cerca de Arnstadt, proporcionó 815 centímetros cúbicos de trigo *dicoccum*, 140 centímetros cúbicos de trigo *monococcum*, 450 centímetros cúbicos de cebada y 39 granos de lentejas. Estos cuatro ejemplos indican la variedad de especies y su posible combinación en los asentamientos. De todas las especies de vegetales cultivados por los asentamientos de la Edad del Bronce en centro Europa y enumerados por Körber-Grohne, el trigo *dicoccum* es, con mucho, el más común, estando presente en veintiuno de los treinta asentamientos. La cebada se encuentra en once de los treinta poblados. Algún sistema de manipulación puede haber afectado de forma sustancial la distribución y conservación de los restos vegetales.

La tecnología agrícola

La mayoría de herramientas estaban hechas de madera y por ello sólo se han conservado en circunstancias extraordinarias. Quedan pocas señales de los complejos avances en la agricultura. Sin embargo, hay tres aspectos que se encuentran muy bien documentados arqueológicamente: el uso del arado, el uso de las hoces y la organización de los campos. Los cambios en las cantidades de riqueza que podían conseguir las comunidades, en especial las cantidades de metal que podían producir y acumular, afectaron directamente estos tres aspectos del proceso de producción de alimentos y, a su vez, fueron afectados por los cambios en los sistemas de producción de alimentos, mucho más efectivos.

No quedan restos claros de arados de inicios del primer milenio antes del cambio de Era en la Europa central aunque los arados probablemente se usarían de forma regular a partir del 1000 y quizá desde el 2000 a. de C. en algunas partes del continente. Sin embargo, tenemos muy bien documentados los tipos de arado que se usaron y la forma como eran utilizados por los restos de unos pocos arados más tardíos conservados en Dinamarca y otras partes de la llanura norteeuropea y por los ejemplares grabados sobre roca en los Alpes franceses y suizos y en el sur de Suecia. No se conoce ninguna pieza de metal de un arado con anterioridad a la segunda Edad del Hierro. Presumiblemente la reja de estos primeros arados era de madera, posiblemente endurecida por el fuego.

Arados y arados curvos sin vertedera se encuentran bien representados en los hallazgos de Dinamarca y otras áreas del norte de Europa desde la primera mitad del primer milenio antes de Cristo y en los grabados sobre roca de la Edad del Bronce y de la Edad del Hierro (fig. 6) del norte y sur de Europa, en la región de Bohuslän, al sur de Suecia, en Val Camonica, cerca de Brescia en los Alpes italianos y en Monte Bego, en los Alpes Marítimos. La datación de los arados se hace a partir del polen que se ha recogido de ellos, a menudo encerrado en las rugosidades de la madera. Las rocas con grabados se fechan por la cronología de las herramientas que de modo asociado se representan, en particular las armas y las embarcaciones. La forma de los arados representados sobre rocas en el norte y sur de Europa es la misma que la de los ejemplares recuperados de las ciénagas de Dinamarca, demostrando que estos arados se extendían por todo el continente. Las representaciones de los animales que tiraban de los arados, su

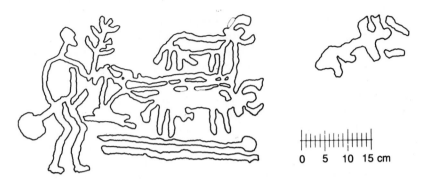

0   5   10 15 cm

FIG. 6 Representación grabada en la roca en Litsleby, Bohuslän (Suecia), fechada en el Bronce final que muestra un arado curvo parecido a los ejemplares encontrados en las ciénagas de Jutlandia. Puede verse el arado con la reja horizontal y un largo madero curvo que se prolonga entre los dos bueyes uncidos. La mano del hombre se apoya en el timón en la parte posterior del eje vertical del arado. Para más detalles sobre esta y otras representaciones similares, véase Glob (1951).

ubicación delante de la cama del arado y las actividades de las personas que trabajan con ellos son también similares en los grabados sobre roca de varias regiones europeas, indicando una vez más que eran prácticas muy extendidas. Muchos de los grabados muestran los arados tirados por dos animales uncidos entre sí al final de la cama del arado; en la mayoría de casos los cuernos de los animales indican que se trata de bueyes. En casi todas las representaciones una figura humana apoya una mano en la mancera del arado. En muchas representaciones aparece también otra persona que camina en la parte delantera del arado, en apariencia conduciendo la yunta de bueyes.

Peter Glob (1951) distingue dos tipos de arados, ambos en uso por lo menos desde el Bronce final. El arado recto del que el ejemplar de Walle está casi completo, está hecho con el tronco curvado de un árbol con una rama que forma la larga cama y la parte más larga del tronco o una rama mayor que forma la esteva. Piezas adicionales de madera se añadieron para formar la telera y el timón. El segundo tipo es el arado curvo, representado por el bien conservado arado de Døstrup (de la Edad del Hierro), que tiene una pieza de madera que forma la reja sujeta a la esteva curva que se inserta en uno de los extremos de la cama. La diferencia entre estos dos tipos es más que nada estructural y no parece que muestren diferencias cronológicas ni funcionales.

La herramienta mejor representada del instrumental agrícola es la hoz. Fue la única herramienta agrícola de metal usada en el Bronce final y la única que pervive sin cambios en el medio europeo. El arado se usaba para preparar el terreno para la plantación; la hoz para recoger la cosecha.

En los tiempos neolíticos se utilizaron hoces con dientes de pedernal, tanto en Europa como en otros lugares. Las primeras hoces de metal no aparecieron en Europa a comienzos de la Edad del Bronce sino a inicios del Bronce medio y sólo en el Bronce final, después del 1200 a. de C., las hoces metálicas llegaron a ser comunes en Europa. Su gran cantidad y amplia distribución en este último período indican que se destinaba una gran cantidad de bronce a su elaboración. A excepción de las hachas de bronce utilizadas para desbrozar las tierras de cultivo y para el trabajo de la madera, las hoces fueron la primera inversión de metal en tecnología para la producción agrícola.

Se han hallado hoces en depósitos, en escondrijos en los asentamientos e incluso en algunas tumbas del Bronce final. Se hallan muy bien representadas en los depósitos, tanto rotas como en buenas condiciones, de toda Europa. Algunos depósitos contenían sólo hoces, otros hoces y hachas y otros, toda una colección de objetos de bronce, incluidas las hoces (fig. 7). El depósito de Frankleben, cerca de Merseburg, en Alemania oriental, contenía más de 230 hoces de bronce. Muchos depósitos contenían más de 25 hoces. En algunos de ellos todas eran hoces nuevas; en otros, estaban todas rotas. La mayor parte de los depósitos más tardíos eran en su mayoría metales recogidos por los metalúrgicos, que debían haber sido itinerantes, pero es muy probable que en este período ya fueran sedentarios y guardaran parte de sus mercancías almacenadas en un lugar seguro bajo tierra. Las hoces nuevas eran productos que esperaban su venta a los campesinos; las rotas formaban parte del pago que los metalúrgicos recibían a cambio, material de desecho para futuras fundiciones.

Las hoces también se han encontrado en los poblados, en especial los del sudoeste de Alemania y los lacustres de Suiza. En algunos de ellos, cuando se han preservado debido a las aguas encharcadas, todavía se han podido encontrar los mangos de madera. Algunos tienen formas sofisticadas, diseñadas con la finalidad con la finalidad de proteger los dedos de todo daño causado por los tallos de las plantas.

Los moldes para fundir las hoces de bronce se han encontrado en asentamientos de toda Europa, por lo general, trozos de los moldes de arenisca de dos piezas en forma de hoz, en negativo uno de ellas y la otra plana para presionar contra la anterior. La amplia distribución de estos moldes indica que se fundían hoces por toda Europa y no se manufacturaban en centros específicos. Es probable que toda comunidad de más de una o dos familias tuviera a alguien capaz de fundir el bronce para producir herramientas y otros objetos de uso diario.

Las hoces de bronce eran esenciales en la tecnología agrícola, indicando una nueva dependencia del metal para la producción de subsistencias. Se utilizaban, sobre todo, para cortar las espigas de los tallos o para cortar a estos últimos por su base. (Las hachas, que eran importantes para desbrozar los terrenos, eran comunes en la Edad del Bronce, pero casi todos los ejemplares encontrados pertenecen al Bronce final y no proceden de poblados de épocas anteriores.)

Los campos son trozos de tierra marcados con propósitos agrícolas. Por lo general, son rectangulares, a menudo casi cuadrados. Las primeras muestras de la aparición de los campos se fechan hoy en día a comienzos del tercer milenio en el túmulo de South Street, en Wiltshire, al sur de Inglaterra. Las pruebas apuntan a que hasta fines del segundo milenio los sistemas de campos no eran comunes en el norte de Europa, en particular en

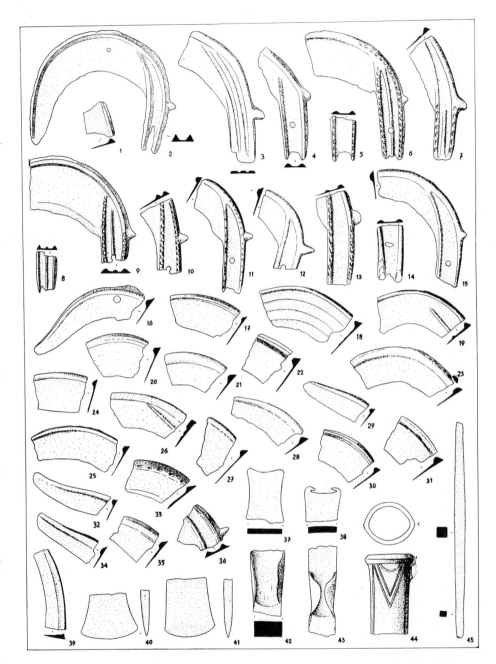

Fig. 7   Parte de un depósito de objetos de bronce procedentes de Winklass, Baviera (Alemania occidental). Los objetos dibujados aquí comprenden hoces (1-36, 39), hachas (37, 38, 40-44) y un escoplo (45).

el sur de Gran Bretaña, Holanda y Dinamarca. Las principales muestras del sistema de campos consisten en bancales de tierra y algunas veces muros de piedra que rodean parcelas rectangulares de tierra. Las distribución de este sistema documentado arqueológicamente no representa su extensión original sino lo que ha persistido por excepcionales circunstancias. Las pruebas que persisten de estos sistemas de campos prehistóricos en el sur de Inglaterra y en la Europa noroccidental se encuentran en una tierra que no se sometió al arado con posterioridad, lo que habría destruido las primeras huellas de campos.

La demarcación de los campos mediante lindes refleja un uso agrícola de la tierra intenso y prolongado. Se necesitaba una considerable inversión de tiempo y energía para construir estos lindes que aíslan parcelas específicas de tierra del territorio circundante. La inversión de este esfuerzo para establecer los límites de los campos implica una utilización más intensiva que la de los campos abiertos y, por tanto, un control más cuidadoso de los mismos, puesto que los campos no pueden cultivarse de forma repetida más allá de unos pocos años sin esquilmar el suelo. Ello implica, por tanto, un sistema de abonado, la rotación de cultivos y la práctica del barbecho en los campos cercados. No todos los cierres de campos eran sólidos como los terraplenes de tierra o las paredes de piedra que persisten en Inglaterra y la parte noroccidental del continente europeo. También podían consistir en ligeras empalizadas confeccionadas con ramas y por ello no han dejado testimonio arqueológico alguno, incluso bajo óptimas condiciones de conservación.

Los animales domésticos

Los animales domésticos más comunes de este período eran las vacas, los cerdos, las ovejas, las cabras, los caballos y los perros. Los restos de fauna procedentes de los poblados indican que las vacas y los cerdos constituían la fuente principal de proteínas cárnicas. Los cerdos eran más abundantes en muchas partes de las regiones boscosas al norte de los Alpes, donde el frío y húmedo medio boscoso era particularmente favorable para ellos. En los otros asentamientos el ganado vacuno era la especie predominante, en particular en las zonas herbáceas del este de Europa y de la llanura noreuropea.

Mientras los cerdos se criaban exclusivamente para carne, el ganado vacuno tenía múltiples utilidades, la principal, la tracción de los arados, su leche y otros productos derivados y su piel. El estiércol constituía también un producto importante. Las ovejas se criaban especialmente para la lana en la mayor parte de Europa, como demuestran los restos de fauna analizados, pero también servían como alimento. También las cabras servían de comida, además de su utilización primaria para obtener leche. Los caballos se utilizaban para carne y probablemente también para el tiro, pero es casi seguro que todavía no se utilizaban como montura en esta época. Los perros pueden haber sido básicamente animales de compañía, guardianes de los poblados y cuidadores del rebaño, aunque también eran comidos.

Una pequeña proporción, por lo usual del 2 al 10 % de los huesos de animales encontrados en todos los asentamientos pertenecen a animales no domesticados. El más usual es el ciervo común, que probablemente sería cazado cuando saqueaba las cosechas, si bien también podía cazarse en los bosques. También se cazaban para comer otras especies como el corzo, el oso, el verraco, el alce y la liebre, un muestrario parecido al que en nuestros días se puede cazar todavía en el centro de Europa. También los peces y los pájaros se documentan a través de los restos hallados en los asentamientos.

El modelo de subsistencia representado por los restos de fauna es parecido al indicado por los restos de flora. Una gran variedad de especies, sobre todo domésticas, pero también silvestres, es lo más remarcable. Ninguna de ellas predomina sobre las otras en Europa, ni la dieta de ninguna comunidad se encontraba reducida a una sola o a un pequeño número de especies. Es, por tanto, un modelo de gran diversidad, que indica una gran flexibilidad y adaptabilidad en la dieta.

A partir del Bronce final tenemos las primeras pruebas claras del uso de establos en invierno para estabular los animales. Los ejemplos son más claros en las tierras que rodean el mar del Norte, en donde las largas casas rectangulares con dependencias para los humanos a un extremo y establos para los animales en el otro fueron las primeras que se construyeron siguiendo un prototipo regular; a lo largo de la Edad del Hierro y en la Edad Media pasaron a ser comunes. Los establos contenían un número importante de animales durante el invierno, en contraste con épocas anteriores en que los animales tenían que vagar a la búsqueda de alimentos, o bien debían ser sacrificados a comienzos de invierno en su mayor parte, conservándose sólo los imprescindibles para la reproducción. La utilización de establos significó una inversión considerable de tiempo y esfuerzos en la atención de los animales. Se tuvieron que construir grandes edificios para acomodar al ganado y se tenía que plantar, cosechar y almacenar el forraje para alimentar a los animales durante el invierno. En contrapartida a este esfuerzo, se conseguían animales más sanos que podían ser productivos a comienzos de primavera y, además, se obtenía mucho más estiércol para las plantaciones de primavera y verano.

LAS MANUFACTURAS

La cultura material en el Bronce final

En todos los aspectos de la cultura material puede demostrarse una continuidad entre el Bronce final y los períodos anteriores. Además de un aumento de la variedad, las principales nuevas creaciones de cultura material del Bronce final presentan una gran homogeneidad de formas, estilos y decoraciones en la mayor parte de Europa, lo que indica un aumento de la comunicación entre los artesanos.

Los vasos cerámicos tenían múltiples finalidades, incluidas la preparación y servicio de comidas y bebidas y el almacenaje de alimentos y otras mercancías. La cerámica procedente de los asentamientos es relativamente sencilla y tosca, mientras que la procedente de los enterramientos es de más calidad y mejor decorada. Las vasijas que se han recuperado en mayor número en los asentamientos son cuencos y platos, copas y vasos y grandes vasijas de cuerpo grande y ancho y bocas grandes destinadas al almacenaje de mercancías. Estos tipos cerámicos se corresponden muy de cerca con los utilizados en Europa en la época moderna. La mayoría ya podían encontrarse en las fases precedentes de la Edad del Bronce, pero durante el Bronce final las grandes tinajas para almacenaje empiezan por primera vez a ser comunes en los asentamientos. Las forma cerámica más usual hallada en las tumbas es la bicónica de cuello cilíndrico y labio envasado, usada para contener las cenizas. También son comunes los boles, copas y vasos.

La cerámica se utilizaba también para otros objetos, además de las vasijas. Las pesas de telar que mantienen tensas las hebras verticales en los telares verticales, se realizaban con cerámica, al igual que las *fusaiolas* para torcer la lana. Los moldes bibalvos para la fundición de objetos de bronce también eran de cerámica, así como figuritas de animales.

Los objetos de bronce se han encontrado fundamentalmente en las tumbas y depósitos. Casi todos los poblados excavados los han proporcionado, pero por lo general en estado fragmentario, excepción hecha de los hallados en los asentamientos lacustres. A diferencia del hierro y el aluminio en el mundo occidental de nuestros días, o del hierro a fines del período de La Tène (100-1 a. de C.), los fragmentos de bronce no se desechaban sino que se guardaban para volverlos a fundir.

Podemos diferenciar cuatro categorías de objetos de bronce: las joyas, las herramientas, las armas y las vasijas. Las joyas son el tipo más común, en particular las fíbulas, pendientes, brazaletes, agujas para vestidos, collares y anillos. Estas joyas se encuentran con frecuencia en las tumbas tanto completas como en estado fragmentario, y también en los depósitos. Las herramientas más numerosas son las hoces y las hachas. Los cuchillos, martillos, escoplos, gubias, sierras, yunques, tenazas, navajas y llaves también aparecen a menudo. Las herramientas son más abundantes en los depósitos; en algunos casos también se encuentran en las tumbas y en los poblados, en particular los lacustres. Las armas más comunes son las puntas de lanza. Las puntas de flecha son también abundantes, si bien desconocemos si se utilizaban para cazar o para luchar. Las espadas son comunes, especialmente en las tumbas con ricos ajuares. En cambio, son menos frecuentes los cascos, escudos y corazas. Las hachas debían tener una doble función, como arma y como herramienta; no existe un criterio claro para distinguir unas de otras y quizá los mismos tipos eran usados con ambos fines. Las vasijas se encuentran preferentemente en los depósitos y en las tumbas.

El hueso y el asta se utilizaban a menudo como adornos y para decoración. En los yacimientos donde se han conservado bien, son comunes los martillos y azadas confeccionados con asta de ciervo, y puntas de lanza, mangos de cuchillos y sierras, peines, botones y adornos de varios tipos hechos de hueso y asta.

En los asentamientos del Bronce final, a menudo se encuentran fragmentos de pedernal. Es difícil discernir si pertenecían a los asentamientos de este momento o si fueron abandonados por los ocupantes anteriores. En la mayoría de los casos prácticamente todos los fragmentos tienen formas indeterminadas y no han sido trabajados. En el norte de Europa, donde no existen depósitos naturales de minerales de cobre y estaño, los fragmentos de pedernal son muy comunes en los asentamientos, ya que el pedernal debía jugar un papel en la economía mucho más importante que en la Europa central. Los guijarros se recogían en los cursos de los arroyos y se utilizaban como martillos, manos de mortero y piedras de honda. La arenisca era el material preferido para la confección de moldes para fundir los objetos de bronce. Fragmentos numerosos y moldes enteros en piedra arenisca han aparecido en los poblados. La piedra arenisca se usaba también para los molinos de mano.

La madera se utilizaba para la construcción de edificios y elementos de protección (empalizadas, cercas y murallas) y en la confección de vehículos, en particular carros y barcas, muebles y herramientas. Los arados y demás instrumental agrícola se realizaban exclusivamente con madera. Los mangos de las hoces, hachas, cuchillos, sierras y martillos eran también de madera. En los depósitos palustres de muchos poblados lacustres suizos se han podido recuperar vasijas, copas, cajas, cestos y cucharas (de madera).

El hierro forjado empezó a utilizarse durante este período. Se lo encuentra a menudo como adorno engarzado en objetos de bronce y en instrumentos mixtos, de mangos de bronce y hojas de hierro. Se conoce un número reducido de objetos de hierro del Bronce final y su número va en aumento. En varios yacimientos existen muestras de escorias de hierro, tanto en poblados como en tumbas. Aunque en esta época se trabajaba en muchas comunidades del centro de Europa, a menudo con técnicas bastante sofisticadas, el hierro no tuvo mayor importancia económica hasta el 800 a. de C.

La producción a gran escala y el comercio de las cuentas de vidrio se dio por primera vez en el Bronce final, si bien se conocen cuentas de épocas anteriores. Su abundancia en muchas regiones de Europa, incluyendo su parte central, atestigua el crecimiento de la riqueza y la circulación de productos por todo el continente en este momento.

Al igual que las otras materias que hemos tratado, a excepción del vidrio y el oro, las textiles se confeccionaban en todas las comunidades. Abundantes muestras de tejidos del Bronce final han sobrevivido en los pantanos de Dinamarca, proporcionando rica información sobre los tipos de telares utilizados, las técnicas de hilado y tejido, los tipos de prendas de vestir que utilizaban y los colores de las mismas. Restos pictóricos de otras partes de Europa muestran que en todo el continente se utilizaban unos mismos tipos de prendas. Los asentamientos han proporcionado, en muchos casos, pruebas de labores de hilado y tejido, por las *fusaiolas* y pesas de telar de cerámica encontradas en ellos. Los otros instrumentos que se utilizaban en la producción textil, incluyendo los telares, estaban hechos de madera y se han conservado sólo en casos excepcionales.

En el Bronce final se trabajó el oro en un volumen mucho mayor al de las épocas anteriores, si bien este metal era todavía raro y generalmente se encuentra asociado con otros indicadores de una riqueza excepcional. Se utilizaba, sobre todo, para joyería y adornos muy especiales. Es raro encontrarlo en los propios asentamientos, pero se encuentra en las tumbas con ricos ajuares y en un pequeño número de depósitos. Su distribución deja claro que el oro era una sustancia preciosa reservada a los individuos con una fortuna considerable.

La organización de las manufacturas

Los materiales más abundantes que encontramos en el Bronce final son las cerámicas y los objetos de bronce. Las muestras de su producción son mucho más usuales que las de otros materiales.

Los numerosos poblados excavados han demostrado que cada asentamiento fabricaba su propia cerámica. Se han documentado hornos y desechos de cocción en Alemania, en Elchinger Kreuz, cerca de Ulm, en Breisach-Münsterberg, en Baden, en Buchau, en el Württemberg meridional y en Hascherkeller, en la Baja Baviera; y en Francia, en el Hohlandsberg, en Alsacia y en Sévrier en la Alta Saboya, para citar solamente unos pocos ejemplos. El horno mejor documentado de este período es el de Elchinger Kreuz. Estaba bastante bien conservado y fue muy bien excavado y dado a conocer por Emma Pressmar (1979). Era casi redondo, midiendo 1,45 por 1,30 metros. Estaba construido con el mismo loes sobre el que se apoyaba. El horno se construyó sobre un hoyo de fondo plano poco profundo, aproximadamente de medio metro de profundidad, y era asequible por todas sus caras. De la cubierta, destruida por las labores de arado posteriores, sólo quedan pequeños fragmentos. Debajo del horno había cuatro agujeros en ángulo recto para alimentar el fuego. Por los restos de madera en ellos encontrados se ha podido saber que la madera que se quemaba era de roble. Muchos desechos cerámicos (piezas quemadas o rotas) se encontraban tanto dentro del horno como a su alrededor.

La presencia de hornos y desechos de producción en la mayoría de poblados excavados del Bronce final demuestra que la mayor parte de los poblados producía su propia cerámica y no dependía de importaciones. También abonan este hecho los análisis mineralógicos de los fragmentos hallados en los diferentes poblados. Por tanto, no existía una producción centralizada para la cerámica.

En aquellas comunidades que tenían un tamaño entre diez y cincuenta individuos, es poco probable que pudieran permitirse mantener un ceramista especializado a tiempo completo en la fabricación de cerámica. En pequeñas comunidades tradicionales que han sido estudiadas por los etnólogos, a menudo la cerámica la realizan personas que por su experiencia son especialmente diestros en esta artesanía pero a la vez colaboran en la producción de comida. Son especialistas en el sentido de que son los únicos que producen la cerámica para la comunidad, pero a la vez son productores de alimentos y, por tanto, no podemos hablar de especialistas a tiempo completo. Los etnógrafos han encontrado que la cerámica generalmente se fabrica cuando no hay otros trabajos más imprescindibles que realizar. Sobre la base de los resultados otorgados por estas pequeñas comunidades actuales, es razonable avanzar la hipótesis de que la producción de cerámica en el Bronce final era desempeñada por especialistas a tiempo parcial que intercambiaban sus habilidades para esta artesanía por un suministro adicional de alimentos y aquellos productos realizados por otros miembros de la comunidad, por ejemplo, los realizados con madera, cuero o lana.

La sorprendente semejanza tipológica y decorativa de las cerámicas de áreas muy distantes nos lleva a admitir una interacción sustancial entre los ceramistas de varias localidades. Es probable que además de los ceramistas a tiempo parcial que tenía cada comunidad, otros ceramistas itinerantes se desplazaran de un lugar a otro comerciando quizá con el grafito que en la época era muy popular para decorar la cerámica. Si bien las arcillas y otros materiales cerámicos han demostrado en sus análisis que eran de origen local, las zonas con grafito están muy limitadas geográficamente y, por tanto, en muchas regiones debía ser importado. Dado que el único uso documentado en esta época para el grafito es el de la decoración cerámica, es probable que los mismos individuos que comerciaban el grafito introdujeran nuevas formas cerámicas y nuevos modelos decorativos.

Durante el Bronce final, el bronce era la fuente principal para la fabricación de herramientas, armas y joyas. También era el material más usado para los objetos de lujo, cuya categoría más abundante eran las vasijas. Fue éste un período de intensa expansión de la producción de bronce; la cantidad de instrumental de bronce, armas y joyas en circulación creció en gran manera. También se produjo un sustancial aumento en el número y tamaño de los objetos grandes, como las espadas y las hachas, que necesitaban mayores cantidades de metal que otros objetos.

La mayoría del bronce producido en esta época contenía aproximadamente un 90 % de cobre y un 10 % de estaño. Existen grandes depósitos de mineral de cobre en las zonas montañosas europeas, en particular la zona oriental de los Alpes, los montes de Bohemia, los Cárpatos y en la parte occidental de Inglaterra e Irlanda, y muchos de ellos se explotaron en este período. La gran explosión de nueva riqueza en Europa central y los Cárpatos dependió directamente de los grandes depósitos de cobre de estas regiones. Los depósitos de estaño tienen una distribución más restringida y se sabe poco sobre su minería.

Podemos extraer una gran información de las actuales explotaciones de las minas de cobre en las regiones austríacas del Tirol y la zona de Salzburgo. Arqueólogos e ingenieros de minas han estudiado los pozos de las minas, los lugares en donde el mineral se rompe para separar el metal de las rocas y los lugares de fundición. Basándose en estos estudios, Richard Pittioni (1951, 1976) y sus colaboradores estiman que podían trabajar al mismo tiempo en las mismas de la zonas de Salzburgo entre quinientos o seiscientos trabajadores y otros trescientos o cuatrocientos en la zona de Kitzbühel, en el Tirol. El trabajo se repartía: unos trabajadores extraían el mineral, otros cortaban y preparaban los troncos para soportes de las galerías, otros fundían, otros separaban el mineral de la roca, otros transportaban el mineral y otros supervisaban las operaciones. En época prehistórica se removieron 1,3 millones de toneladas de mineral en las minas de Mitterberg y de otras cercanas a Bischofshofen, en la zona de Salzburgo. Pittioni estima que de todas las minas de los Alpes austríacos a lo largo de la Edad del Bronce se consiguieron unas 50 000 toneladas de cobre. Se extrajo más cobre durante el Bronce final que en cualquier otro período prehistórico, pero es difícil de juzgar exactamente qué cantidad se extrajo entonces y cuál durante las otras etapas.

Los hallazgos en las minas consisten principalmente en fragmentos esparcidos de cerámica y, ocasionalmente, en fragmentos de herramientas. A diferencia de las minas de sal de Hallstatt y Dürrnberg, en las que la sal ha preservado restos orgánicos, las minas de cobre han proporcionado poca documentación sobre las operaciones de minería. Tampoco se sabe mucho de los asentamientos donde vivían los mineros.

Sin embargo, las necrópolis de los mineros nos dan información sobre la riqueza y las prácticas comerciales de las comunidades mineras. Una pequeña necrópolis de mineros formada por dieciséis tumbas, en Lebenberg (Kitzbühel, Tirol), contenía ajuares con objetos típicos de este período en quince de ellas; pero una, más rica que las otras, contenía una punta de lanza y una espada de bronce. El modelo de distribución de la riqueza es en estas tumbas similar al de las demás necrópolis. Por lo general, las tumbas muestran poca variación de riqueza, lo que indica que la cantidad y distribución de la riqueza en esta comunidad minera es parecida a la de las comunidades agrícolas. Sin embargo, este modelo cambió en los dos siglos siguientes.

El mineral de cobre extraído de las minas se fundía junto a ellas. (Probablemente con el estaño sucedía lo mismo, pero por el momento no tenemos suficientes datos para afirmar nada definitivo.) No está claro dónde se aleaban los metales. Si bien se han recuperado numerosos lingotes de bronce en los depósitos, en los asentamientos y en unas pocas tumbas, virtualmente no se ha encontrado todavía ningún lingote de cobre o estaño de este período. El motivo es fácil de explicar: el cobre y el estaño tenían gran demanda y por ello gran valor; tan pronto como eran producidos, los dos metales se juntaban, se aleaban y pasaban al sistema de distribución.

Tenemos buena información sobre la distribución de los lingotes de bronce en la Europa central. Generalmente se trata de lingotes largos y delgados de sección romboidal, si bien hay una considerable variación de tamaños y formas. En los depósitos han aparecido junto a otros objetos, como en el depósito de Unadingen, aquí reproducido (fig. 8). Se han recuperado ejemplares parecidos en los poblados y cuando se han hallado en las tumbas, se ha interpretado que éstas pertenecieron a metalúrgicos.

El pequeño tamaño de los lingotes de bronce es sorprendente, ya que al-

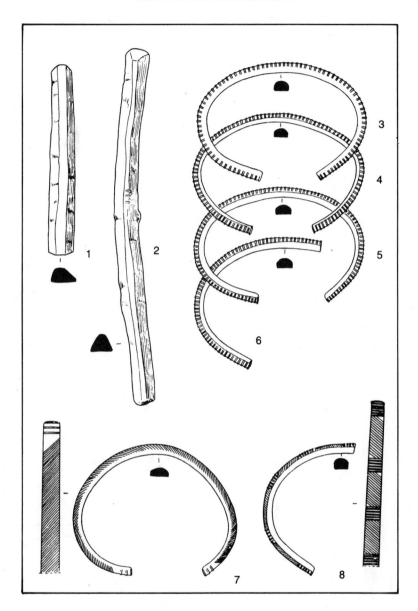

Fig. 8   Parte del depósito de objetos de bronce de Unadingen, Baden-Württemberg (Alemania occidental). Los objetos 1 y 2 son lingotes; los demás son brazaletes.

gunos de ellos se asemejan a los estrechos brazaletes de este período. De hecho, los lingotes hallados en algunos depósitos, como el de Unadingen, por su tamaño, sección y forma imitan de cerca los brazaletes hallados en los mismos depósitos, lo que nos lleva a suponer que se intentó convertirlos en brazaletes. En cualquier caso, la inmensa mayoría de lingotes cono-

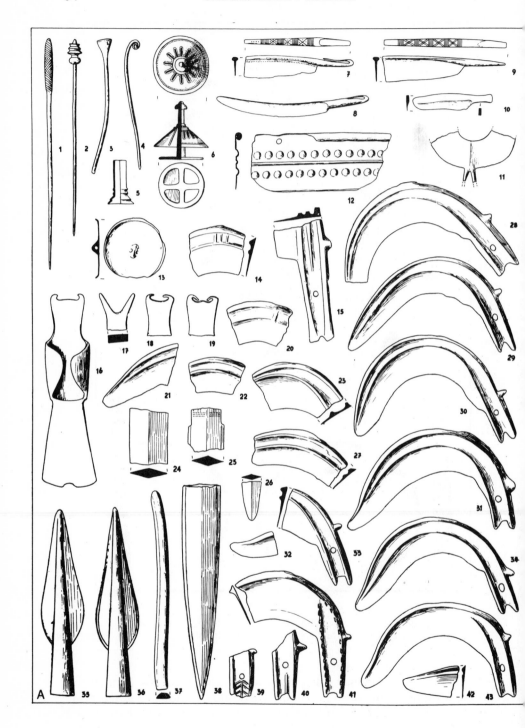

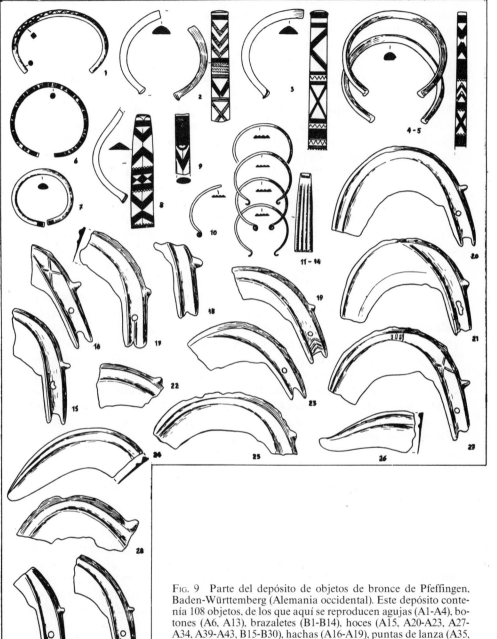

Fig. 9 Parte del depósito de objetos de bronce de Pfeffingen, Baden-Württemberg (Alemania occidental). Este depósito contenía 108 objetos, de los que aquí se reproducen agujas (A1-A4), botones (A6, A13), brazaletes (B1-B14), hoces (A15, A20-A23, A27-A34, A39-A43, B15-B30), hachas (A16-A19), puntas de lanza (A35, A36), fragmentos de espadas (A24-A26, A38), cuchillos (A7-A10), fragmentos de lámina de bronce (A12), una navaja (A11) y un lingote (A37).

cidos debería haberse juntado en grandes cantidades para producir un hacha, una punta de lanza o cualquier otro objeto de tamaño grande, ya que en la Europa central no se han identificado lingotes de tamaño mayor.

En los depósitos se han encontrado muchos más fragmentos de objetos rotos y panes de metal que lingotes de bronce. El gran número de estos depósitos, cuya mayoría pertenecería a fundidores, en relación con el número de lingotes conocido, indica que durante el Bronce final se reciclaba más bronce que en cualquier período anterior. La mayor parte de los miles de depósitos conocidos contenían cantidades importantes de fragmentos rotos. En muchos de ellos también había objetos enteros, nuevos e incluso herramientas para el trabajo del bronce.

Un depósito característico es el encontrado en Pfeffingen (fig. 9), que contenía por lo menos veinticinco fragmentos de hoces, cinco brazaletes en estado fragmentario, la punta de una espada, un hacha con el filo mellado, dos cuchillos rotos, una navaja rota y un fragmento de vasija de lámina de bronce. Además de estas mercancías rotas, el depósito contenía un lingote de bronce, seis hoces nuevas, dos hojas de lanza nuevas, cuatro agujas completas, dos cuchillos enteros, nueve brazaletes enteros y varios adornos. Este depósito y otros como él se interpretan, por lo general, como escondites de objetos de bronce que pertenecían a metalúrgicos y que se escondieron bajo tierra para preservarlos. El fundidor pudo haber vivido muy cerca y este depósito constituía su almacén permanente, o bien pudo haber sido un trabajador itinerante que dejaba este material a lo largo de su ruta con las intención de recogerlo después de un pequeño viaje. Los objetos rotos que el metalúrgico obtendría mediante el trueque por objetos nuevos con sus clientes, significaban material de desecho para refundir. Los objetos nuevos significaban la moneda para conseguirlos. Puede que los objetos nuevos estuvieran separados de los fragmentados en los depósitos mediante bolsas de piel o quizás en sacos de tela, pero esta separación se ha perdido para nosotros, pues la mayoría de los depósitos se han encontrado de forma accidental y no han sido excavados de manera sistemática.

Los depósitos proporcionan importante información sobre la producción y circulación de los objetos de bronce. La abundancia de fragmentos indica un esfuerzo manifiesto en conservar el metal. Los objetos deteriorados no se tiraban sino que pasaban de nuevo a los metalúrgicos para su reciclaje. Puesto que el cobre y el estaño requerían una gran inversión de energía para su minería, fundición, aleación y transporte, el bronce tenía un valor considerable. Este sistema de reutilización del metal se refleja en su escasez general en los asentamientos y es muy diferente de la actitud con respecto al hierro a fines del período de La Tène (100-1 a. de C.) en que los asentamientos mayores están llenos de este metal. A excepción de los asentamientos lacustres suizos y del sudoeste de Alemania, los grandes objetos como las hachas y los cuchillos rara vez se han encontrado en los poblados. Los únicos objetos de bronce recuperados con frecuencia en los asentamientos son pequeños y en desuso, como las agujas rotas, que no significan una cantidad importante de metal y que podían perderse fácilmente. La razón probable de que en los poblados lacustres se encuentre tanto bronce es que los objetos se perdían de modo mucho más fácil en un suelo húmedo y pantanoso que en una tierra dura y no que las comunidades lacustres le dieran menos valor o que pudieran disponer de él de modo más barato o fácil.

La gran demanda de bronce y los esfuerzos para conservarlo también quedan reflejados en las tumbas. Mientras la proliferación de depósitos en Europa y los numerosos objetos en ellos encontrados indica la existencia de una vasta cantidad de metal en circulación, la cantidad de metal colocada en las tumbas no aumentó de manera apreciable durante el Bronce final. Son raros los depósitos de metal de desecho en los períodos precedentes, tanto porque había menos metal en aquel momento como porque se hacían pocos esfuerzos para conservar y reciclar los objetos desechados. Los datos de la minería en el Bronce final indican que constantemente se introducía nuevo metal en circulación, pero la demanda de bronce crecía cada vez más a causa del aumento de producción de herramientas básicas para la producción de alimentos, como las hoces y las hachas, y de objetos para la elite social como las espadas, cascos y vasijas. Por ello, todo el metal debía guardarse y reutilizarse.

Algunos investigadores han apuntado que algunas cantidades específicas de bronce tenían un valor de cambio fijo en esta época. Muchos depósitos contienen fragmentos de una forma que no se obtendría por una rotura casual del objeto, y más bien parece que deliberadamente se los ha cortado de objetos mayores. Quizá podría existir algún tipo de peso fijo. Por ejemplo, el depósito de Winklsass contenía veinte fragmentos cuadrangulares de pequeño tamaño recortados de hoces (fig. 7).

Tenemos buena información sobre dónde se realizaba el trabajo del bronce. El dato principal consiste en la presencia de moldes para fundir en los yacimientos, así como crisoles, gotas de bronce y restos de hornos utilizados para obtener las temperaturas requeridas para fundir el bronce. Cada uno de estos elementos es indicativo de un lugar de fundición de bronce. Tales residuos del proceso de elaboración del bronce han sido hallados en la mayoría de asentamientos excavados con una categoría poco superior a la de granja.

Alpenquai, Wollishofen y Grosser Hafner en el lago de Zürich; Stadtboden y Mörigen en el de Bieler; Cortaillod y Auvernier en el de Neuchâtel y Estavayer-le-Lac y Corcelettes en el de Murten, proporcionan pruebas de la fundición del bronce en asentamientos lacustres suizos. Los asentamientos en altura, con frecuencia también ofrecen evidencias del trabajo del bronce; por ejemplo, el Hohlandsberg en Alsacia, el Runder Berg en Württemberg, en Alemania, y un conjunto de asentamientos de Suiza. Muchos asentamientos de llanura han dado restos de hornos, moldes y desechos de fundición, como los del valle del Saona estudiados por Bonnamour (1976), en Hascherkeller en Baviera (fig. 10), en Velemszentvid en Hungría, y también en regiones más periféricas del continente como Hallunda en Suecia y Aldermaston Wharf al sur de Inglaterra. Las abundantes pruebas de actividad productora de bronce en muchos asentamientos de este período llevan a Albert von Brunn a apuntar (1968) que cada comunidad, por pe-

Fig. 10   Molde de piedra arenisca del poblado de Hascherkeller en Baviera (Alemania occidental) utilizado para fundir tiras de anillos de adorno. Longitud máxima: 11 cm.

queña que fuera, tenía entre sus miembros artesanos especializados que producían los objetos de bronce necesarios para esta comunidad.

Hasta el presente tenemos escasas pruebas de la existencia de centros mayores en la producción del bronce. Que la fundición de bronce estuviera tan ampliamente extendida indica que casi todos los objetos de este metal eran manufacturados de forma local en cada poblado en toda Europa. Allí donde se han conservado restos de hornos, se trabajaba el metal en pequeña escala, por obra de un metalúrgico, o es posible de dos que trabajaran juntos, pero no más de dos. Una posible excepción puede ser el asentamiento de Velemszentvid en el oeste de Hungría, pero no se han publicado lo suficiente las antiguas excavaciones para conocer lo extenso que pudo haber sido el trabajo del bronce allí. Sin embargo, la cantidad de muestras del trabajo de este metal y el carácter de los objetos de bronce producidos en la mayoría de los poblados evidencian que los broncistas locales, como los ceramistas, no eran especialistas a tiempo completo, sino más bien campesinos que ocupaban parte de su tiempo, probablemente en los períodos de baja actividad agrícola anual, trabajando el metal.

Dos tipos de objetos de bronce parecen haberse producido: los comunes, de uso diario, y los de lujo, más raros. Los objetos de metal más comunes, joyas y herramientas, se fundían en moldes, por lo general planos, con la forma de la pieza incisa en una de las partes y una superficie plana en la otra mitad del molde. Algunos moldes eran más complejos, como por ejemplo los moldes con regatón utilizados para fundir las hachas de talón. Estos objetos de uso cotidiano se producían en todos los asentamientos y se encuentran también en los depósitos y en las tumbas. Las herramientas cuyos moldes han aparecido más veces en los poblados son las hoces y las hachas (las dos que más papel tenían en la producción agrícola). Los cuchillos son también comunes y debían ser un utensilio para todo uso en la cocina. La mayor parte de las joyas producidas en los asentamientos, a juzgar por los moldes recuperados, eran los anillos y las agujas para vestidos.

Durante el Bronce final se desarrolló una nueva manera de trabajar el bronce, el amartillado de las láminas de bronce para convertirlas en objetos. Los objetos amartillados requerían mucho más tiempo y destreza para conseguir grandes láminas de los panes de metal. Los objetos de bronce amartillado con frecuencia estaban decorados de manera muy cuidada con finas líneas y repujados. Este tipo de trabajo se utilizaba sobre todo para las armas, en especial los cascos, y las vasijas. A diferencia de los objetos utilitarios, como las herramientas, o de uso diario, como los adornos, agujas y anillos, que se fundían en grandes cantidades mediante los moldes, los objetos de bronce amartillado, eran únicos, trabajándose uno a uno. Estos objetos de manufactura limitada sólo podían conseguirlos los individuos ricos y se han hallado en pocas tumbas, en las que están asociados a otras muestras de especial riqueza, como las espadas y los adornos de oro. Los experimentos realizados por Coles (1977) han revelado que la mayor parte de las armas defensivas confeccionadas con láminas de bronce eran demasiado delgadas para ser militarmente efectivas y su finalidad sería, pues, la simple exhibición.

Parece que los bronces fueron producidos en dos niveles de organización: uno local, para las herramientas de todos los días y las joyas de uso local, y otro cosmopolita, para la elaboración de mercancías de lujo destinadas a una clientela muy rica. La producción local es seguro que se daba en todos los asentamientos europeos, cualquiera que fuese su tamaño, como ya hemos dicho más arriba. Los objetos de lujo más bien se producían en un reducido número de talleres, de los que desconocemos la localización. Sin embargo, muchos investigadores creen que el centro de esta producción podría ser el área del Tisza Superior y los Cárpatos, debido a las grandes cantidades de objetos de bronce que en ella se han encontrado. Muchos de los objetos más finamente trabajados con la técnica del amartillado, con adornos, en particular vasijas, de este período se han encontrado concentrados en estas regiones y en las zonas que rodean la llanura húngara.

Los datos proporcionados por las tumbas ofrecen una base para conjeturar sobre la riqueza de los broncistas. Estas tumbas que contienen herramientas de este oficio (lingotes, yunques y punzones) se interpretan como enterramientos de metalúrgicos. Comparadas con otras de las mismas necrópolis, estas tumbas, por lo general, tenían buenos ajuares, sobre todo en objetos de bronce, demostrando que los broncistas eran capaces de acumular ciertas cantidades de riqueza. Sin embargo, en ningún caso las tumbas que contienen herramientas de metalúrgico pertenecen al grupo de las más ricas.

Probablemente la vida era muy distinta para los metalúrgicos especializados en el amartillado del bronce. Con probabilidad había especialistas a tiempo completo, ya que tenían que aprender y practicar unos conocimientos muy especializados, puestos de manifiesto en las vasijas decoradas y en los cascos que producían. Los artesanos que realizaban las elaboradas láminas de bronce y los que confeccionaban productos como las espadas y los herrajes para los carros que aparecen en los enterramientos más ricos, tenían más oportunidades de acumular riqueza personal que los fundidores de bronce a tiempo parcial que trabajaban en las pequeñas comunidades. Este último grupo trabajaba para solventar las necesidades locales y es poco probable que realizara más de lo que necesitaban sus comunidades. Por otra parte, los broncistas especializados, con una clientela fuera de sus comunidades locales, no tenían estas limitaciones de cantidad. Podían producir un excedente de material y también de riqueza.

Además de estas dos categorías de trabajadores del bronce, probablemente existía una tercera: unos metalúrgicos del bronce que traerían los lingotes y la chatarra a los asentamientos, repararían los objetos estropeados, manufacturarían otros nuevos en las comunidades que carecieran de especialistas, introducirían nuevos estilos y enseñarían nuevas técnicas a los fundidores locales de bronce. Tales individuos pueden haber sido los responsables de la confección de moldes para los fundidores locales, a tiempo parcial; la confección de moldes seguros requería mucha más destreza que la fundición de objetos en ellos. Como señala Wyss (1967, 4) para fundir objetos de bronce un metalúrgico itinerante sólo requería una buena tierra, la ayuda de fuelles, crisoles y moldes, todo lo cual debía trasladar consigo. La actividad de estos metalúrgicos itinerantes, complementando el trabajo a tiempo parcial de los fundidores locales, sería la responsable de los instrumentos para el trabajo del bronce que encontramos por todo el continente.

Los depósitos que contenían herramientas empleadas en el trabajo del bronce, así como escorias y objetos nuevos (por ejemplo, el depósito de Haidach en Austria [fig. 11]) han sido explicados como escondrijos guardados por los metalúrgicos itinerantes. Las herramientas (escoplos, gubias, punzones y a menudo martillos y yunques) se utilizaban para realizar los objetos encargados por un poblado. Estos depósitos es poco probable que hubiesen sido propiedad de los campesinos-artesanos que vivían en los poblados. Estos residentes no enterrarían sus herramientas en la tierra puesto que podía ser necesario hacer las reparaciones o sustituciones de las herra-

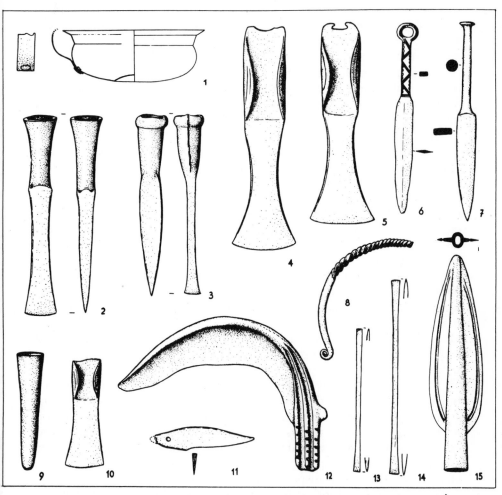

Fig. 11 Depósito de objetos de bronce de Haidach, Austria. Aquí se reproducen una copa de lámina de bronce (1), cinco escoplos (2, 3, 7, 13, 14), tres hachas (4, 5, 10), dos cuchillos (6, 11), una hoz (12), una punta de lanza (15), un talón de lanza (9) y un fragmento de torques (8).

mientas estropeadas de modo rápido y en el momento menos pensado. Muchos depósitos contenían objetos de orígenes muy lejanos. Algunos depósitos holandeses, por ejemplo, contenían mercancías manufacturadas en Inglaterra, objetos centroeuropeos y otros productos de fabricación local. Debió ser mucho más fácil para un broncista itinerante adquirir materiales de orígenes tan diversos que para un metalúrgico local.

Varios investigadores se han planteado la cuestión de la esclavitud en la Europa prehistórica, pero no han podido mostrar ninguna prueba de que ésta existiera con anterioridad al fin de la Edad del Hierro. Es poco probable, por tanto, que los metalúrgicos del Bronce final fueran esclavos o personas obligadas a trabajar en beneficio de otros.

Los objetos de bronce y las joyas de uso diario producidas en casi todos los poblados se intercambiaban por productos agrícolas y equipo para la casa (instrumentos de madera, pieles, textiles, miel, queso) dentro de la misma comunidad o quizá con miembros de otras comunidades vecinas.

Estos intercambios probablemente formaban parte de un sistema regular de circulación establecido durante generaciones entre los poblados. Es poco probable que las joyas y utensilios comunes de fabricación local, se introdujeran en el circuito comercial más amplio, excepción hecha de aquellos productos que estaban fuera de uso y se desechaban. Podemos seguir este modelo de intercambios locales por la distribución de la mayor parte de tipos de joyas corrientes como, en especial, las fíbulas, las agujas para vestidos y los brazaletes, hallados en numerosos depósitos y tumbas. Las concentraciones de unos objetos específicos quedan limitadas a unas regiones particulares. Estas zonas de distribución miden, por lo general, entre 100 y 500 kilómetros y quizá pueden indicar la actividad de un metalúrgico itinerante con un recorrido fijo por una serie de poblados. Dentro de estas regiones había numerosos fundidores de bronce residentes (quizá veinte, quizá cien), a tiempo parcial, que se ponían en contacto con los metalúrgicos itinerantes y con los que producían objetos similares, aunque no idénticos. Más importante que la distribución de los objetos de bronce por parte de los broncistas itinerantes fue su introducción de nuevas formas, y quizá de nuevas técnicas entre los metalúrgicos locales, quienes, a su vez, empezaban a introducir las nuevas producciones entre la clientela de sus propios poblados.

La distribución de los productos de los trabajadores especializados en el trabajo de las láminas de bronce y en la confección de espadas era más compleja. Los datos indican que, en contraste con los objetos de uso diario, los tipos específicos de vasijas y los cascos, por ejemplo, no se encuentran confinados a una determinada área local o a una sola región de Europa, sino que se encuentran esparcidos por todo el continente (fig. 12). Está poco claro si los objetos se transportaban una vez confeccionados o si los broncistas viajaban hasta los posibles clientes y producían el objeto bajo encargo. Esta última posibilidad viene apoyada por la existencia de una serie de depósitos que contenían objetos elaborados con lámina de bronce. El depósito de Hajuböszörmeny, al noreste de Hungría, contenía centenares de objetos de bronce, y entre ellos dos calderos de lámina de bronce, una copa y una sítula (un cubo de bronce); el de Unterglauheim contenía una sítula idéntica y dos cuencos de oro decorados; y otro de Dresden-Dobritz contenía un cazo, un colador, dos cuencos y trece copas. Estos depósitos pueden tener el valor de conjuntos de objetos que los especialistas en el trabajo de lámina de bronce intentarían vender a individuos con gran poder adquisitivo. Posiblemente fueron enterrados para su protección y por alguna razón que nunca podremos saber.

Un aspecto importante en la producción de bronce es la separación del metal del circuito comercial. El bronce tenía un gran valor y por ello la gente ponía cuidado en conservar los desechos. Poco bronce, sólo pequeños fragmentos de objetos, se ha encontrado en los asentamientos en tierras

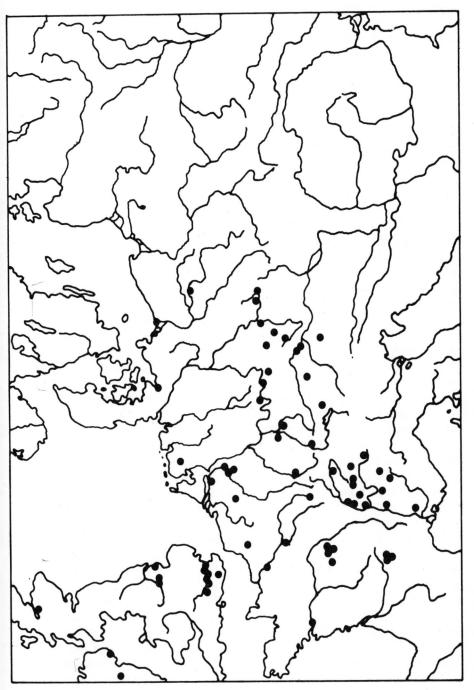

Fig. 12 Distribución de las espadas del tipo Steinkircher, como un ejemplo específico de un tipo de objeto que requiere una considerable inversión de mineral de bronce y destreza en su manufactura.

secas. Sólo en los asentamientos lacustres se ha podido recuperar mayor cantidad de este metal; en este medio los objetos probablemente se perdían con mayor facilidad. Los objetos de bronce encontrados en los lugares de asentamiento pueden ser considerados depósitos accidentales.

Sin embargo, los bronces se colocaban en las tumbas de manera intencionada. Entre la mitad y un cuarto de las tumbas excavadas en la mayoría de necrópolis europeas de este período contenían objetos de bronce. Consistían, en su mayor parte, en pequeñas piezas como agujas, brazaletes y cuchillos; por lo general, sólo había uno o dos de ellos en cada tumba. Los enterramientos más ricos que contenían grandes objetos de bronce, como espadas, cascos y vasijas, son escasos. En total, era relativamente poco el metal que se apartaba de la circulación para incluirlo en los ajuares.

La mayoría de los depósitos centroeuropeos se interpretan como depósitos intencionales de bronce en funcionamiento. Los que han llegado hasta nosotros deben ser sólo un pequeño número de los que se enterraron en su momento. Probablemente la mayoría fueron recuperados por los mismos individuos que los enterraron y utilizaron sus objetos para más producción para comercializar. Los que hemos desenterrado nosotros, nunca fueron recuperados por sus propietarios, quizá porque se produjeron cambios en la salud o en los planes de los individuos, o bien debido a cambios en la situación económica, social o política.

Otra categoría de los depósitos de bronce intencionales la constituye la de las «ofrendas votivas». Son distintos de los otros tipos de depósitos por el carácter de los objetos que contienen y por su localización. Muchos de estos objetos votivos son espadas, si bien se han encontrado objetos especiales como cascos y vasijas. Estos objetos, que se encuentran sobre todo en ríos y fuentes, se cree que fueron ofrecidos a los dioses, de modo parecido a las prácticas religiosas de las sociedades griega y romana, mucho mejor conocidas. Estos hallazgos se concentran, por ejemplo, en el Rin, en Bingen y en el río Inn, cerca de Mühldorf. De algunos tipos de objetos (como los tipos de espadas de Hemigkofen y Erbenheim) se han recuperado más ejemplares en el medio acuático que en el terrestre.

Sin embargo, aquí, más que su significado religioso, nos interesa la función económica de estas ofrendas. El arrojar los bronces a los ríos y pantanos tenía el mismo resultado que colocarlos en las tumbas: los apartaba definitivamente de la circulación. Así, al mismo tiempo que mucho metal se reciclaba a través de los depósitos, una cantidad bastante considerable se amortizaba en las ofrendas votivas (si bien en esta época no se depositaba tanto en las tumbas como en otros tiempos). Esta amortización de bronce hizo necesaria la constante producción de más metal. Si los objetos no se deterioraban, pasaban de generación en generación y cuando se rompían o quedaban obsoletos eran reciclados, por lo cual la demanda de mayores cantidades de metal no debía ser fuerte, sólo para satisfacer la demanda. Sin embargo, si los objetos eran sistemáticamente retirados de la circulación, se haría necesaria una aportación suplementaria de nuevo metal.

La retirada de bronce de la circulación también servía para mantener alto el valor de este metal. Si no se hubiera apartado, la mayor parte de Europa se habría visto inundada de bronce (dado el aumento que la producción de este metal experimentó durante el Bronce final) y su valor habría caído. Esta depreciación de su valor habría perjudicado de modo especial a los individuos que habían acumulado una riqueza excepcional en este metal. Algunos investigadores han sugerido que los metalúrgicos escondían los depósitos para retirar de la circulación el exceso de metal de forma temporal, de manera que su valor se mantuviera alto o aumentara. Los individuos que habían acumulado riqueza en forma de bronce podían haber enterrado parte de ella para salvaguardarla o para impedir que otros conocieran cuánto bronce poseían. Esta interpretación podría explicar los muchos depósitos que nunca se recuperaron. Quizá las cantidades de metal colocadas en las tumbas y las arrojadas al agua eran insuficientes para dar salida a los masivos esfuerzos de reciclaje y al incremento de la producción en las minas y por ello el metal nunca escasearía y nunca subiría de valor. Pese a todo, en esta época la atención se iba dirigiendo hacia un nuevo metal, el hierro. Quizá la combinación de los esfuerzos de reciclaje y el advenimiento del hierro, de forma más clara a partir del 800 a. de C., dio como resultado la pérdida de interés en el bronce y la subsiguiente bajada de su valor. Las personas que habían enterrado objetos de bronce con la esperanza de que aumentara su valor se sintieron frustradas y nunca recuperaron su metal.

EL COMERCIO

El Bronce final fue una época de enorme expansión comercial (utilizo la palabra *comercio* en su sentido más amplio, es decir, para significar el intercambio pacífico de mercancías) y de contactos entre las diversas comunidades que vivían en Europa. El material más importante con que se comercializaba era el bronce. Durante este período prácticamente ninguna comunidad carecía del mismo. Por primera vez, el instrumental agrícola, como las hoces y las hachas, y otros tipos de herramientas, se fabricaron en cantidades importantes. Y los adornos de bronce, las joyas, serán incluso más abundantes en los estratos arqueológicos, así como las vasijas y las armas decoradas.

Las comunidades sólo dependían del comercio para dos comodidades: las mercancías de lujo y el bronce. Por lo demás, eran autosuficientes. Pese a ello, en los poblados y necrópolis existen pruebas del comercio de una gran variedad de productos. El grafito se comercializaba de forma extensiva en la Europa central, en particular después del 1000 a. de C. (aproximadamente un tercio de los vasos cerámicos de las necrópolis centroeuropeas están decorados con grafito, lo que indica la escala de su comercio). Las cuentas de vidrio y ámbar procedente de las regiones bálticas también eran comercializadas por todo el continente. (Si no hubiera sido porque muchas cuentas de ámbar debieron quemarse en las incineraciones, las cantidades recuperadas en los asentamientos del Bronce final probablemente habrían sido mucho mayores.) Las conchas procedentes del Mediterráneo se importaban a Europa como joyas.

La sal fue con seguridad un producto muy comercializado durante este período; las fechas obtenidas por radiocarbono han demostrado que las minas de sal de Hallstatt empezaron a explotarse en este momento. El ganado y las pieles pueden haber sido productos comercializados, sobre todo en la llanura noreuropea, en donde existen pruebas de la cría intensiva del ganado, y también de la importación de bronces procedentes de la Europa central. También debió comercializarse la lana; muchos asentamientos han proporcionado muestras de lo que debió ser el excedente de producción de lana. Los servicios de bronce para servir y beber vino encontrados en unas pocas tumbas de ricos personajes y en algunos depósitos indican que probablemente aquella bebida se importaba del Mediterráneo para ser consumida por los individuos con alto poder adquisitivo. Sin embargo, no existen pruebas claras del comercio de productos alimenticios, con la probable excepción del ganado, que desde el norte de Europa iba en dirección sur. Parece que la comida sólo era importada por las comunidades mineras del cobre y el estaño, que no eran autosuficientes.

Gran parte de la actividad comercial era, con toda probabilidad, realizada por mercaderes que viajaban a pie y transportaban sus mercancías sobre sus hombros. El tamaño de muchos de los depósitos de bronce se corresponde de manera muy ajustada a la cantidad de metal que una persona puede transportar. Aunque sabemos que en esta época se utilizaban caballerías y carros, por las pruebas que tenemos no podemos estimar hasta qué punto estaban extendidos. También se utilizaban los botes, pero de nuevo desconocemos el volumen que podían tener en el comercio.

LA DISTRIBUCIÓN DE LA RIQUEZA

A partir del año 2000 a. de C., aproximadamente, algunos individuos empezaron a acumular riqueza material, sobre todo en forma de objetos de bronce. Esta tendencia se hace evidente en los depósitos de la primera Edad del Bronce, en particular en las series de ricas tumbas de norte y centro de Europa, caracterizadas por el enterramiento de Leubingen al este de Alemania, y alcanzó su punto más alto en el Bronce final. Que se estaba desarrollando el deseo de acumular riqueza se hace evidente en la manufactura de nuevos tipos de objetos, muchos de ellos decorados y elaborados de manera extraordinariamente cuidada, y cuya finalidad era, más que nada, la exhibición. Los grandes objetos de lámina de bronce, sobre todo vasijas y cascos, son los más numerosos, pero también encontramos más objetos de mayor tamaño o espadas más decoradas y más vasijas de oro y adornos que en períodos anteriores. La riqueza también se observa en los productos útiles y económicamente productivos; y proliferaron las herramientas agrícolas y las utilizadas para el trabajo del bronce o en la carpintería. El bronce era un metal útil y atractivo que tenía un alto valor porque era difícil de fabricar. La inversión de tiempo y energía en el proceso de creación de obje-

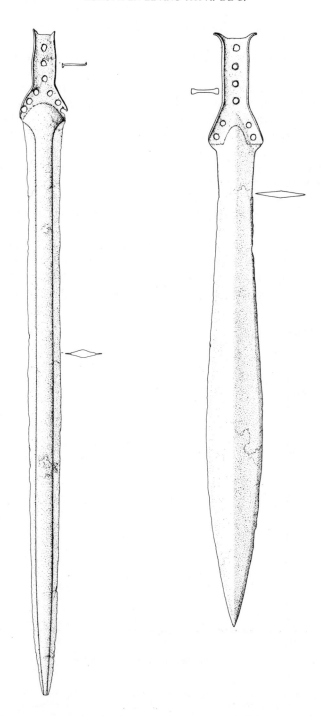

Fig. 13   Dos espadas características del Bronce final, de Ludwigshafen-Mundenheim (la de la izquierda) y de Uffhofen (la de la derecha), ambas en Alemania occidental.

tos que a la vez fueran útiles y decorativos hacía que su valor fuera más elevado.

La producción de nuevas cantidades de riqueza en forma de bronce, oro y otras sustancias poco corrientes fue acompañada por el aumento de la violencia y de los intentos de defenderse de ella. Por primera vez, muchos asentamientos de altura se fortificaron con sistemas importantes de murallas para proteger su riqueza recién adquirida. Las largas espadas del Bronce final son mucho más numerosas y pesadas que las del Bronce medio (fig. 13). Las espadas y las más usuales puntas de lanza eran importantes tanto para la defensa como para la acción ofensiva. Este incremento de las necesidades defensivas también se hace evidente por el hecho de que por primera vez en Europa se usan las llaves. Su utilización implica que algo debía ser encerrado para su custodia, una necesidad que no se manifestó hasta ahora.

La incineración fue la práctica funeraria usual en toda Europa en el Bronce final. Por lo general, las cenizas y los huesos se encerraban en una urna acompañados de un modesto número de otras vasijas cerámicas, y a menudo de anillos, agujas, cuchillos u otros pequeños objetos de bronce, si

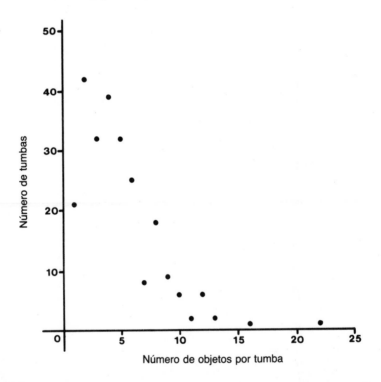

Fɪɢ. 14   Distribución de los materiales en las tumbas de la necrópolis de Kelheim, Baviera (Alemania occidental). Se encuentran representadas 244 de las 268 tumbas. La parte izquierda del gráfico muestra que la mayoría de las tumbas contenían entre uno y ocho objetos (por ejemplo, 42 tumbas contenían sólo dos objetos). Solamente unas pocas contenían más de ocho. La cantidad más alta encontrada en una tumba fue de veintidós objetos (el punto más a la derecha en la gráfica).

bien en la práctica los detalles podían variar considerablemente. Las necrópolis varían de tamaño, desde unas pocas tumbas hasta varios cientos. La necrópolis de Kelheim con 268 tumbas (y probablemente más aún por descubrir), se encuentra entre las de mayor tamaño. La mayoría de ellas siguen un mismo modelo en la distribución de la riqueza, con unas pocas tumbas más ricas que el resto y la mayor parte conteniendo entre uno y seis objetos. En muchos casos, las tumbas más ricas se caracterizan por contener mayor número de objetos, pero éstos siguen siendo los mismos que en las restantes tumbas.

Sólo escapan a este módulo un número muy reducido de tumbas especialmente ricas. Pertenecieron a individuos que pudieron amasar más riqueza que la mayoría de los europeos, e invirtieron parte de ella en objetos de lujo singulares. Sus tumbas contienen estas mercancías especiales y sobresalen también por su cantidad de objetos. La tumba de Hart an der Alz en la Baja Baviera es un buen ejemplo. Contenía los restos incinerados de un hombre que había sido enterrado con un carro confeccionado con elementos de bronce. El resto del ajuar lo constituían ocho vasijas cerámicas, siete de ellas de gran calidad, un colador, un cuenco y una copa de bronce, una espada, tres puntas de lanza de bronce, un cuchillo, un brazalete y un anillo de hilo de oro. Los carros eran muy raros en esta época; las vasijas de bronce son excepcionales en las tumbas, especialmente los juegos de tres de ellas, y las espadas y adornos de oro no se encuentran en muchas tumbas.

Es interesante comprobar que estas diferencias de riqueza que encontramos en las tumbas no se distinguen en las estructuras de los poblados, por lo menos por los datos que nos han llegado hasta el momento. Ningún edificio excepcionalmente grande, bien construido o equipado se ha podido identificar como residencia específica de los individuos más ricos.

Es probable que la distribución de la riqueza en las tumbas de la mayoría de necrópolis sea un claro indicio de cómo se distribuía la riqueza entre los miembros de las comunidades agrarias de la época (fig 14). Unos pocos individuos fueron capaces de conseguir más riqueza que la mayoría, pero esta riqueza estaba basada en la cantidad más que en la categoría de las posesiones.

3. La aparición de centros de producción y comercio (800-600 a. de C.)

El cambio más importante que tuvo lugar a comienzos de la primera Edad del Hierro fue el desarrollo de las primeras ciudades europeas. Emergieron como resultado del desarrollo de las industrias extractivas a gran escala y del desarrollo de los sistemas comerciales para transportar los productos elaborados. La extracción y manipulación de la sal y el hierro ya estaban en marcha a mediados del Bronce final (alrededor del 1 000 a. de C.), pero entre el 800 y el 600 a. de C. la producción de estos materiales superó en mucho los niveles precedentes. Dos de las primeras ciudades europeas —Hallstatt, en Austria septentrional y Stična en Eslovenia— son los mejores ejemplos de estos cambios.

HALLSTATT

Hallstatt está situada en el extremo norte de los Alpes austríacos, a unos cincuenta kilómetros al sudeste de Salzburgo (fig. 16). La ciudad actual está a 511 metros sobre el nivel del mar, junto al lago de su mismo nombre. En un estrecho valle de montaña, a 350 metros al oeste de la ciudad, se encontraron una extensa necrópolis y unas minas prehistóricas. Este valle, el Salzbergtal, se halla situado encima de un enorme depósito de sal gema y está rodeado por picos alpinos que llegan casi a los tres mil metros sobre el nivel del mar (figs. 17 y 18). Debido a la protección de las montañas, el valle recibe poco sol y el suelo vegetal es delgado y pobre para el cultivo.

En las épocas medieval y moderna los mineros que trabajaban en las minas de sal han encontrado restos de la actividad minera prehistórica. El hallazgo más espectacular, hecho en 1734, fue el del cuerpo de un minero perfectamente conservado por la sal. Relatos contemporáneos señalan que el vestido y los zapatos del hombre se conservaban intactos. Entre 1846 y 1864 Johann Georg Ramsauer, director de las minas de Hallstatt, supervisó la excavación de 980 tumbas prehistóricas en el Salzbergtal. Excavadores posteriores abrieron más enterramientos y hasta el presente se han descubierto más de dos mil.

En Hallstatt o sus alrededores sólo se han hallado unos pocos objetos aislados del período neolítico y de las fases antigua y media de la Edad del Bronce; no existe rastro de un establecimiento o de minería anteriores al Bronce final. La primera evidencia de actividad minera organizada en el yacimiento puede fecharse hacia el año 1000 a. de C. En 1830 se encontró en el Salzbergtal un depósito que contenía panes de bronce, hachas, por lo menos doce hoces, puntas de lanza, hojas de espada y bocados de caballo, la mayoría de ellos gastados, doblados y fuera de uso. El peso total del metal era de más de 50 kilogramos. (Las piezas se dispersaron rápidamente

Fig. 15 Principales yacimientos mencionados en el capítulo 3.

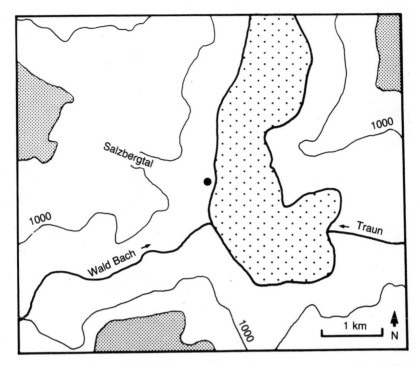

Fig. 16   Los alrededores de Hallstatt. El centro de la ciudad moderna está señalado por el círculo negro. El Salzbergtal, en el que se ha hallado la gran necrópolis y las minas prehistóricas, está situado por encima de la ciudad, hacia occidente (v. fig. 17). El lago Hallstatt (área de puntos), al que desaguan los ríos Traun y Wald Brook, se encuentra a una altura de 508 m por encima del nivel del mar. Se ha dibujado también la curva de nivel que marca la altura de 1000 m sobre el nivel del mar; las tierras por encima de los 1500 m están en punteado.

entre museos y colecciones privadas y por ello se desconoce exactamente sus cantidades.)

Las minas

El equipo de minería hallado en Hallstatt, en el grupo de galerías más al norte (excavadas en la montaña de sal) ha sido fechado por radiocarbono en el período entre el 1000 y el 800 a. de C. Sin embargo, hay escasas pruebas de la actividad humana fuera de las minas durante este período, si exceptuamos el gran depósito mencionado. No se ha hallado ningún establecimiento con el que se pueda relacionar y los enterramientos en la gran necrópolis no empiezan hasta aproximadamente el 800 a. de C. La ausencia de enterramientos de la última fase de la Edad del Bronce sugiere que antes del 800 a. de C. se había establecido en Hallstatt una comunidad no permanente. Quizá esta temprana actividad minera era realizada por individuos que extraían mineral en una determinada estación del año y el resto de su tiempo lo dedicaban a actividades agrícolas en otra parte.

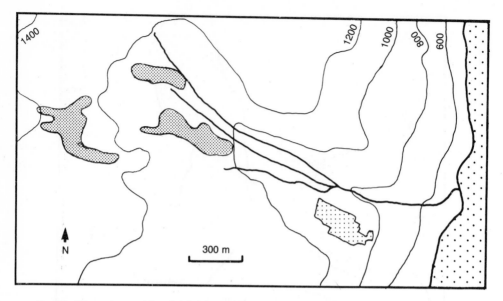

F1G. 17   Plano esquemático del Salzbergtal. La zona punteada a la derecha es el lago Hall-statt. Las curvas de nivel, que indican la altura sobre el nivel del mar, muestran el escalona-miento del paisaje. Las tres zonas principales donde se realizaron operaciones mineras en la prehistoria se hallan indicadas a la izquierda del plano mediante un punteado denso. El área de la gran necrópolis está señalada en la parte derecha mediante un punteado menos espeso. Un torrente de tres cursos se precipita ladera abajo, discurriendo de oeste a este a través del plano. Basado en el plano de Barth (1980a, 69).

Las herramientas recuperadas en las minas prehistóricas nos dicen mucho sobre los métodos utilizados. Los mineros rompían la sal gema con largos y puntiagudos picos de bronce con mangos de madera. Para romper y recoger los terrones de sal se utilizaban mazas de madera y palas y a con-tinuación se trasladaban a la superficie en capazos, que a menudo tenían elaboradas urdimbres de madera, colocados a lomos de animales. La ilumi-nación se suministraba a base de teas de madera de abeto y pino. Los tron-cos de las boscosas laderas servían como puntales y para construir las galerías. Se han hallado los gorros, y chaquetas de piel, cuero, lana y lino, así como silbatos de hueso para hacer señales dentro de las galerías. Los restos de buey, cerdo, trigo, cebada, mijo, manzanas y cerezas indican que los mineros comían mientras trabajaban.

La tecnología utilizada en Hallstatt en el Bronce final era la misma que la de las minas de cobre: las galerías eran empinadas, enlodadas y estre-chas. Sin embargo, después del 800 a. de C., los mineros, que ya habían con-seguido una gran experiencia y conocimientos sobre las características de los depósitos de sal, desarrollaron métodos específicos más eficaces para la extracción de este mineral y crearon un sistema de galerías anchas, hori-zontales. De igual forma, en los primeros momentos de la actividad minera, la sal se rompía en pequeños trozos para ser llevada al exterior. Más ade-lante los mineros descubrieron un sistema mucho más eficaz para desgajar

FIG. 18   Fotografía del Salzbergtal visto de este a oeste, con los altos Alpes al fondo. La gran necrópolis de la primera Edad del Hierro estaba situada en el espacio abierto situado a la izquierda del edificio que centra la fotografía. Los edificios que se ven más lejos en el valle forman parte de las modernas minas de sal.

de las paredes de la mina grandes bloques de sal que pesaban más de diez kilogramos.

Hasta el presente se han identificado en Hallstatt un total de 3750 metros de galerías prehistóricas, de las cuales se sacaron unos dos millones de metros cúbicos de sal. Los mineros actuales y los arqueólogos realizan habitualmente nuevos descubrimientos. Las galerías antiguas no están ya abiertas, pues la misma presión de la montaña las cerró cuando fueron abandonadas. En la actualidad pueden encontrarse objetos de las minas prehistóricas encerrados en la sal gema.

La necrópolis

La necrópolis de Hallstatt proporciona datos sobre la densidad, riqueza y contactos comerciales de la comunidad minera. Se ha extraído información sobre los ritos funerarios y ajuares de los aproximadamente mil cien enterramientos; las otras más de mil tumbas descubiertas no están bien documentadas. La necrópolis se fecha desde aproximadamente el 800 a. de C. hasta el 400 a. de C. y representa una comunidad que oscila entre las doscientas y las cuatrocientas personas, mucho mayor que la mayoría de comunidades de este período. Los restos de esqueletos y los ajuares que les van asociados indican que hombres, mujeres y niños, no sólo hombres adultos, como antes se creía, vivían y trabajaban en Hallstatt. La extracción de sal durante la primera Edad del Hierro en Hallstatt parece haber sido

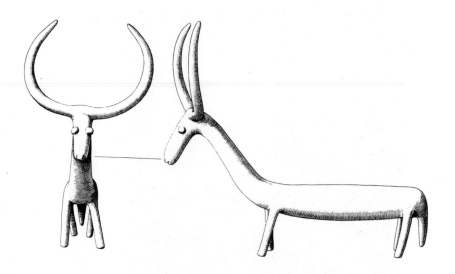

FIG. 19   Toro de bronce de la tumba 12 de Hallstatt, excavada por la duquesa de Mecklenburg. Longitud: 14,2 cms.

una ocupación familiar desempeñada por sucesivas generaciones, como lo fue en los siglos XVIII y XIX de nuestra era.

Los ajuares indican la categoría de los contactos comerciales de la comunidad y la riqueza acumulada gracias al comercio de la sal. La mayor parte de los objetos, que incluyen cerámicas, agujas, brazaletes y armas, fueron realizados en el norte de Austria y sur de Baviera, dentro de un radio de 30 kilómetros de Hallstatt, pero otros proceden de mucho más lejos. Algunas piezas de joyería y algunos cascos de bronce son originarios del sur de los Alpes, en Eslovenia, así como los centenares de cuentas y tres cuencos de vidrio. Las sítulas y sus tapaderas decoradas, así como pequeños adornos, fueron realizados en Italia. Las numerosas cuentas de ámbar procedían de la costa báltica. El marfil que se utilizó para pomos de varias espadas procedía de África y llegó a Hallstatt a través de Italia.

La necrópolis de Hallstatt no sólo es una de las que más variedad presenta en cuanto a mercancías procedentes del comercio, sino que es también una de las más ricas. Muchos objetos de excepción se presentan con mucha mayor frecuencia en Hallstatt que en cualquier otra parte; éstos consisten en espadas de bronce y de hierro, algunas con pomos decorados con marfil y ámbar, armamento defensivo como cascos y corazas, y servicios de bronce y vasijas para bebidas alcohólicas, especialmente cuencos, boles y copas. Los adornos de vidrio, ámbar y oro se encuentran también en

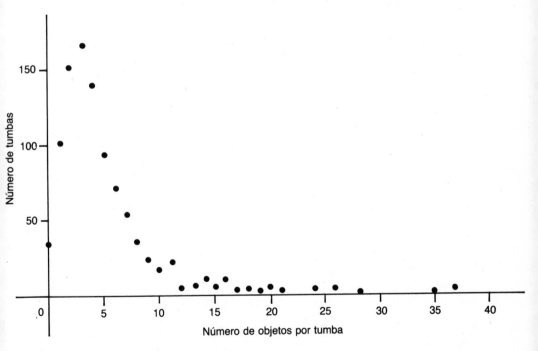

Fɪɢ. 20   Distribución de los ajuares en 962 tumbas de la necrópolis de Hallstatt, excavada por Ramsauer (1846-1864). Seguramente el número de objetos era mucho más elevado; Ramsauer no conservó la mayor parte de las cerámicas que encontró y muchas de las tumbas se hallaban destruidas antes de empezar a excavar.

mucha mayor cantidad que en cualquier otra necrópolis. Otros tipos de objetos especiales hallados sólo en Hallstatt resaltan el carácter excepcional y la riqueza de esta comunidad. Se han recuperado numerosas hachas de bronce decoradas con figuras fundidas de animales y personas en la parte posterior del mango, y los cinco exquisitos toros de bronce de Hallstatt no tienen un modelo igual en otra parte (fig. 19).

La comparación entre el número de objetos de las tumbas de Hallstatt y los hallados en la necrópolis del Bronce tardío de Kelheim es reveladora (figs. 14 y 20). Sólo 12 de las 244 tumbas bien estudiadas de Kelheim (4,9 %) contenían más de diez objetos; en Hallstatt 84 de las 962 tumbas bien estudiadas dieron casi el doble de porcentaje que en Kelheim (8,7 %). Las muestras de riqueza de las tumbas de Hallstatt son más evidentes y los enterramientos más ricos del yacimiento contenían más objetos que los más ricos de Kelheim. (La mayor parte de la cerámica descubierta en el curso de las excavaciones en Hallstatt se tiró. Si la cerámica estuviera incluida en el gráfico de los ajuares de Hallstatt, la diferencia entre Hallstatt y Kelheim sería aún más sorprendente.) Se trata de producciones características que distinguen las necrópolis de las primeras comunidades comerciales de la necrópolis de establecimientos agrarios.

Su despegue como centro comercial

La sal había sido producida a pequeña escala en varias regiones de Europa desde el período neolítico, pero a inicios de la Edad del Hierro la extracción de sal en Hallstatt pasó a ser, por primera vez, una gran industria. La sal tenía dos usos fundamentales: como condimento para intensificar el sabor de las comidas y como conservante para la carne y el pescado. Los inicios de la extracción a gran escala y del comercio de la sal en Hallstatt y otros lugares, como la región del Mosela, en el este de Francia, y a lo largo del río Saale, al este de Alemania, parecen indicar que se estaba utilizando mucha más sal que en momentos previos. Y este aumento de su utilización tuvo un gran impacto en el comercio. En primer lugar, más personas no productoras de alimentos que vivían en lugares apartados de las tierras de cultivo, por ejemplo, los mineros de sal de Hallstatt y los mineros de cobre en el Tirol, podían alimentarse con reservas de carne bien conservada. El comercio de los mercaderes ambulantes también pudo haber sido favorecido por la más fácil obtención de alimentos conservados, en especial en invierno e inicios de primavera, cuando escaseaban los alimentos frescos. En segundo lugar, las comunidades agrícolas con acceso a la sal podían conservar carnes y pescados durante el verano e irlos consumiendo durante las estaciones con más escasez. De esta forma la posibilidad de deficiencias en la nutrición y de pasar hambre a fines del invierno se redujeron. Como resultado, todo el sistema agrícola pasó a ser más seguro y los agricultores pudieron dedicar mayor parte de sus energías a producir excedentes para el comercio. Los excedentes agrícolas y artesanos estimularon las empresas comerciales, como la de producción de sal en Hallstatt, la minería de cobre en los Alpes y la fundición de hierro en las estribaciones de los Alpes (de los que tratamos más adelante).

La sal de Hallstatt se comerciaba principalmente con comunidades de la Alta Austria y del sur de Baviera pero las importaciones indican unos contactos comerciales más lejanos. Se utilizaban botes para transportar la sal a través del lago de Hallstatt y a lo largo del río Traun hacia las tierras al norte de los Alpes, y los caballos de carga con alforjas transportaban la sal a través de las montañas. La finalidad del comercio precapitalista era, normalmente, la de obtener unas importaciones específicas ansiadas, más bien que disponer de exportaciones para obtener un beneficio, como sucede en las modernas sociedades capitalistas. Por ello, los mercaderes establecidos en Hallstatt probablemente transportaban sal a aquellos lugares donde podían intercambiarla por comida, telas, bronce y hierro en forma de armas y herramientas, así como por el amplio repertorio de adornos que encontramos representados en los enterramientos.

Podemos fácilmente imaginar por qué, una vez iniciada, la producción comercial de sal en Hallstatt aumentó. Lo que está menos claro es cómo se inició este proceso. En experimentos realizados con reproducciones de los picos utilizados en Hallstatt, Othmar Schauberger, un geólogo austríaco, encontró que cortar un metro de sal gema ocuparía unos veintiocho días a dos mineros. Los depósitos de sal de Hallstatt están recubiertos por gruesas capas de sal descompuesta y detritus sedimentarios y los mineros debían atravesar este material antes de alcanzar el mineral puro. Probablemente, se necesitaban de tres a cinco años de excavación para perforar esta etapa externa. Por ello, en las primeras etapas de Hallstatt debió haberse extraído alguna otra riqueza suplementaria que proporcionara a los mineros comida, equipo y compensaciones antes de que se extrajera sal en cantidad comercialmente rentable.

Hallstatt se encuentra a 40 kilómetros al este de las extensas minas de cobre del Bronce final de Bischofshofen; y, como se ha mencionado, las técnicas de la minería del cobre fueron usadas en Hallstatt en un primer momento: según parece, los primeros mineros de sal de Hallstatt habían sido con anterioridad mineros de cobre. La concentración de depósitos de metal en los valles de los ríos al norte de las minas de cobre de Bischofshofen —el Isar, el Inn y el Salzach— indica la riqueza de individuos o comunidades a lo largo de las principales rutas de comercio que salen de los centros cupríferos. Estas riquezas en forma de aleación de bronce, por primera vez disponible en gran cantidad hacia comienzos del último milenio antes de Cristo, puede haber sido lo que permitió a los negociantes financiar las fases iniciales de la extracción de sal en Hallstatt y, por consiguiente, catalizar la expansión de una comunidad industrial que pronto tendría que convertirse en una de las primeras ciudades comerciales de Europa.

STIČNA

Nuevas comunidades mayores que cualquier otra anterior se desarrollaron también a lo largo de los siglos VIII y IX a. de C. a través de los Alpes
orientales, desde Hallstatt hasta Eslovenia, la más septentrional y occidental de las repúblicas de Yugoslavia. El yacimiento mejor documentado es
Stična, y otras comunidades de Magdalenska como Most na Soči, Novo
Mesto, Šmarjeta y Vače eran parecidas. Todos ellos eran asentamientos en
altura fortificados con murallas. Necrópolis con, por lo menos, seis mil
tumbas en Stična y siete mil en Most na Soči indican que algunas de estas
comunidades tenían más de quinientos miembros. Se han llevado a cabo
pequeñas excavaciones en estos asentamientos: actualmente se está investi-
gando Most na Soči y a finales de la década de los sesenta se trabajó en
Stična. La información que tenemos de estos yacimientos proviene básicamente de las necrópolis.

En contraposición a Hallstatt, donde el medio montañoso ofrecía poco
más aparte de la sal, Eslovenia tiene un medio hospitalario y fértil que ha
sido ocupado de manera continuada desde inicios de la Edad de la Piedra.
Numerosas necrópolis del Bronce final, como Dobova, Pobrežje y Ruše, y
cantidad de ricos depósitos demuestran la prosperidad de las comunidades
locales alrededor del 1000 a. de. C. Como en el caso de Hallstatt, estos asentamientos de altura fortificados se fundaron durante el siglo VIII a. de C. por
una razón comercial específica: la explotación del mineral de hierro de
gran calidad, hematites y limonita, que se hallaba en ricos depósitos sedi-

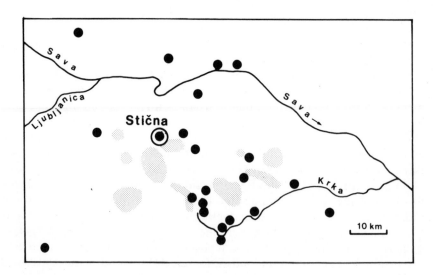

Fig. 21   Mapa esquemático que muestra la densidad en superficie de los depósitos de escoria
de hierro y las pruebas de producción prehistórica de hierro en Eslovenia. Las áreas punteadas son depósitos sedimentarios que contienen escorias de hierro. Los círculos negros son yacimientos prehistóricos con fundición de hierro. Se ha diferenciado el emplazamiento de
Stična. Basado en Müllner (1908, 53).

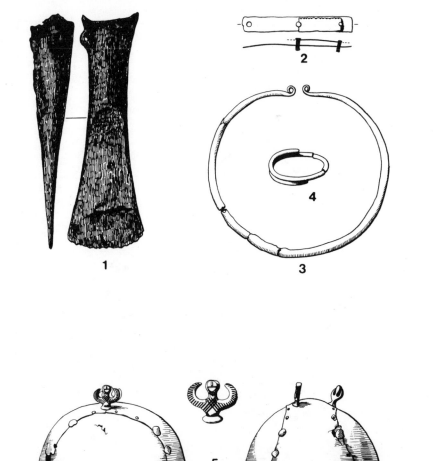

FIG. 22 Objetos de la tumba 3 de Magdalenska, en el túmulo IV excavado por la duquesa de Mecklenburg. Probablemente estos objetos pertenecen al siglo VIII a. de C. Son: 1) un hacha de hierro, 2) fragmentos de una placa de cinturón, 3) un torques, 4) un anillo, 5) un casco de lámina de bronce decorado con una figura alada.

mentarios de superficie (fig. 21). Eslovenia ha sido una importante suministradora de hierro al este de los Alpes desde el 800 a. de C. y su papel fundamental en el desarrollo de la primitiva metalurgia del hierro y de su comercio se pone de manifiesto en sus ricos enterramientos (fig. 22). Su importancia se recoge en época romana en las fuentes literarias y continúa siendo un centro productor de hierro de gran importancia hasta el siglo XX.

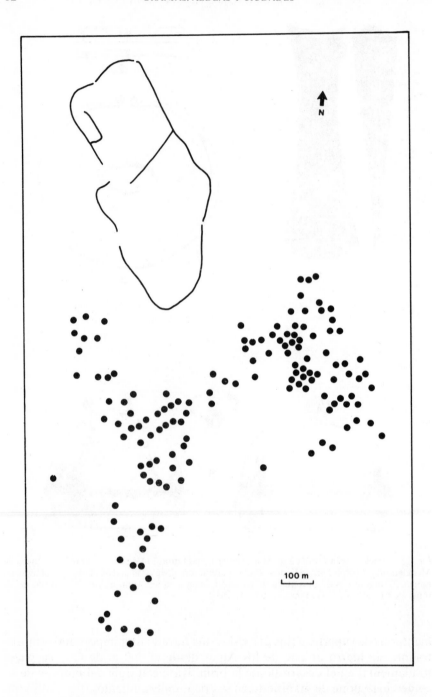

Fɪɢ. 23   Plano del yacimiento de Stična en Eslovenia. Puede verse el trazado de las murallas que rodean el establecimiento sobre la colina (arriba a la izquierda) y los túmulos funerarios (círculos negros) todavía visibles.

FIG. 24 Un típico túmulo sepulcral de la primera Edad del Hierro, el túmulo VII de Stična. Las figuras de los arqueólogos en la parte izquierda del montículo y los edificios de la derecha permiten apreciar la escala del mismo.

La necrópolis

Stična, situada en las estribaciones de los Alpes, 30 kilómetros al este-sudeste de Ljubljana, es la mayor de las fortificaciones de altura (fig. 23). El asentamiento, encerrado por murallas de tierra y piedra, mide unos 800 por 400 metros y se localiza sobre una colina baja y redondeada. Aproximadamente 140 montículos o túmulos pueden verse todavía en el valle que rodea la colina fortificada (fig. 24). Aunque sólo se han llevado a cabo limitadas excavaciones en el asentamiento, los enterramientos han sido excavados. Entre los años 1905 y 1911 la duquesa de Mecklenburg dirigió la excavación de once túmulos que contenían 186 tumbas. Excavaciones realizadas entre 1946 y 1964 por Jose Kastelic y Stane Gabrovec en el túmulo mayor, que tenía 60 metros de diámetro y 6 metros de altura, permitieron descubrir 183 enterramientos y minuciosa información de la estructura del conjunto. Otras tumbas abiertas de forma no sistemática han proporcionado también importantes materiales.

Como en Hallstatt, en Stična las tumbas ofrecen información sobre la organización comercial de la comunidad y su riqueza. Dado que Stična se hallaba situada en una zona agrariamente productiva, su población no dependía de las importaciones de alimentos, como sí sucedía en el caso de Hallstatt. En Stična los agricultores vivían junto a los mercaderes y metalúrgicos. Porque, como Hallstatt, Stična era también un centro comercial. En Stična se ha hallado gran cantidad de cuentas de ámbar de las costas bálticas; aproximadamente una tercera parte de las tumbas las contienen, y a menudo hay más de cien gramos de ámbar en una sola tumba. El bronce es abundante, en forma de joyas y objetos de lujo, tales como vasijas y yelmos, y denuncia una importación de metales a gran escala desde las minas de cobre y estaño hacia el norte. Numerosas importaciones de lujo procedentes de Italia, en especial vasijas de bronce y de cerámica para contener líquidos, están representadas. Los hallazgos de las tumbas también demuestran la presencia en Stična de importantes industrias locales, que incluyen la producción de hierro (armas, herramientas, adornos), la fundición y amartillado del bronce, (joyas, vasijas, armas defensivas) y la manufactura de cuentas de vidrio y vasijas. La figura 25 muestra objetos descubiertos en las tumbas de Eslovenia que indican los tipos de manufacturas allí encontradas.

La distribución de la riqueza en las tumbas de Stična es similar a la hallada en Hallstatt. Sin embargo, la cantidad de objetos en las tumbas es proporcionalmente mayor en Hallstatt, lo que probablemente refleja la dedicación de prácticamente todos los individuos a la producción de sal para el comercio, mientras que en Stična la mayoría de la población era campesina y sólo una pequeña proporción de la misma se dedicaba de manera primordial a las industrias comerciales. Las tumbas más ricas de Stična, al igual que las de Hallstatt, contenían armas, vasijas de bronce y numerosos adornos personales.

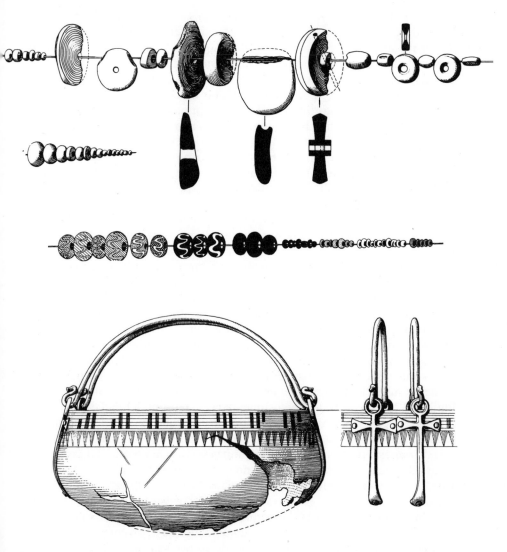

FIG. 25 Los objetos característicos de las tumbas de los asentamientos de Eslovenia indican una intensa actividad comercial y artesanal durante la primera Edad del Hierro: arriba, cuentas de ámbar; en el centro, cuentas de vidrio; abajo, caldero de lámina de bronce.

El despegue como centro comercial

El desarrollo de Stična como centro comercial fue el resultado de la producción y comercialización del hierro. Los pequeños objetos de hierro eran comunes en la segunda mitad del Bronce final (1000-800 a. de C.). Las agujas, anillos y armas de bronce de este período llevaban a menudo decoración embutida de hierro, y en las tumbas y depósitos del yacimiento de los siglos X y IX a. de C. se hallaron hojas de cuchillo de hierro (con mangos de bronce), anillos de hierro y punzones de hierro en abundancia. A partir del 800 a. de C. los objetos de hierro se colocaron en las tumbas con mucha mayor frecuencia, y, por primera vez, los objetos de mayor tamaño como puntas de lanza, hachas y espadas se hicieron de hierro. La principal ventaja del hierro frente al bronce fue la abundancia en toda la Europa central de las minas de hierro; por el contrario, las de cobre y estaño tenían una distribución mucho más limitada. Una vez aprendieron las técnicas de fundir y forjar el hierro, muchas comunidades sacaron ventaja de la inmensa cantidad de metal que tenían en sus territorios. El hierro fue especialmente importante durante la primera Edad del Hierro para armas (espadas, puntas de lanza, hachas de combate, puntas de flecha) y para herramientas (hachas, cuchillos, martillos, escoplos, gubias, punzones). La cantidad de herramientas que estuvieron al alcance de todos con la expansión de la metalurgia del hierro jugó un importante papel en la intensificación general de la producción que se produjo durante la primera Edad del Hierro en Europa.

Las comunidades de Eslovenia estaban prestas a explotar el rico mineral de hierro que se presentaba en depósitos superficiales. Stična y las otras plazas fuertes se establecieron al mismo tiempo que los objetos de hierro empiezan a ser mucho más comunes en las tumbas de la región. Se han encontrado enormes depósitos de escoria de hierro en muchos de los asentamientos fortificados, incluyendo Stična, y han aparecido escorias de hierro en las tumbas de Magdalenska, Toplice y Vače. Desgraciadamente, tenemos pocas pruebas directas de talleres en los que se fundiera y forjara el hierro, debido a la ausencia de excavaciones en extensión en los yacimientos. La única fundición centroeuropea bien documentada en la primera Edad del Hierro es la de Waschenberg en Austria septentrional, un pequeño villorrio en el que se fundía y forjaba hierro a pequeña escala. Si bien Eslovenia estaba bien surtida de mineral de hierro, algunas regiones vecinas, en particular las tierras bajas adriáticas al noreste de Italia, no lo estaban. En la gran necrópolis de Este, a unos 60 kilómetros al sudoeste de Venecia, los objetos de hierro llegaron a ser comunes en el siglo VIII a. de C. No existen yacimientos locales de mineral de hierro en las cercanías de Este y parece que los objetos de hierro fueron importados de centros comerciales de Eslovenia como Stična.

El crecimiento y riqueza de Stična y de las otras primeras ciudades de la zona se basó fundamentalmente en su comercialización de la producción de hierro, aunque también jugó un papel el comercio de otros productos. El ámbar del norte de Europa era transportado en barcos a los centros comerciales y trasladado al norte de Italia. El geógrafo griego Estrabón, que escribió en la época del nacimiento de Cristo, da una lista de los productos comerciales que de Eslovenia iban al norte de Italia: hierro, esclavos, ganado, pieles, resina, brea, cera, miel, queso y oro. Jaroslav Šašel (1977) argumenta convincentemente que el relato de Estrabón se refiere específicamente a la primera Edad del Hierro.

Probablemente era el vino la principal importación a Eslovenia desde Italia, como nos informa Estrabón; el aceite de oliva y otros productos mediterráneos también eran comercializados. Objetos de lujo procedentes de

Italia se han hallado en muchas tumbas de Stična y en otros lugares de Eslovenia; por ejemplo, *oinochoes* de cerámica (jarras) y cráteras (vasijas de dos asas usadas para mezclar bebidas), figuras de bronce y un trípode de bronce etrusco en Novo Mesto. Importaciones de la zona oriental del Mediterráneo, como una botella de vidrio policromado egipcio y un bol de bronce decorado procedente de la costa del Levante mediterráneo, ambos recuperados en tumbas de Stična, probablemente llegaban a través de Italia. Una prueba más clara de las interacciones entre las comunidades de Eslovenia e Italia lo constituye la producción común en las dos regiones de numerosos objetos muy parecidos, incluyendo fíbulas, agujas y cerámica. Eslovenia y el noreste de Italia también compartieron el desarrollo del arte de las sítulas, una especial tradición artística en la que se representaban escenas de festejos y juegos en láminas de bronce que decoraban calderos y cinturones. El comercio del hierro era el componente más importante de estos contactos. Las comunidades de Stična y otros lugares de Eslovenia también comerciaron con los mineros de las minas de sal de Hallstatt, como demuestran los numerosos objetos de hierro, adornos de bronce y cuentas de vidrio que tienen su origen al sudeste de los Alpes y que se han hallado en las tumbas de Hallstatt.

LA PRODUCCIÓN ESPECIALIZADA Y LA FORMACIÓN DE LAS CIUDADES

Todas estas primeras ciudades comerciales de la Europa septentrional y del Mediterráneo emergieron aproximadamente en el mismo momento y bajo circunstancias similares, aunque los productos en que cada comunidad se especializó fueron diferentes. Una etapa experimental de producción puede demostrarse en dos de los establecimientos más importantes: en la primitiva minería de la sal realizada entre el año 1000 y el 800 a. de C. en Hallstatt, antes del establecimiento allí de una comunidad permanente, y en la producción de un reducido número de pequeños objetos de hierro en Eslovenia a lo largo de estos dos siglos. La expansión de las industrias después de los primeros experimentos dependió de las condiciones del cambio económico producido a fines de la Edad del Bronce.

El crecimiento de Hallstatt y Stična tuvo una relación directa con los sistemas comerciales a larga distancia que se establecieron a través de la Europa central durante el Bronce final, cuando estaban circulando ampliamente grandes cantidades de metal, así como productos de lujo tales como el ámbar y las cuentas de vidrio. Incluso las mayores cantidades de productos comerciales hallados en los yacimientos de inicios de la Edad del Hierro indican que el comercio continuó expansionándose. El crecimiento de las ciudades también dependió de la habilidad de las comunidades agrarias en producir bienes para intercambiar. El aumento de la eficacia de la agricultura que se documenta durante el Bronce final permitió a los agricultores generar más excedentes para el comercio. Al mismo tiempo, la expansión de los sistemas comerciales estimuló a los agricultores a producir estos excedentes, debido a las mercancías mucho más atractivas que podían conseguir por trueque. El desarrollo de la agricultura también significó que podía alimentarse a un mayor número de personas que no se dedicaban a la agricultura (mineros, metalúrgicos y mercaderes, por ejemplo). Estos procesos se reforzaron mutuamente y contribuyeron también a la intensificación del comercio y de la producción que tuvo lugar durante la primera Edad del Hierro.

Los negocios comerciales los empezaron individuos que captaron las posibilidades de ganancia en la producción industrial de la sal y del hierro y que disponían de riqueza con la que financiar los primeros estadios de la extracción. Estos negociantes estaban motivados por el deseo de obtener riquezas adicionales en forma de un amplio abanico de mercancías de lujo que estaban entonces en circulación, tales como objetos de bronce, calderos y cascos de bronce decorados, joyas de oro y adornos de ámbar, vidrio y marfil, así como en seguridad, rango, y poder que acompaña a la riqueza. Fueron capaces de obtener los servicios de mineros con promesas de ganancia material que traería el comercio. Muchos ejemplos históricos y etnográficos demuestran comienzos similares de aventuras comerciales: durante la Revolución industrial, por ejemplo, mucha gente abandonó la soledad y el penoso trabajo de las granjas para acudir a los centros comerciales donde podían ganar dinero (lo que les hacía accesibles algunos lujos de la época) a cambio de su trabajo.

El éxito de la primera minería en Hallstatt condujo al rápido crecimiento de la comunidad. Cuando la población llegó a tener entre doscientas y cuatrocientas personas, dejó de crecer. El principal factor de limitación puede haber sido la dificultad de suministrar a la comunidad comida y aprestos que tenían que ser transportados en barco y luego subidos por el valle montañoso a espaldas de caballerías o con tracción humana. Todas las tareas relacionadas con la extracción de la sal (la excavación de las galerías, el talado y ajuste de los troncos para soportes, el procesado de la sal para el comercio) requerían tareas específicas aprendidas con la experiencia. Significativamente, no existen en la necrópolis de Hallstatt grupos de tumbas de ajuar muy pobre que pudieran pertenecer a los explotados trabajadores. Más bien, la distribución de los ajuares implica que el trabajo era beneficioso para todos los que se habían embarcado en la aventura.

De modo similar, en Stična algunos individuos deben haberse dado cuenta del potencial comercial del hierro e indujeron a los metalúrgicos a aumentar su producción. Como la producción creció, más especialistas debieron ser abastecidos de comida, herramientas y recompensas por sus esfuerzos. Los agricultores pudieron ser atraídos a los pujantes centros comerciales por la abundancia de riqueza material, parte de la cual les era distribuida a cambio de comida y otros productos de las granjas. El crecimiento de la ciudad dependía de la buena disposición de la gente (agricultores y especialistas metalúrgicos) a trabajar duro a fin de generar excedentes para intercambiar. Cuanto más se intensificaba la producción destinada al comercio, más crecían las comunidades.

OTRAS PARTES DE EUROPA

Hallstatt y Stična conocen crecimientos especiales en la primera Edad del Hierro europea y no son prototípicos. La inmensa mayoría de comunidades permanecieron con un tipo de vida agraria, similar a la descrita en el capítulo 2, si bien se vieron afectadas de manera creciente por los cambios que el comercio originó en los nuevos centros. Se hicieron disponibles más mercancías de lujo y las comunidades se sentían estimuladas a producir mayor cantidad de excedentes para poder adquirirlas. En Kleinklein, en el valle Sulm de Steiermark, de Austria, se encontró una pequeña serie de tumbas colmadas de ricos objetos como espadas, yelmos, corazas y vasijas de bronce fechables en la época de los inicios de la producción del hierro en la región. En ella, la metalurgia del hierro no condujo a la formación de comunidades más amplias sino sólo al enriquecimiento de unos pocos individuos. Las ricas tumbas del grupo de enterramientos de Bylaný en Bohemia están también conectadas con los inicios de la producción del hierro, de nuevo sin que vayan asociadas a la formación de ciudades. Enterramientos similares se encontraron en Grosseibstadt, en Baviera. Unas tumbas concretas de Nové Košariská, en Eslovaquia, son notables por la enorme cantidad de vasijas de cerámica que contenían (más de 80) y por la cuidada construcción de las cámaras funerarias, pero no contienen ni armas ni objetos de lujo en bronce y se asocian exclusivamente a pequeños asentamientos. La existencia de grupos de tumbas más ricas que el término medio en estos emplazamientos sugiere que por toda Europa, algunas personas se quedaban con los beneficios materiales del aumento de producción y comercio, pero en estos pequeños asentamientos el desarrollo comercial no era lo suficientemente grande para estimular el crecimiento de ciudades.

En Uttendorf, en el extremo norte de los Alpes austríacos, a unos 100 kms al oeste de Hallstatt se investigó la necrópolis de una comunidad dedicada a la minería del cobre de este período. En 1977 se habían descubierto cuarenta y cinco tumbas y Fritz Moosleitner piensa que aún pueden quedar varias veces esta cantidad. Incluso con el mayor tamaño que el investigador lanza como hipótesis, la necrópolis no representaría una comunidad mayor de cincuenta personas. Al contrario que en Hallstatt y Stična, ninguna de las tumbas es excepcionalmente rica, aunque los enterramientos van acompañados de bronce, hierro y objetos cerámicos. Aunque la cerámica indica estrechas relaciones con las comunidades de las tierras más septentrionales, en particular del sur de Baviera, los objetos de bronce son característicos del sur y sudeste del área alpina. Así, podemos suponer que Uttendorf abastecía de cobre a centros comerciales como Stična. La evidencia de Uttendorf es importante porque demuestra que no todos los asentamientos especializados en la minería llegaron a ser ciudades enriquecidas por el comercio, como ocurrió con Hallstatt.

Por tanto, la mayoría de los establecimientos europeos eran pequeños y había poca especialización en la producción industrial o acumulación de riqueza. En Holanda, por ejemplo, un minucioso estudio de P. B. Kooi (1979) ha demostrado que los asentamientos eran granjas aisladas, cada

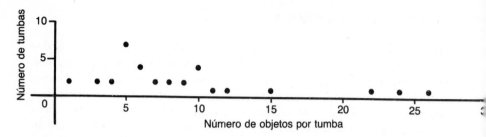

F<small>IG</small>. 26   Distribución de los ajuares en las treinta y tres tumbas de la necrópolis de Zainingen.
Baden-Württemberg (Alemania occidental).

una ocupada por una sola familia. En la llanura del norte de Europa no
había grandes comunidades y la prueba arqueológica demuestra que había
poca diferenciación de riqueza en cuanto a las tumbas. De modo parecido,
en la Europa centrooccidental las necrópolis de Haguenau, en Alsacia, y
Zainingen, en Württemberg, muestran escasas diferencias entre las tumbas
y hablan de pequeñas comunidades agrarias dedicadas al comercio y al trabajo del metal de forma muy limitada (fig. 26). Ocasionalmente existen
tumbas equipadas de forma mucho más profusa que la mayoría (en Gomadingen, en Württemberg, por ejemplo) pero no pueden compararse con las
más ricas tumbas de Hallstatt y Stična. Las únicas comunidades comparables a las ciudades comerciales del este de la región alpina se estaban formando en las costas del mar Mediterráneo.

Al otro lado de los Alpes, en el llano del Po, al norte de Italia, se estaban
desarrollando grandes ciudades en Bolonia y Este, similares a las de Hallstatt y Stična. Estas ciudades del norte de Italia debían también su existencia
a la expansión de los sistemas comerciales y a las nuevas industrias que los
alimentaban. Durante el siglo VI a. de C. estos y otros centros alrededor del
Mediterráneo jugaron un papel específico en el desarrollo de nuevas ciudades en otras regiones al norte de los Alpes. Un nuevo interés comercial pe-
netra entonces en la esfera centroeuropea: la demanda por parte de las
ciudades griegas de materias primas para abastecer una población y unas
industrias en expansión.

4. El crecimiento de los centros comerciales (600-400 a. de C.)

Nuevas ciudades comerciales crecieron durante el siglo VI a. de C. en una región a varios cientos de kilómetros al oeste de Hallstatt, entre el alto Sena y el alto Danubio. La formación de estos centros comerciales en la Europa centrooccidental no estaba en absoluto causada por la formación previa de las ciudades del este, pero fue el resultado de circunstancias económicas similares. Éstas incluían la disponibilidad de víveres, de una agricultura de gran eficiencia que permitía la producción de mayores excedentes, una red comercial activa y la iniciativa personal en el trabajo para conseguir ganancias individuales. Durante el siglo VI un nuevo e importante elemento económico hizo su aparición en este panorama: la búsqueda por parte de las sociedades mediterráneas de las materias primas de la Europa forestal.

COMERCIO CON LOS GRIEGOS

Desde el neolítico en adelante tenemos muestras claras de comercio a través de los Alpes entre la Europa central y el Mediterráneo: por ejemplo, las conchas *Spondylus* se encuentran a menudo en las tumbas neolíticas. A lo largo de la Edad del Bronce circularon adornos de metal entre el norte de Italia y la Europa central y en el Bronce final muchos objetos parecidos, que incluyen herramientas de bronce, joyería y cuentas de vidrio, se hallan tanto al norte como al sur de los Alpes. La crátera, el colador y la copa de bronce, un juego de vasijas usado para beber vino al sur de los Alpes, hallados en la rica tumba de Hart en der Alz en la Baviera superior muestran que el vino pudo haber sido importado a Europa central desde las tierras mediterráneas en una fecha tan temprana como el 1200 a. de C. Alrededor del 600 a. de C. empieza a aparecer una gran variedad de productos de lujo originarios de las regiones mediterráneas en el centro de Europa, que indica un cambio en el comercio entre norte y sur.

Entre el 800 y el 500 a. de C. las ciudades de la Grecia continental y de

Fig. 27   Principales yacimientos mencionados en el capítulo 4.

la Jonia establecieron docenas de nuevas colonias en las costas de los mares Mediterráneo, Adriático y Negro. La causa de esta expansión fue el crecimiento demográfico y el agotamiento de recursos disponibles en los centros urbanos de la Grecia continental. Algunas colonias se establecieron como nuevos asentamientos para los griegos debido al exceso de población de las ciudades en su patria de origen. Algunas de estas colonias, particularmente las del sur de Italia y Sicilia, se fundaron para producir trigo para las tripulaciones que debían regresar a los centros urbanos de Grecia. Otras se crearon para el comercio, para asegurar las necesidades de materias primas, en particular los metales, para las industrias artesanales griegas.

Durante estos tres siglos de colonización, colonos, marineros y mercaderes griegos entraron en contacto con muchos pueblos distintos en las costas del norte de África, del sur de Europa y las orillas del mar Negro. El comercio griego con la Europa central, del que aquí nos ocuparemos, fue el típico de las interacciones comerciales entre los griegos y otros pueblos.

Hacia el 600 a. de C., griegos jonios de la ciudad de Focea, en Asia Menor, establecieron la colonia de Massalia (la moderna Marsella) en la costa mediterránea cercana a la desembocadura del río Ródano. Massalia se fundó específicamente para captar el comercio entre las áreas productoras de materias primas del interior del continente e Iberia y los centros urbanos del este mediterráneo que necesitaban estos materiales. El Ródano es el río más largo que fluye desde el interior de Europa hasta el Mediterráneo, lo que le convertía en un corredor adecuado para el comercio y el transporte. Poco después del 600 a. de C. las importaciones de lujo griegas y etruscas empezaron a llegar a la Europa central. El comercio se intensificó con el tiempo, llegando a su punto álgido de actividad hacia el 500 a. de C.

Las importaciones mejor representadas son las cerámicas de lujo del

Fig. 28   Fragmentos de cerámica ática hallados en el Heuneburg.

Ática, en Grecia. Se han encontrado fragmentos de cerámica ática (fig. 28) en varios asentamientos de la Europa central, como el de Heuneburg, Mont Lassois, Château-sur-Salins, el Britzgyberg, Châtillon-sur-Glâne, el Ipf, el Marienberg en Würzburg y Zürich-Uetliberg. Se encontraron dos copas áticas enteras en la tumba de Vix, al pie de Mont Lassois, y dos en la tumba de Kleinaspergle, cerca de Hohenasperg. Las ánforas cerámicas griegas usadas para el transporte de vino se han encontrado en muchos de estos mismos yacimientos y en varias tumbas. La cerámica ática pintada y las ánforas vinarias eran productos de uso cotidiano entre los griegos adinerados y objetos usuales de comercio. Casi todos los pueblos con los que los griegos entraron en contacto deseaban adquirir el vino y la cerámica ática que se utilizaba para servirlo y beberlo.

Fig. 29   La crátera de Vix. Esta vasija extraordinaria mide 1,64 m de altura y pesa 208 kg. Es una manufactura de un taller griego, probablemente del sur de Italia. Está realizada con lámina de bronce y bronce fundido.

Las vasijas de bronce de los talleres mediterráneos también eran comercializados en el centro de Europa. Algunos tipos eran relativamente comunes en el mundo griego, como los jarros de boca trilobulada hallados en las tumbas de Kappel, en el valle del Rin, y en Vilsingen, al oeste del Heuneburg, pero la mayoría eran productos excepcionales e incluso únicos realizados por los hábiles artesanos griegos. Más espectacular es la crátera de bronce de la tumba de Vix de 1,64 metros de altura y un peso de 208 kilos, la vasija metálica de mayor tamaño conocida del mundo antiguo y un producto que muestra el extraordinario oficio de sus metalúrgicos (fig. 29). El trípode y caldero de La Garenne, cerca de Vix, el caldero de la tumba de Hochdorf, cerca de Hohenasperg, y el trípode de Grafenbühl son otros productos únicos del buen oficio de los broncistas griegos. Otra producción excepcional de los talleres griegos incluye los boles de plata y oro y la diadema de oro de Vix, así como el par de esfinges trabajadas en hueso, marfil y ámbar de Grafenbühl (fig. 30).

También llegaron al centro de Europa los objetos de lujo de los talleres etruscos. Incluyen jarros de bronce con bocas en forma de pico, boles de

Fig. 30   Esfinge de la rica tumba central del túmulo de Grafenbühl. Trabajada en hueso, la cara es de ámbar y lleva dos pezones de bronce dorado. Mide 4,8 cm de altura. Al igual que la crátera de Vix, este objeto probablemente fue realizado en un taller griego del sur de Italia.

bronce, cuentas de oro de forma redondeada y un molde cerámico para fundir una cabeza de Sileno en bronce, hallado en el Heuneburg. Entre los historiadores clásicos se discute sobre qué objetos fueron realizados por los griegos y cuáles por los etruscos. Dado que los artesanos eran a menudo muy móviles, copiaban ideas y técnicas, y frecuentemente trabajaban en tierras lejanas. En cualquier caso, los mercaderes griegos estaban tan interesados en los productos etruscos como en los griegos. La tela de seda procedente del enterramiento número 6 del túmulo de Hohmichele, en el Heuneburg, y los adornos de coral hallados en varios asentamientos también fueron traídos al centro de Europa desde las costas del Mediterráneo.

Entre las importaciones de lujo griegas y etruscas al norte de los Alpes sorprende la ausencia de objetos comunes de uso cotidiano en las culturas mediterráneas. No se han encontrado monedas griegas de este período en el centro de Europa. Tampoco ninguno de los muchos tipos diferentes de agujas usadas en Grecia y Etruria. Por tanto, sólo se importaban objetos seleccionados.

Otra evidencia, aparte de las mercancías importadas, atestigua la interacción entre los centroeuropeos y los griegos. La muralla de ladrillos de arcilla que rodea el Heuneburg es única al norte de los Alpes y demuestra la aplicación del conocimiento de técnicas específicas procedentes del mundo mediterráneo. Debió ser construida por un arquitecto griego o por uno de la Europa central que había aprendido la técnica en el Sur. La estatua de piedra de tamaño natural trabajada en piedra arenisca del norte de Württemberg que coronaba la cima del túmulo funerario de Hirschlanden, cerca de Stuttgart, es única y muestra grandes influencias de los escultores mediterráneos. El torno de alfarero rápido y el pollo domesticado también se introdujeron en la Europa central por esta época procedentes del Mediterráneo.

No existen pruebas arqueológicas en las ciudades griegas de este comercio con Europa central, pero las razones de esta ausencia están claras. Todos los testimonios literarios referentes al comercio indican que los griegos estaban básicamente interesados en obtener materias primas para la industria y el consumo griego. El historiador griego Polibio al escribir sobre el comercio al norte del mar Negro (una región comparable en muchos aspectos a la Europa central) enumera como productos importados por los griegos los cereales, el estaño, el pescado, la sal, las pieles, los esclavos, el oro, el ámbar, la cera, la resina, la brea y la miel (4 38. 1-5). Varios siglos más tarde los romanos importaban cantidades de cerdo salado y madera para la construcción de Europa central (Estrabón 4. 3. 2.; 4. 4. 3). Probablemente estos materiales fueron los principales productos comerciales buscados por los griegos.

EL HEUNEBURG Y OTRAS CIUDADES

Unas pocas comunidades de Europa centrooccidental relacionadas de forma activa con el comercio griego se transformaron en centros importan-

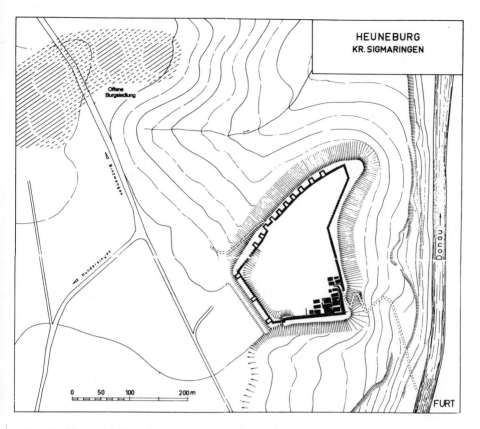

Fig. 31   Plano del Heuneburg que muestra la esquina sudeste completamente excavada.

tes de producción y comercio. Hasta ahora, sólo el Heuneburg se ha investigado en extensión.

El Heuneburg se halla situado sobre un espolón en el extremo este del Schwäbische Alb, en la orilla oeste del alto Danubio, al sur del Württemberg (fig. 31). La escarpada superficie triangular mide unos 250 por 150 metros y la superficie de la zona es de unas 3,2 hectáreas. Desde 1950 los arqueólogos han estudiado una parte importante del tercio sur del yacimiento.

El ángulo sudeste ha proporcionado restos de postes de la construcción, teniendo las estructuras de madera un tamaño aproximado entre 25 y 90 metros cuadrados, densamente agrupadas en una organización no muy distinta a la de las ciudades medievales (figs. 32 y 33). Se han publicado los planos de diecisiete estructuras, quince con huellas de postes a lo largo de las paredes y dos con cimientos de madera. Un modelo hipotético del yacimiento incluye unos setenta edificios adicionales; además de estos diecisiete. Desde luego, sólo la excavación total mostrará la verdadera extensión y carácter del área edificada, pero el modelo indica la primera impresión que los arqueólogos tienen del yacimiento. Si todos los edificios eran vi-

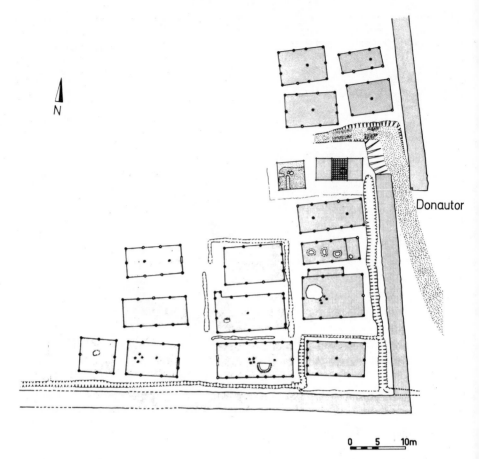

Fig. 32   Plano detallado de las estructuras del ángulo sudeste del Heuneburg en el que se ven los cimientos de edificios rectangulares, los hogares interiores, las zanjas de drenaje y la puerta en el lado que mira al río Danubio (Donautor).

viendas (poco probable, puesto que los materiales hallados en su interior y su tamaño son diversos) y si todos fueron ocupados simultáneamente (poco probable a lo largo de los 150 años de historia del lugar), la población podría haber sido de unas 450 personas. Si, por el contrario, consideramos que un tercio de los edificios servían para otras finalidades que las de vivienda y que sólo la mitad de las estructuras estuvieron ocupadas a un mismo tiempo, entonces la población pudo haber sido de cien a doscientas personas, un cálculo mucho más razonable.

Unos 400 metros al noroeste del Heuneburg, bajo cuatro grandes túmulos funerarios, se descubrió otro asentamiento con edificios de estructuras de madera, cercas, zanjas de drenaje y rastros de actividades artesanales como el tejido y la fundición de bronce. Este asentamiento exterior se fundó por la misma época que el Heuneburg (aproximadamente el 600 a. de C.) y finalizó poco después del 550 a. de C. Así, durante la primera mitad de la

Fig. 33   Reconstrucción artística de los edificios del ángulo sudeste del Heuneburg.

ocupación del Heuneburg, existía un asentamiento contemporáneo a unos pocos centenares de metros. El ángulo sudeste del Heuneburg estuvo densamente edificado durante un siglo o más. Cuando el asentamiento exterior se abandonó, la zona se usó para enterramiento de los residentes en Heuneburg.

Heuneburg es distinto de otros asentamientos de esta región en la densidad de los restos de las varias ocupaciones y en las pruebas de manufacturas y comercio a larga distancia. Cada una de las zonas investigadas del yacimiento ha proporcionado estas pruebas, en contraste con los mucho más escasos materiales de otros yacimientos.

El yacimiento es también especial por la cantidad de importaciones de lujo y por las tumbas que tiene alrededor. Ha proporcionado unos cien fragmentos de cerámica ática, la mayoría fechados entre el 540 y el 480 a. de C. Proceden de una serie de grandes vasijas usadas para servir y beber vino, incluyendo cráteras (para mezclar el vino con agua y especias), jarros (para escanciar) y copas. Los fragmentos de ánforas cerámicas en las que los mercaderes griegos transportaban vino muestran que son iguales a las halladas en el puerto de Marsella. El coral se traía a Heuneburg desde el Mediterráneo para utilizarlo como joya. Una rama de coral trabajada en parte atestigua la producción en Heuneburg de cuentas y entalles para la joyería de bronce. El molde para fundir una cabeza de bronce plantea problemas más complejos. ¿Existió un fundidor etrusco trabajando en Heuneburg? ¿Eran artesanos locales que utilizaban moldes realizados por los etruscos para fundir las asas de las vasijas? El ámbar de las costas bálticas del norte de Europa, las cuentas de vidrio del área al sudeste de los Alpes y la joyería

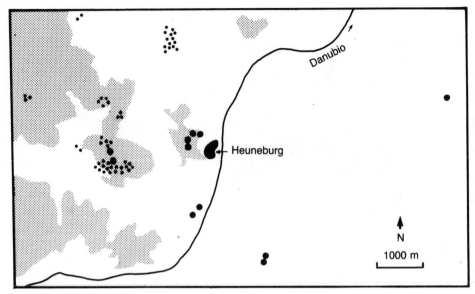

F<small>IG</small>. 34 Heuneburg y sus alrededores. Túmulos funerarios excepcionalmente grandes están representados por las grandes manchas negras y los más pequeños, por los puntos. La zona rayada son las tierras a más de 600 m sobre el nivel del mar. Basado en Kimmig (1968, interior de la cubierta frontal).

de bronce de distintas partes del continente atestiguan el comercio con otras tierras, pero el comercio con los griegos del Mediterráneo fue el más importante para el desarrollo de la ciudad.

El Heuneburg va asociado a enterramientos excepcionalmente ricos. Se conocen unos setenta túmulos alrededor del yacimiento, con toda seguridad sólo una pequeña fracción de la cantidad original, ya que la mayoría fueron desmontados por los cultivos (fig. 34). Once túmulos son excepcionalmente grandes. ¡Incluso uno de ellos se convirtió en fortaleza en la época medieval! Estos inmensos túmulos encerraban ricas tumbas complementadas con cámaras funerarias recubiertas de tablones de roble y con unos ajuares suntuosos, en los que podemos encontrar carros de cuatro ruedas, brazaletes y collares de oro, calderos de bronce, dagas de hierro decoradas con vainas de bronce, así como las usuales joyas de bronce, herramientas de hierro, cuentas de vidrio y cerámica.

COMERCIO DE LUJO, PRODUCCIÓN DE EXCEDENTE Y APARICIÓN DE LAS CIUDADES

Por la época en que se fundó la colonia de Marsella, hacia el 600 a. de C., el comercio entre los mercaderes mediterráneos y los pueblos indígenas del sur de la Galia ya venía funcionando desde hacía varias décadas. Se han hallado cerámicas griegas y del Mediterráneo oriental anteriores a la fundación de Marsella en bastantes lugares de la región. Por tanto, las comunidades del sur de Francia ya conocían el comercio con los mercaderes extranjeros a lo largo de sus costas, y los griegos que se establecieron en Marsella estaban al corriente de las posibilidades comerciales de la zona. Siempre existieron contactos entre las comunidades de la costa mediterránea francesa y las áreas más al interior del continente y las conexiones directas entre Marsella y el centro de Europa no tardaron mucho en establecerse. Los comerciantes griegos rara vez viajaban hacia el interior y, por tanto, o los centroeuropeos iban hasta Marsella o mantenían relaciones a través de intermediarios a lo largo del valle del Ródano. El establecimiento inicial de relaciones comerciales probablemente se realizó a través del intercambio de regalos, cuyo resultado tangible vemos en las vasijas de bronce griegas de las tumbas de Kappel, Vilsingen, Kastenwald y Grächwil, fechadas todas ellas en la primera mitad del siglo VI a. de C.

Los bosques y las ricas tierras agrícolas del centro de Europa ofrecían en abundancia los recursos que buscaban las ciudades del Levante mediterráneo. Los mercaderes griegos podían ofrecer, a cambio, atractivas mercancías de lujo, vino en particular, vasijas de bronce y cerámica pintada. La fuerza que motivó el establecimiento y desarrollo de estas relaciones comerciales fue el deseo por parte de los centroeuropeos de adquirir los lujos del Mediterráneo. Comparadas con la cultura material de los indígenas de la Europa central, las vasijas y adornos que traían los mercaderes griegos eran exóticas y sofisticadas; su posesión por parte de los centroeuropeos constituía una manera de hacer ostentación ante sus conciudadanos. También el vino tenía un atractivo especial para aquellos que podían conseguirlo.

Los negociantes centroeuropeos, quizá personas que desempeñaban ya cargos dirigentes, o quizá otros, animaban a sus compañeros a producir un excedente de mercancías para comercializarlas. Los estudios etnográficos muestran que sin unos dirigentes y unos incentivos específicos, las comunidades campesinas generalmente no producen excedentes. Con una base de subsistencia fuerte y unos sistemas de producción artesanal ya desarrollados, así como el comercio a escala regional, la producción de excedente no debió ser difícil si las comunidades estaban motivadas por la perspectiva de recibir a cambio otras mercancías. Los productores pueden haber sido recompensados directamente con los lujos importados, o indirectamente con fiestas y regalos de origen local.

Los mercaderes que organizaban el comercio se beneficiaban de las mercancías de lujo-exóticas y de la alta posición social que acompañaba la posesión y distribución de estos lujos. Algunas importaciones se entregaban a los que producían las mercancías para el comercio. El porqué algunos individuos tenían éxito en movilizar a sus comunidades para producir mayores excedentes para el comercio mientras otros no lo tenían es una cuestión de personalidad y habilidad. Personas de otras comunidades eran atraídas por la riqueza de los centros en crecimiento y algunas se trasladaban a ellas para participar en la producción para el comercio y en los beneficios. Más productores significaba mayor excedente, más importaciones y mayor demografía. El Heuneburg es un buen ejemplo de los resultados de este crecimiento.

A medida que el volumen del comercio fue creciendo, los comerciantes que manejaban el comercio y la producción que lo alimentaba pasaron a tener más importancia para los comerciantes griegos. Especiales artículos de lujo realizados para el comercio en la segunda mitad del siglo vi a. de C. en los talleres griegos, como la crátera de Vix y las esfinges de Grafenbühl, atestiguan el mayor interés de los griegos en mantener en buen funcionamiento el comercio con la Europa central. La presencia en el alto Sena de la crátera de Vix, un enorme objeto de un excepcional artesano griego, se ha interpretado como una muestra de que las relaciones griegas con la comunidad de Mont Lassois tenían una especial importancia para los comerciantes griegos. La gran crátera se ha interpretado por lo general como un regalo político, siguiendo el testimonio de Herodoto acerca de que objetos similares eran regalados por los griegos a personajes importantes en otras partes del mundo antiguo. Sin embargo, es posible que la crátera fuera encargada por un rico negociante centroeuropeo que deseara una vasija exótica extravagante, comparable en tamaño y decoración a la estima que tenía de sí mismo.

El nuevo énfasis en la producción de mercancías para el comercio condujo a la reorganización de las economías locales. Se desarrollaron industrias especializadas para producir mucho más de lo que requerían las necesidades locales, como en el temprano ejemplo de las minas de sal de Hallstatt y de la producción de hierro en los centros de Eslovenia. Según qué productos fueran más importantes para el comercio griego (y sólo podemos suponer cuáles lo fueron) este nivel más alto de producción puede haberse dado en centros como Heuneburg o en asentamientos de producción más pequeños en los que se hallaban las materias primas.

El impacto cultural de este cambio de la orientación económica es muy evidente en la afirmación de las ciudades comerciales. A medida que el comercio se intensificaba en la Europa centrooccidental, cambiaba el carácter de los asentamientos. Antes del 600 a. de C., el paisaje estaba salpicado de pequeñas comunidades agrícolas (granjas y pequeñas aldeas), todas ellas muy similares en cuanto a su actividad económica. Al desarrollarse el comercio entre el 600 y el 480 a. de C., unos pocos grandes centros comerciales e industriales como Heuneburg pasaron a dominar el panorama, produciendo para las comunidades más pequeñas algunas mercancías (adornos y herramientas de bronce, quizás herramientas de hierro) que estas comunidades más pequeñas previamente realizaban por sí mismas. La existencia de estas ciudades comerciales dependía únicamente del comercio con el sur. Después que la demanda griega de los productos centroeuropeos decayera hacia el 480 a. de C., estas ciudades disminuyeron de tamaño y fueron abandonadas. Por esta época el valle del Po, en el norte de Italia, se convirtió en la fuente de los productos deseados por los comerciantes griegos. Una vez que las mercancías de lujo griegas dejaron de comerciarse al norte de los Alpes, las personas que habían estado produciendo excedentes para el comercio perdieron su incentivo de trabajar más. Las comunidades volvieron a producir sólo lo suficiente para su propio consumo y un comercio limitado.

Los griegos no tenían otros intereses en el centro de Europa, aparte la consecución de materias primas mediante el comercio. No hicieron ningún intento de conseguir un control político o económico sobre Europa continental, como hicieron los romanos cinco siglos más tarde. Tampoco participaron, en ningún sentido, en la formación de las ciudades comerciales. Más bien su desarrollo fue el resultado de los esfuerzos de los centroeuropeos para producir más mercancías transportables, y de este modo poder adquirir los lujos del Mediterráneo.

Aunque el comercio con los griegos desencadenó cambios culturales muy importantes en la Europa central durante el siglo VI a. de C., este comercio puede no haber sido muy significativo, económicamente hablando, para Grecia. El número de importaciones griegas en la Europa central no es grande. Los varios cientos de fragmentos de cerámica ática procedentes de Heuneburg y Mont Lassois representan sólo una pequeña fracción de la cerámica de la ciudad etrusca de Vulci en la Italia central, por ejemplo, donde se han podido recuperar casi un millar de piezas enteras de cerámica ática de figuras negras.

Con pocas excepciones, las pruebas del comercio con los griegos al norte de los Alpes quedan concretadas al área centrooccidental de Europa, que es la que aquí estudiamos. Se han hallado muy pocas importaciones mediterráneas fuera de esta región y sólo en ella se desarrollaron las ciudades comerciales. También las tumbas excepcionalmente ricas y la producción artesana de carácter especial como los collares de oro se dieron principalmente en este área. En el resto del territorio al norte de los Alpes, los modelos de asentamiento, la organización económica y la distribución de la riqueza era similar a la de comienzos del milenio.

Algunos investigadores han apuntado que Heuneburg y asentamientos similares eran centros políticos de sus regiones. Es poco probable que éste fuera el caso, al menos si seguimos la definición moderna y aceptada de la palabra *político*. Heuneburg fue un foco de actividad económica por lo menos durante ciento cincuenta años. Sólo durante la mitad de este tiempo el yacimiento tuvo asociadas las excepcionalmente ricas tumbas y las importaciones griegas llegaron regularmente. La pruebas señalan un rápido desarrollo de un centro comercial y un igualmente rápido final en un área de pequeñas y segmentarias comunidades. La comunidad de Heuneburg estaba ligada a asentamientos más pequeños por una red comercial de escala regional dentro del gran sistema de producción de excedentes para el comercio con las sociedades mediterráneas. Pero no existe ninguna prueba que demuestre que los asentamientos como Heuneburg cumplieran el papel de centros políticos, como lo hicieron las ciudades del Próximo Oriente o las ciudades micénicas como Knossos, Pilos o la misma Micenas. Heuneburg no ha proporcionado ningún rastro de almacenaje a gran escala ni de edificios administrativos, estructuras religiosas o cualquier tipo de palacio. Tampoco existen pruebas de escritura que demuestren la existencia de los registros que van asociados a las capitales políticas. A juzgar

por las muestras de manufacturas y de comercio en Heuneburg y la distribución en su *hinterland* de los productos de fabricación local y de los objetos importados, las relaciones entre las grandes comunidades comerciales y
las pequeñas aldeas eran puramente económicas.

EL CAMBIO DE MODELOS EN EUROPA

Con el aumento generalizado del comercio, el continuo desarrollo de la
metalurgia del hierro y la cada vez más compleja sociedad, fueron produ-
ciéndose cambios menos dramáticos en toda Europa.

Asentamientos

Las principales formas de asentamiento en Europa continuaron siendo
las granjas y las aldeas, aunque en algunas regiones, además de Eslovenia y
de Europa centrooccidental, se desarrollaron comunidades especializadas,
y algunas veces de gran tamaño. Una comunidad muy próspera, aunque
pequeña, de mineros del cobre y mercaderes se encuentra representada por
una necrópolis de cincuenta y seis tumbas en Welzelach, en los Alpes austríacos del Tirol. La población de esta comunidad fue de menos de veinte
personas y no existen pruebas de otra actividad económica aparte de la minería, el procesado del mineral de cobre y su comercialización. Los enterramientos muestran una considerable riqueza entre estos obreros del metal.
Sobre el Hellbrunnerberg, una colina a cinco kilómetros al sur de Salzburgo, hubo un asentamiento contemporáneo del de Heuneburg y asi-
mismo relacionado con el comercio a larga distancia. No se ha realizado
ninguna excavación sistemática en el yacimiento, pero los depósitos causa-
dos por la erosión muestran un amplio muestrario de productos extranjeros, en especial de la Europa centrooccidental y de las costas septentrionales del mar Adriático. La comunidad de Hellbrunnerberg puede haber
jugado un papel importante en el desarrollo del comercio de la sal de las recién explotadas minas de la montaña de Dürrnberg.

Biskupin fue un gran asentamiento polaco que se ha conservado de manera excepcional debido a su ubicación en un pantano. Basándose en la
densidad de las estructuras de madera del yacimiento, cuya extensión es de
unas 1,3 hectáreas, los investigadores han propuesto una cifra de población
considerablemente alta, 1200 personas. Sin duda, es una cantidad muy ele-
vada. En Biskupin, como en Wasserburg Buchau, la extraordinaria conservación de los edificios de madera, probablemente muchos de ellos fechables en distintas fases de ocupación, es ilusoria. Sin una necrópolis que le
vaya asociada, no se puede realizar un buen cálculo estimativo de la población, pero yo me inclino entre cincuenta y doscientas personas como cifra
razonable (véase también Piggott, 1965, 202). Rajewski (1959, 96) señala que
la ausencia de silos en Biskupin es debida a la humedad del suelo; así, es
probable que muchas de las estructuras tuvieran por finalidad el almace-

naje de víveres en lugar de vivienda. Ninguna de las tumbas cercanas a Biskupin tenía ajuares especialmente ricos, ni existen pruebas de unas manufacturas o comercio específico. La artesanía que existe en Biskupin es de tipo doméstico, para satisfacer las necesidades de la comunidad.

En algunas partes de la Europa del Este los asentamientos de altura fortificados albergaron comunidades en las que el comercio y la producción de excedente jugó un gran papel, por ejemplo en la zona de Kalenderberg, al sudeste de Austria, en Smolenice, al sudoeste de Eslovaquia, en Závist, en Bohemia, y en varios lugares de la región de Lausitz, en Alemania oriental y Polonia. Estos asentamientos de altura fortificados de la Europa del Este frecuentemente están acompañados por pequeñas necrópolis que contienen unas pocas tumbas más ricas que las restantes, pero las diferencias de riqueza eran pequeñas comparadas con las de las ciudades de la Europa centrooccidental. Las tumbas más ricas sólo se distinguen por una mayor cantidad de cerámica, a menudo de mejor calidad, como en Sopron-Burgstall, en Hungría, y Nové Košariská, cerca de Bratislava, en Moravia. Las diferencias de riqueza se expresaban, pues, de una manera tradicional, local, no con importaciones exóticas o con objetos de nuevos ricos como los collares de oro, las dagas y las vasijas de bronce. Incluso las necrópolis más extensas, como las de Szentes-Vekerzug, con 192 tumbas, Tápiószele, con 455, y Chotín, con 476, reflejan pequeñas comunidades con menos de un centenar de miembros.

Muchos de los asentamientos fortificados del este de Europa han sido citados en la bibliografía como Fürstensitze (literalmente «residencia principesca») y comparados con los centros comerciales de la Europa centrooccidental. La zona interna de algunos, como Biskupin, Smolenice y Závist, estaba densamente edificada, como en Heuneburg. Muchos proporcionaron pruebas del trabajo del hierro, del bronce, de los tejidos y de la cerámica, así como su participación en el comercio a larga distancia. Sin embargo, ninguno de ellos ha dado pruebas de una acumulación de riqueza personal, que sí aparece en las ricas tumbas de las ciudades comerciales de la Europa centrooccidental. En los asentamientos de la Europa del Este, los túmulos varían de tamaño y la riqueza de los enterramientos de estos túmulos, comparada con la de los enterramientos sin túmulo, muestra que los individuos sepultados en los túmulos tenían un mayor nivel social. En algunos casos, como en Sopron-Burgstall en Hungría occidental, las tumbas más ricas se distinguen por la cantidad y la decoración de su cerámica. Pero en ningún lugar encontramos los extraordinarios ajuares de los centros de la Europa centrooccidental.

Al sur de los Alpes, en la llanura del Po, al norte de Italia, Bolonia pasó a ser el centro de la actividad económica. Su expansión fue el resultado de un creciente comercio estimulado por la fundación del puerto griego de Spina en la desembocadura del río Po hacia el 520 a. de C. Las necrópolis de Bolonia y Spina muestran unos modelos extraordinariamente similares a los de Heuneburg, Mont Lassois y Hohenasperg, con algunas tumbas excepcionalmente ricas que contienen mucha cerámica griega pintada y muchas vasijas de bronce etruscas.

Economía

No existen pruebas que demuestren un gran cambio en los modelos de subsistencia en la Europa de esta época. Las mismas plantas y animales formaban la base de la dieta y no se manifiestan grandes cambios en la tecnología agrícola. El puntal de un arado de hierro hallado en Gussage All Saints al sur de Gran Bretaña puede fecharse en el siglo v a. de C., y ello demuestra la temprana adopción del hierro para los componentes del arado.

En los centros comerciales de Europa centrooccidental, metalúrgicos especializados producían objetos tanto para la elite enriquecida (joyas de oro, puñales decorados, vasijas de bronce) como joyas de uso más cotidiano para la población de la región. Aparte de este papel especial de los metalúrgicos en los centros comerciales, los mayores cambios en las manufacturas fueron el aumento de la producción de hierro y la introducción de la rueda rápida en el torno de alfarero.

Durante los siglos vi y v a. de C. el hierro pasó a ser de uso general por primera vez y reemplazó al bronce como materia principal para herramientas y armas, si bien el bronce continuó siendo la materia más común para las joyas, adornos y vasijas. Varios asentamientos en los que se trabajó el hierro proporcionan información sobre el contexto y escala del forjado y la fundición. En un pequeño asentamiento de colina sobre el Waschenberg, cerca de Wels, en Austria septentrional, se hallaron nueve hoyos en los que se fundía el mineral de hierro local y un taller en el que se forjaba el metal. En Hillesheim, en Renania-Palatinado, se descubrió un horno de fundición. En ambos casos la extracción del hierro de su mineral era llevada a cabo por comunidades muy pequeñas. Como que el mineral de hierro, al contrario que el cobre o el estaño, tiene una amplia dispersión en Europa, virtualmente todas las comunidades podían producir sus propios instrumentos de metal, una vez que las técnicas de fundición y forjado pasaron a ser un conocimiento generalizado. Así, las comunidades especializadas en la producción y el comercio del metal no jugaron el mismo papel que tuvieron durante la Edad del Bronce. Pesados martillos de hierro, tenazas, yunques, escoplos y lingotes procedentes de la cueva de Býčí Skála, en Moravia, son representativos de las herramientas utilizadas por los metalúrgicos de la época.

El desarrollo de la tecnología del trabajo del metal abrió el camino para incrementar la eficacia en muchas áreas de producción. Una vez que la tecnología (la carburación del hierro para formar acero y el calentamiento y temple del mismo para controlar su dureza y friabilidad) fue dominada, el hierro pudo conseguir un filo mucho más sólido y cortante que el bronce. La amplia disponibilidad de mineral de hierro en superficie significa que las cantidades de metal asequibles a las comunidades para su conversión en herramientas era mucho mayor que antes. Cuanto más instrumental de hierro se confeccionaba, más eficientemente se llevaba a cabo cualquier tipo de producción: construcción de casas, carros, barcos, desforestación de los territorios y todos los trabajos en madera, hueso y ámbar. El torno rápido de alfarero se empezó a usar en Europa en este período, introducido desde el mundo mediterráneo. Este invento hizo posible la más rápida manufactura de la cerámica. Su impacto en la economía de la Europa central fue menor que el de la tecnología del hierro y sólo a fines de la Edad del Hierro se concretaron los efectos de esta nueva máquina.

Distribución de la riqueza

La mayoría de necrópolis de este período muestran el típico modelo de la Edad del Hierro en la distribución de la riqueza: la mayoría de tumbas tienen pocos objetos, un escaso número tienen muchos y algunas se encuentran entre ambos extremos. Los ricos enterramientos de los centros comerciales de Europa centrooccidental difieren de los otros en tres aspectos importantes.

En primer lugar, se distinguían por su ubicación. Las ricas tumbas estaban situadas en el centro y debajo de túmulos excepcionalmente grandes, con enterramientos más pobres dispuestos concéntricamente a su alrededor, a un nivel superior del túmulo. Esta disposición deja clara la primacía del individuo enterrado en el centro con relación a los enterrados en círculo a su alrededor (tanto si se trata de un personaje masculino como femenino). Los túmulos que contenían estas ricas tumbas a menudo eran muy grandes. El túmulo Hohmichele en Heuneburg tenía 13 metros de altura por 65 metros de diámetro; el de Magdalenenberg, al lado de la Selva Negra, tenía cerca de 100 metros de diámetro. El de Magdalenenberg, el más excavado de todos estos grandes túmulos, contenía 126 tumbas planas dispuestas alrededor del rico enterramiento central (fig. 35). La complejidad de las estructuras construidas para los ricos enterramientos está bien ilustrada por el recientemente excavado túmulo de Hochdorf, cerca de Stuttgart. El montículo posee una pared de piedra en toda su circunferencia exterior, un montículo de tierra debajo del túmulo y una elaborada cámara construida con hiladas alternativas de grandes piedras y tablas de madera. Casi todas las tumbas ricas contenían cámaras funerarias rectangulares construidas con planchas de roble desbastadas.

En segundo lugar, los ricos enterramientos de los centros comerciales contenían muchos más objetos y mucho más variados que las tumbas de las restantes partes de Europa. La gráfica que ilustra el número de objetos en cada enterramiento del túmulo de Grafenbühl demuestra aquella aseveración, a pesar de que el rico enterramiento central fue expoliado durante la Edad del Hierro. Las fíbulas, brazaletes, cuentas y cerámica son considerablemente más numerosos en los enterramientos ricos.

En tercer lugar, las ricas tumbas contenían categorías de objetos que nunca se encuentran en enterramientos más sencillos, en particular, collares y brazaletes de oro, carros de cuatro ruedas, vasijas de bronce de origen local y exótico, y dagas decoradas. Si bien la mayoría de los enterramientos ricos fueron saqueados en las décadas siguientes al enterramiento (Hoch-

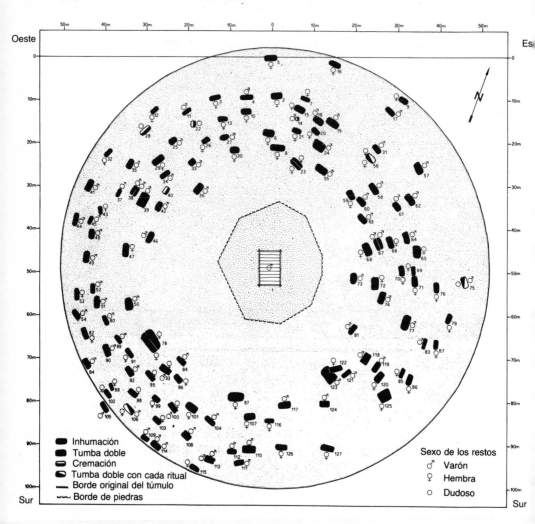

Fig. 35   Plano del túmulo de Magdalenenberg. La tumba central está situada en una cámara de madera perfectamente tallada y cubierta por un enorme amontonamiento de piedras. Las tumbas posteriores se situaron concéntricamente alrededor de la tumba central.

dorf es una excepción importante), el ajuar que los ladrones dejaron detrás todavía proporciona una idea de la extravagante cultura material que poseían estos individuos. Particularmente sorprendentes son los objetos únicos, como la crátera de Vix y el caldero de bronce con leones reclinados en su borde, fíbulas de oro, una vaina de espada con adornos de oro, zapatos recubiertos de este metal y un lecho de bronce de Hochdorf y una pata de león de marfil de un lecho robado en Grafenbühl. Estos extraordinarios objetos, la mayoría de ellos de origen mediterráneo, caracterizan los ricos enterramientos de la Europa centrooccidental y atestiguan un suntuoso tipo

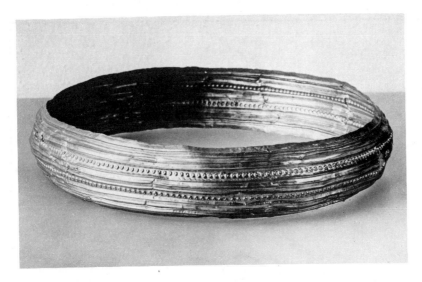

Fig. 36   Un típico collar de lámina de oro, procedente de la rica tumba 1 del túmulo de Rö-
merhügel. Diámetro: 23 cm.

de vida por parte de la elite y su acceso a los más extravagantes productos
salidos de los talleres mediterráneos.

Los collares de oro, tan característicos de estos ricos enterramientos, tienen una especial importancia porque demuestran la relación entre las nuevas ciudades y su *hinterland* rural (figs. 36 y 37). Estos collares se dan en las
tumbas más ricas de estos centros, pero también en las que no lo son tanto.
Todos son similares, aunque no idénticos, y probablemente se realizaron
en un solo taller o en un escaso número de ellos situados en las ciudades.
Eran símbolos de categoría social (como demuestra el collar que lleva alrededor del cuello el personaje representado en la estatua de Hirschlanden, así
como su presencia regular en las tumbas más ricas), probablemente llevados en ocasiones especiales por personas con riqueza y poder en la jerarquía social. Los collares de las tumbas más pobres pueden haber sido
usados por oficiales locales del *hinterland* ciudadano, quienes coordinaban
los sistemas de producción rurales para el comercio con el Mediterráneo.

La bien conocida cronología de los objetos de los ajuares y yacimientos
de la Europa centrooccidental nos permite seguir el aumento de riqueza en
las tumbas más ricas a lo largo del siglo vi a. de C., debido al crecimiento
del comercio con los griegos. Las ricas tumbas de la primera mitad del
siglo, como las de Kappel y Vilsingen, contenían collares de oro, carros de
cuatro ruedas y vasijas de bronce de importación, más bien sencillas. No
contenían importaciones lujosas de carácter excepcional o importaciones
en grandes cantidades. Las tumbas más ricas en productos de lujo locales o
exóticos se fechan en el último cuarto del siglo vi a. de C., igual que las fa-
bulosas tumbas de Vix, Grafenbühl y Hochdorf. La cerámica ática, las ánforas vinarias griegas y el coral encontrado en estas tumbas demuestra que

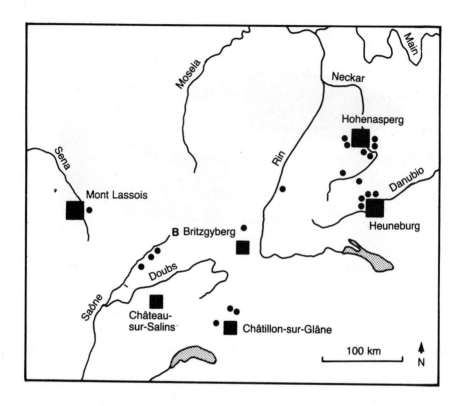

Fig. 37   Distribución de los collares de lámina de oro en la Europa centrooccidental. Los collares de oro están representados por los círculos negros. Los tres cuadrados grandes representan los principales centros comerciales: el Heuneburg, el Hohenasperg y Mont Lassois. Los tres cuadrados pequeños representan los asentamientos comerciales —el Britzgyberg, Château-sur-Salins y Châtillon-sur-Glâne— que, se cree, fueron menos importantes.

éste fue también el momento de mayor intensidad del comercio. En otras partes de Europa no existen estas muestras de riqueza.

Durante el siglo v a. de C. aparece en el centro de Renania, la región del Marne, en Francia, y en Bohemia, otra serie de ricos ajuares que comparten muchas producciones con los de las ciudades del siglo vi a. de C. Estas tumbas se caracterizan también por grandes túmulos, collares de oro, vasijas locales e importadas de bronce, armas y vehículos de ruedas (ahora carros de dos ruedas en lugar de cuatro). Sin embargo, existen importantes diferencias entre estas tumbas y las anteriores. Las más tardías no contienen extraordinarias importaciones comparables a la crátera de Vix, el caldero de Hochdorf o los exóticos lechos de Hochdorf y Grafenbühl. Casi todas las vasijas importadas de las tumbas ricas del siglo v a. de C. eran objetos cotidianos en Etruria, de donde proceden muchas de estas vasijas. Más significativamente, estas ricas tumbas más tardías se encuentran dispersas por toda la geografía y no se hallan concentradas en unos centros determinados. Durante esta época no se desarrollaron centros de población, ni manufacturas, ni comercio; por ello, estas ricas tumbas no nos interesan directamente en este libro.

INFLUENCIA DE LAS CIUDADES DEL SIGLO VI A. DE C.

La principal función de Heuneburg y demás centros de la Europa centrooccidental fue la de coordinar la producción de mercancías para el comercio con los griegos. Sin embargo, las ciudades no estaban solamente habitadas por especialistas; también vivían en ellas los agricultores. Heuneburg se parecía a los emporios comerciales del norte de Europa durante la Alta Edad Media, como Haithabu, Helgö y Birka, que se desarrollaron como centros de comercio y de producción para este comercio. En cada caso, los centros declinaron rápidamente cuando el comercio a larga distancia se interrumpió. En los emporios de inicios de la época medieval, al igual que en Heuneburg, no existen pruebas de que los focos comerciales fueran centros políticos.

Aunque las interacciones entre las comunidades centroeuropeas y los mercaderes griegos condujeron a un espectacular florecimiento cultural durante un tiempo en la Europa centrooccidental, su efecto en el desarrollo posterior de la sociedad europea fue mínimo. No existen indicios de que las ideas políticas de los griegos fueran transmitidas a los centroeuropeos, ni que los temas artísticos o arquitectónicos mediterráneos se mantuvieran en la Europa central después de haber finalizado el comercio. Hasta varios siglos después de haberse introducido el torno rápido de alfarero, este invento no pasó a ser de uso generalizado. Los estilos decorativos de la Europa templada cambiaron como resultado de la familiaridad con las artesanías de la Europa mediterránea, pero no se trataba de simples copias sino que los temas meridionales sufrieron transformaciones. En suma, las interacciones con las sociedades mediterráneas, concretamente los griegos, durante el siglo VI a. de C. tuvieron un efecto poco duradero en la vida cultural de la Europa templada con posterioridad al siglo durante el cual mantuvieron sus relaciones comerciales.

5. Incursiones y migraciones hacia el sur de Europa (400-200 a. de C.)

Durante los siglos V y IV a. de C. no existieron en Europa central ciudades comerciales comparables a Heuneburg, ni grupos de tumbas excepcionalmente ricas. Las minas de sal de Hallstatt dejaron de explotarse hacia el 400 a. de C. Stična, Magdalenska y los otros centros de Eslovenia decayeron durante el siglo IV, al mismo tiempo que aparecieron en la cultura material nuevos elementos que sugieren que pueblos procedentes del norte de los Alpes llegaron y se instalaron en la región. Después del declive de los centros comerciales, los asentamientos en Europa consistieron, una vez más, en granjas y pequeñas aldeas esparcidas por los campos. Las energías de los individuos ambiciosos se concentraban en el pillaje, el botín y en colonizar nuevas tierras antes que en organizar los sistemas de producción para el comercio.

LAS EXPEDICIONES A ITALIA Y LA EUROPA DEL ESTE

A partir de, aproximadamente, el 400 a. de C., bandas de centroeuropeos emprendieron expediciones hacia las tierras mediterráneas, especialmente Italia. La mayoría de estas expediciones eran de naturaleza militar, pero algunas tuvieron un carácter relativamente pacífico y fueron los primeros hechos relacionados con los centroeuropeos que quedaron recogidos por las fuentes escritas clásicas. Los nombres de las tribus de los pueblos invasores y su cultura material indican que los que cruzaron los Alpes hacia Italia procedían mayoritariamente del este de Francia, sur de Alemania y Suiza.

Las incursiones sorprendieron a la población indígena de Italia, sobre todo por la audacia y ferocidad de los ataques. Livio, la fuente más importante, escribe:

> Según la tradición, esta raza (los galos), seducidos por nuestros deliciosos frutos y en especial por nuestro vino, entonces un placer nuevo para ellos, habían cruzado los Alpes y tomaron posesión de las tierras ocupadas antes por los etruscos; el vino que atrajo a

Fig. 38   Principales yacimientos mencionados en el capítulo 5.

este pueblo había sido introducido en la Galia por Arruns de Clusium, debido a su odio contra Lucumo, que había seducido a su mujer. [5. 33]

[Los galos]... atravesaron los Alpes a través de los pasos de Taurine y de Duria; de camino, combatieron con los etruscos no lejos del río Ticino... y allí fundaron una ciudad que llamaron Mediolanium. [5. 34]

Livio menciona varios grupos tribales que entraron en Italia, como los cenomani, los libui, los saluvios, los boii, los lingones y los senones. Aparentemente, todos tuvieron éxito en hacer huir a los habitantes de las tierras del norte de Italia. El 390 a. de C. los guerreros centroeuropeos atacaron la ciudad de Roma.

Y como su paso era rápido y tumultuoso, las aterrorizadas ciudades tomaban las armas con diligencia y los campesinos huían; y ellos gritaban por cualquier lugar que pasaban que Roma era su objetivo. [5. 37]

Entraron en Roma, mataron a muchos de sus habitantes, robaron todo lo que pudieron encontrar e incendiaron la ciudad. Sólo sobrevivieron al ataque los romanos que buscaron refugio en la ciudadela. Si miraban abajo hacia su ciudad,

> [...] llamaban su atención los gritos de los invasores por todas partes, los lamentos de las mujeres y los niños, el crepitar de las llamas y el estrépito de los edificios al derrumbarse, temblaban a cada ruido, y apartaban de ello sus pensamientos y su mirada pues pensaban que la Fortuna les había convertido en espectadores de la ruina de su moribunda ciudad. [5. 42]

Diodoro de Sicilia describe la invasión de Italia en los siguientes términos:

> ... los celtas, que tenían sus casas en las regiones más allá de los Alpes, fluyeron con gran fuerza a través de su pasos y tomaron el territorio que se extiende entre los montes Apeninos y los Alpes, expulsando a los tirrenos que allí vivían. [14. 133]

La exposición que hace Dionisio de Halicarnaso de las razones que motivaron las incursiones de los centroeuropeos merece ser ampliamente recordada, puesto que proporciona algunos datos informativos muy útiles.

> La razón por la cual los galos vinieron a Italia fue la siguiente. Un cierto Lucumo, príncipe de los tirrenos, a punto de morir, encomendó su hijo a un hombre fiel llamado Arruns. Después de la muerte del príncipe tirreno, Arruns se hizo cargo de la custodia del muchacho con gran diligencia, tal como había prometido, y cuando el muchacho llegó a la madurez le entregó el estado que su padre le había dejado. No recibió por sus servicios un trato igualmente generoso por parte del joven.
>
> Parece que Arruns tenía una esposa joven y bella de la que estaba muy enamorado y que hasta el presente siempre se había mostrado muy recatada; pero el joven, enamorado de ella, se apoderó de su mente y de su cuerpo y sus relaciones no eran secretas sino a la vista de todos. Arruns, agraviado por la seducción de su mujer y disgustado por el mal trato recibido de los dos, incapaz de vengarse, preparó una estancia fuera de su país con el propósito aparente de comerciar. Cuando el joven le hubo proporcionado todo lo necesario para el comercio y deseado suerte en su viaje, cargó muchos pellejos de vino y aceite de oliva y muchos cestos de higos sobre los carros y salió para la Galia.
>
> Los galos por aquella época no conocían ni el vino de uva ni el aceite de oliva. En lugar de vino, producían un licor pestilente realizado de cebada que se había descompuesto en agua y, como aceite, grasa rancia, siendo ambos productos desagradables al olfato y al gusto. En aquella ocasión, cuando por primera vez gustaron los frutos que nunca antes habían probado, quedaron maravillados y preguntaron al extranjero cómo se conseguían estos artículos y quiénes los producían. El tirreno les contó que el país productor de estos frutos era grande y fértil y estaba habitado por poca gente, que en el combate se comportaban como las mujeres, y que no debían adquirir estos productos por compra sino ahuyentando a los actuales propietarios y disfrutarlos ellos como dueños. Persuadidos por tales palabras, los galos entraron en Italia. [13. 10. 14-17]

Plinio, en su *Historia Natural* [12. 5] ofrece un relato distinto de la migración, pero con un punto de partida parecido. Habla de un helvecio llamado Helicón que trabajó durante un cierto tiempo en Roma como artesano y que cuando regresó a su país a través de los Alpes se llevó vino, aceite uvas y higos. Entusiasmados con estos frutos meridionales, los helvecios y sus vecinos atravesaron las montañas hacia Italia.

Las pruebas arqueológicas de estas incursiones proceden esencialmente de las necrópolis de Italia. En Bolonia, el mayor centro comercial de la llanura padana durante el siglo V a. de C., grandes losas de las tumbas de este período tienen grabadas escenas de combate, siendo parte de las armas empuñadas de origen centroeuropeo. En las necrópolis de Bolonia, los objetos de las tumbas de tipo centroeuropeo pasan a ser comunes hacia el 400 a. de C., y el nombre de la comunidad cambió del etrusco *Felsina* al céltico *Bononia*. Muchas tumbas de hombres contenían armas de hierro similares a las usadas al norte de los Alpes, mientras que en las tumbas más tempranas eran raros. Las joyas de hierro se colocaron tanto en los enterramientos masculinos como femeninos, mientras que la joyería anterior había sido mayoritariamente de bronce. Cambios similares pueden identificarse en las necrópolis de la llanura padana y hacia el sur, en las alturas apenínicas; por ejemplo, en los bien estudiados asentamientos de Filottrano, Marzabotto y Montefortino. Las prácticas funerarias y los ajuares de las pequeñas necrópolis de los Apeninos también evidencian que las personas enterradas deben haber sido de origen centroeuropeo, como en San Martino in Gattara y Casola Valsenio.

Los emigrantes centroeuropeos jugaron también su parte en el caos político que dominó en las tierras balcánicas del sudeste de Europa después del colapso del Imperio helenístico, en la primera mitad del siglo III a. de C. Las fuentes literarias referentes a esta región son menos completas que las que hacen referencia a Italia y mucha documentación arqueológica presenta problemas. La totalidad del antiguo mundo mediterráneo fue sacudido por el ataque de los celtas, todo y que no tuvo éxito, al rico tesoro del santuario griego de Delfos en el invierno de 279-278 a. de C. En toda Grecia, sólo un puñado de objetos que incluyen la espada de hierro de Dodona, los eslabones de Samotracia y las fíbulas de Delos, pueden atribuirse a los invasores que barrieron el país y atacaron Delfos. Ya que los centroeuropeos no se instalaron en Grecia, al contrario de lo que había ocurrido en Italia, dejaron detrás suyo mucha menos evidencia de su presencia.

Las necrópolis de Hungría, Yugoslavia y Rumanía proporcionan datos de nuevos asentamientos centroeuropeos que comienzan poco después del 400 a. de C. y en especial en período comprendido entre el 300 y el 200 a. de C. Muchos de los materiales centroeuropeos de las tumbas llegaron por el comercio, pero algunos fueron traídos por los inmigrantes. Las tumbas de la mayoría de necrópolis de estos países tienen las mismas características que las del norte de los Alpes.

LOS SAQUEOS

Los nombres de tribus mencionados por Livio, Dionisio y Polibio, y el estilo de los objetos de joyería y de las armas colocadas en las tumbas de los inmigrantes en Italia, señalan la Europa centrooccidental como lugar de origen de la mayoría de los recién llegados. Procedían principalmente de aquellas regiones en las que se han hallado más cantidad de importaciones de lujo griegas y etruscas de los siglos VI y V a. de C. Sus incursiones hacia tierras mediterráneas pueden explicarse como el resultado directo de la interrupción del comercio entre la Europa centrooccidental y las sociedades mediterráneas.

En las primeras décadas del siglo V a. de C. el comercio intensivo entre la Europa central y los griegos cesó. La causa principal de este cambio fue probablemente el establecimiento, hacia el 520 a. de C., de dos de los mayores centros portuarios griegos en la desembocadura del río Po, Adria y Spina, fundadas para abrir las ricas tierras de la llanura padana y las boscosas alturas de los Alpes a la explotación comercial griega. La riqueza agrícola de la región fue muy alabada por los autores antiguos y en los valles y montañas podían conseguir todas las materias primas y productos manufacturados que tiempo atrás habían obtenido en la Europa centrooccidental. El valle del Po estaba más cercano a las ciudades griegas que necesitaban sus recursos, y trasladar los materiales desde el valle a los barcos de carga griegos, tanto por tierra como por el río, era menos costoso que hacerlo desde el centro de Europa. Además, consideraciones de tipo logístico y político, desconocidas para nosotros, pudieron también tener su papel. Quizá los potentados centroeuropeos no se sentían ya satisfechos con las cráteras de bronce y los lechos decorados y empezaban a pedir mucho más a cambio de los productos de sus tierras. La segunda mitad del siglo VI y la primera del V a. de. C. fueron épocas de grandes rivalidades entre etruscos, cartagineses y griegos en el Mediterráneo, y estos disturbios pudieron también haber jugado su papel en el desvío de los intereses comerciales griegos del Ródano al Adriático. Cualesquiera que fueran las causas del desvío, las pruebas arqueológicas muestran que poco después del 500 a. de C. los griegos cesaron de comerciar con la Europa centrooccidental e iniciaron un comercio a gran escala con las comunidades del valle del Po.

La interrupción del flujo de mercancías de lujo que llegaban con barcas por el río o a lomos de caballerías desde el sur fue catastrófica para quienes estaban acostumbrados a las llegadas regulares de vino, aceite, cerámica pintada y hermosas vasijas de bronce. Además de perder sus posibilidades de llevar una buena vida «a la mediterránea», también perdieron su posición preeminente y su poder por el control del comercio de lujo y de los sistemas comerciales locales.

Los relatos de Livio, Dionisio y Plinio, aunque distintos en los detalles, están de acuerdo en un aspecto que probablemente era cierto: el motivo principal de las incursiones de los centroeuropeos a través de los Alpes hacia Italia fue su deseo de los «frutos deliciosos y el vino en particular» [Livio 5. 33] que podían conseguir allí. (*Frutos* debe entenderse en un sentido amplio que incluye mercancías no comestibles ni lujosas, así como vino y productos alimenticios exóticos.)

Los individuos que percibieron la oportunidad de conseguir riqueza, rango y prestigio organizaron bandas de guerreros para capturar esta riqueza. Las incursiones en Italia a comienzos del siglo IV a. de C., incluyendo el asalto a Roma, aparentemente fueron llevadas a cabo por hordas guerreras organizadas por individuos ambiciosos, parecidas en su composición y funcionamiento a los ataques vikingos documentados históricamente en las comunidades del norte de Europa entre los siglos IX y XI de la Era cristiana. Poco sabemos del potencial humano de estas hordas de saqueadores. Livio y los demás historiadores exageran el número de los atacantes para no desacreditar a sus propios antecesores, los defensores fracasados. Los relatos antiguos dan por supuesto que las comunidades de la llanura del Po y los núcleos etruscos del centro de Italia no estaban preparados ante la invasión. Livio afirma que los galos se desplazaron a una marcha rápida. Las incursiones no necesitaban haber sido muy grandes en efectivos para conseguir los efectos de sorpresa y destrucción que consiguieron. Grupos de varios cientos de hombres armados con lanzas y espadas pudieron infligir el daño y causar el pánico descrito.

La Italia central y septentrional era agrícolamente próspera y ofrecía un rico botín a los intrusos. Muchas tumbas de Bolonia, particularmente en la necrópolis de Certosa, en Marzabotto y en la ciudad portuaria de Spina, contenían muchas vasijas de bronce etruscas, así como objetos de adorno de oro y plata y mucha cerámica griega. Tales objetos eran usuales en los ajuares de los individuos bienestantes del siglo V a. de C. y serían el tipo de materiales buscados en los saqueos. Las fuentes literarias europeas señalan que era costumbre que los jefes de las bandas recibieran la parte del león en el reparto del lote. Permitían que sus hombres tomaran todo lo que desearan de las arrasadas comunidades. Dada la ferocidad de los ataques y la abundancia de ricos materiales en Italia, estos intrusos probablemente tuvieron mucho éxito en su aventura.

Es difícil distinguir a través del registro arqueológico entre hordas pequeñas de hombres armados y grupos mayores de inmigrantes. Los materiales de las necrópolis italianas podrían interpretarse desde la perspectiva de uniones de los conquistadores centroeuropeos con las mujeres indígenas, puesto que si bien hay armas de origen centroeuropeo la mayor parte de la cultura material tiene un carácter local itálico. En el sudeste de Europa las pruebas arqueológicas no permiten hablar de inmigraciones masivas, sino más bien de difusión de estilo culturales, en parte a través del comercio y en parte por imitación. En el centro de Europa no existen evidencias de una despoblación sustancial en esta época. En los siglos IV y III a. de C. los territorios estaban densamente poblados por núcleos pequeños asociados a sus necrópolis. La mayoría de los movimientos consistieron probablemente en incursiones de pequeños grupos guerreros, con el significado de una migración tribal. A veces, los guerreros triunfadores volvían a su país enriquecidos por el botín; otras veces, se unían a mujeres indígenas y se asentaban en las nuevas tierras.

Muchas tumbas italianas de fines del siglo IV y de inicios del III a. de C. que contenían armas de hierro de tipología centroeuropea, contenían también ricos ajuares. Por ejemplo, la tumba 953 de la necrópolis Benacci, en Bolonia, contenía una espada de hierro, una jabalina, puntas y talones de lanza de este mismo metal, un casco de bronce, una diadema de hojas de oro, un brazalete de hierro, cuatro grandes vasijas de bronce (un jarro, dos calderos y una taza), cinco cucharones de bronce *(kyathoi)* y un estrigilo de este metal. Esta tumba es sorprendente, tanto por el gran número de objetos como por el conjunto de armas, el juego de vasijas para beber y los adornos de oro. Tumbas parecidas se han encontrado en otros lugares del norte de Italia. Estos ricos enterramientos de carácter centroeuropeo en Italia son considerablemente más ricos que los más ricos del mismo período al norte de los Alpes. Las fortunas personales de los centroeuropeos se hacían ahora mediante incursiones a las tierras mediterráneas, no comerciando en el centro de Europa. Después del período de pillaje, durante la primera mitad del siglo IV a. de C., algunos centroeuropeos se instalaron en el norte de Italia para vivir en un buen clima en el que se daban bien el vino y otras delicias meridionales.

Las incursiones sobre Grecia dejaron pocos rastros arqueológicos porque los intrusos estaban constantemente en movimiento. En Hungría, Yugoslavia y Rumanía, en donde se asentaron algunos grupos de centroeuropeos, hay pocas muestras de acumulación de riqueza personal, a diferencia del norte de Italia. Los pueblos indígenas de estas regiones no poseían la rica cultura material de las comunidades del norte de Italia y sus asentamientos no eran lo suficientemente atractivos para merecer un ataque. Incluso las tumbas más ricas, como la de Ciumeşti, al norte de Rumanía, con una cota de malla, un casco decorado y grebas de bronce, no muestran la opulencia de los ricos ajuares de los centroeuropeos en Italia.

LOS SIGLOS IV Y III A. DE. C. EN EL CENTRO DE EUROPA

Los asentamientos

El modelo de enterramiento en la mayor parte de Europa en esta época consistía en inhumaciones sencillas, generalmente con necrópolis no superiores a unas pocas docenas de enterramientos, como en Nebringen, Vevey y Au an der Leitha, pero excepcionalmente con un mayor número, como en Jenišův Újezd, en Bohemia, con 138 tumbas, y también en Münsinger-Rain, en Suiza, con 216 tumbas, y Vinica, en Eslovenia, con 350. Incluso estas grandes necrópolis representan pequeñas comunidades de entre veinte y cien personas. Uno de los pocos asentamientos complejos perfectamente estudiado de este período es el de Radovesice, en Bohemia, que puede constituir un modelo de los asentamientos mayores (fig. 39). Consistía en un conjunto de dos a cuatro aldeas, con una población total entre treinta y ochenta personas. No existen pruebas de que hubiera aglomeraciones mayores, como en Stična y Heuneburg en el período anterior, y los asentamientos de altura fortificados eran también menos comunes de lo que habían sido. En las pequeñas comunidades se realizaban trabajos en hierro y bronce y las cerámicas. Los pocos objetos particularmente bien acabados, como los cascos y espadas, y las materias preciosas, como el oro, el ámbar y el vidrio, se distribuyeron de forma amplia por el continente, sin estar concentrados en unos centros particularmente ricos.

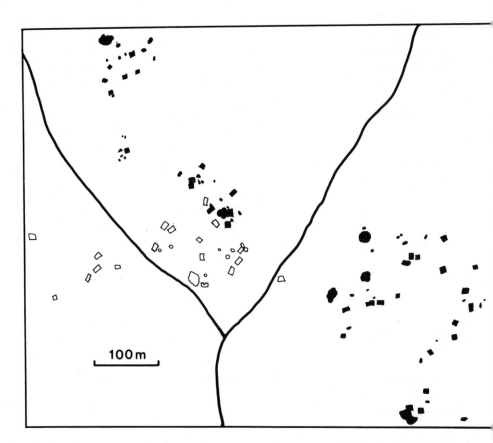

F<small>IG.</small> 39   Plano del conjunto del asentamiento de Radovesice, cerca de Teplice, en Checoslovaquia. Las estructuras en negro se fechan a comienzos de la segunda Edad del Hierro y las estructuras sólo delineadas, a mediados de esta fase. Basado en el plano de Waldhauser (1979,
119, fig. 2)

La economía

Es poca la información que se puede conseguir de las prácticas de subsistencia durante estos siglos, pero los datos que tenemos no muestran cambios sustanciales. La cultura material era relativamente uniforme en todo el
continente, indicando una mayor interacción que en las etapas precedentes
entre los metalúrgicos y los ceramistas. Los tipos de enterramientos eran
homogéneos y el conjunto de mercancías colocadas en las tumbas eran
también similares en toda la Europa central. Esta uniformidad de prácticas
funerarias y de cultura material es particularmente sorprendente en los
conjuntos de armas colocadas en las tumbas masculinas. Muy pocos enterramientos centroeuropeos eran excepcionalmente ricos.

El hierro era mucho más común en las tumbas durante este período que
entre el 600 y 400 a. de C. (tabla 1). En muchas necrópolis, entre un 50 y
un 75 % de los enterramientos masculinos contenían armas, incluyendo lar-

Tabla 1. *Cantidades de hierro en las tumbas entre el 600 y el 400 a. de C. y entre el 400 y el 200 a. de C.*

	Número de tumbas	Porcentaje de tumbas con hierro	Números de objetos de hierro por tumba
600-400 a de C.			
Magdalenenberg	133	24,8	0,41
Mühlacker	40	27,5	0,30
400-200 a. de C.			
Jemišuv Újezd	138	68,3	1,47
Münsingen	218	39,0	0,94

gas espadas de hierro, puntas de lanza también de hierro y, algunas veces, las piezas de hierro de los escudos de madera y cascos también de hierro (fig. 40). Muchos broches de cinturón, anillas para sujetar las armas al cinturón y fíbulas se hicieron también de hierro. Tumbas halladas en diversas regiones incluían entre sus ajuares herramientas de herreros. Una tumba descubierta en 1954 en St. Georgen, en la Baja Austria, era de un hombre de cincuenta años de edad enterrado con unas tenazas, un martillo, una lima, así como unas cizallas y una fíbula, todo ello de hierro. Las tumbas de los metalúrgicos, generalmente estaban muy bien surtidas, demostrando que los mineros tenían un rango importante dentro de sus comunidades.

Aunque por esta época el hierro había desplazado al bronce para las herramientas y la mayoría de las armas, todavía el bronce era la materia principal para muchos objetos de lujo, como joyas y vasijas. El bronce se utilizaba mayoritariamente para las fíbulas y brazaletes, siendo ambos tipos de objetos muy numerosos en las tumbas. Las mercancías de lujo, como vasijas y cascos, eran menos comunes de lo que habían sido en el período comprendido entre el 800 y el 400 a. de C. En general, se produjo una disminución en la cantidad de objetos de bronce y en el número de artesanos especializados que se dedicaban a realizarlos.

Poco conocemos de la producción cerámica de este período, debido a los pocos yacimientos que se han excavado en extensión y a los pocos hornos encontrados. La mayor parte de los objetos colocados en las tumbas eran de metal y las cerámicas están escasamente representadas. El torno de ceramista rápido empezaba a ser de uso general en la Europa central, pero en el norte todavía predominaba la cerámica hecha a mano. La cerámica de este período era sencilla y con menos color que la de períodos precedentes.

En suma, la calidad de los productos manufacturados, a excepción de los útiles de hierro, declinó durante los siglos IV y III a. de C. Los metalúrgicos desarrollaron sus habilidades para producir objetos de acero de alta calidad, pero dedicaron menos esfuerzo a la decoración y elaboración de otros materiales, como el bronce y la cerámica. Los datos relativos al comercio muestran la ausencia de centros productores y comerciales. Los materiales en los que recaía el peso del comercio durante la primera Edad del Hierro (bronce, vidrio, grafito, ámbar, oro) continuaban circulando, pero menos que antes. Las importaciones meridionales que aparecieron en las

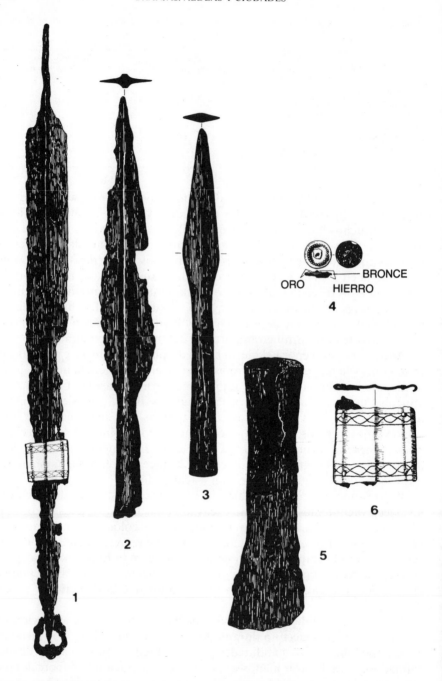

ORO — BRONCE
HIERRO

FiG. 40   Armas características de las tumbas de los siglos iv y iii a. de C., procedentes del enterramiento 19-20 del túmulo V de Magdalenska. La tumba contenía una espada (1), dos puntas de lanza (2, 3) y un hacha (5), todo de hierro, así como un cierre de bronce decorado procedente de la vaina de la espada (6) y un pequeño adorno de oro (4), probablemente del regatón en la base de la vaina.

tumbas, como las sítulas de Waldalgesheim, en Renania, y Mannersdorf, en Austria, eran especímenes aislados. En este panorama de hábitat disperso, comercio a pequeña escala y producción artesanal de tipo local, Dürrnberg sobresale como un yacimiento excepcional.

Dürrnberg

La producción de sal y su comercialización siguió siendo económicamente importante en la Europa central incluso después del hundimiento del comercio con el Mediterráneo y de la muerte de las ciudades comerciales. Hacia el 400 a. de C. las minas de sal de Hallstatt decayeron y los mineros tomaron el relevo en Dürrnberg, en Hallein, Austria, a 40 kilómetros al oeste de Hallstatt. Los depósitos de sal de la montaña de Dürrnberg forman parte de la misma formación geológica que los de Hallstatt y el equipo de los mineros recuperado de los dos lugares es similar. En contraste con Hallstatt, Dürrnberg no se encuentra situado en una ubicación difícil e inhóspita. Se encuentra en el río Salzach y en la base de la montaña a lo largo del río, el valle es muy apropiado para la agricultura. El Salzach ha sido una importante arteria comercial y hoy día circula por el valle una moderna autopista. Así pues, la situación de Dürrnberg era más favorable que la de Hallstatt en lo que respecta a la calidad de la tierra para la agricultura y los pastos y una mayor facilidad de transporte, lo que podía haber constituido la razón principal por la que esta comunidad reemplazó a Hallstatt como primer productor de sal de la Edad del Hierro en Europa.

En Dürrnberg se han encontrado tanto los asentamientos mineros como sus tumbas. La escala del asentamiento y de las áreas funerarias indica que la comunidad estaba compuesta de varias unidades pequeñas, de tres a cinco familias cada una, es decir, entre diez y veinte adultos por unidad. La estructura y el contenido de las tumbas muestran que ninguna unidad tenía más riqueza ni más categoría social que las otras; había tumbas más

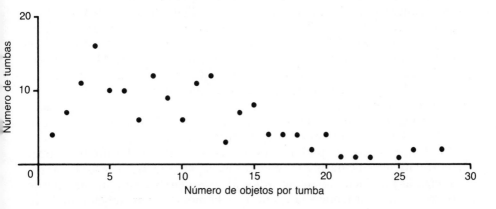

Fig. 41 Distribución de los ajuares en las 163 tumbas de los siglos IV y III a. de. C. en el Dürrnberg, cerca de Hallein (Austria).

ricas y más pobres, pero no existe ruptura en el *continuum* de la riqueza (fig. 41). Las tumbas más ricas no se encontraban separadas de las otras, lo que sí ocurría en los centros de Europa centrooccidental. Según los análisis antropológicos de los restos óseos, los esqueletos muestran signos de un gran esfuerzo físico, permitiendo suponer que las personas enterradas en las tumbas de Dürrnberg son las mismas que trabajaron como mineros. No existen indicios de esclavitud, o de cualquier otro tipo de explotación, ni en las necrópolis ni en el asentamiento. Los mineros se beneficiaban de la gratificación de su propio trabajo.

Como en el caso de Hallstatt, en Dürrnberg las tumbas eran más ricas que en otras necrópolis. Además de las características armas de hierro en las tumbas masculinas y las joyas de bronce en las femeninas, en Dürrnberg los enterramientos contenían grandes cantidades de cuentas de ámbar importadas, cuentas de vidrio y adornos de oro. Las importaciones señalan contactos con la Europa centrooccidental, Bohemia, Eslovenia, las costas del Báltico e Italia, así como con territorios cercanos al yacimiento, y demuestran que el comercio de la sal desde Dürrnberg era, a la vez, intensivo y extensivo.

La distribución de la riqueza

Las pautas de distribución de la riqueza en las tumbas durante este período (400-200 a. de C.) fueron parecidas a las de la mayor parte de necrópolis de la primera Edad del Hierro en Europa. Como muestran los gráficos (figs. 41 y 42), la mayoría de las tumbas contenían pocos objetos y sólo unas pocas contenían muchos, la pauta característica para la mayoría en la protohistoria europea. Al contrario de las tumbas muy ricas de los centros comerciales de la primera Edad del Hierro, como Hallstatt, Stična y Heuneburg, las tumbas más ricas de la segunda Edad del Hierro contenían sólo unas docenas de objetos y rara vez contenían objetos exclusivos. Las pocas excepciones pueden fecharse muy a comiezos de la segunda Edad del Hierro (primera mitad del siglo IV a. de C.), como la tumba única de Waldalgesheim, que contenía un collar de oro muy elaborado, una pareja de brazaletes, una sítula de bronce importada de la Italia central y elementos decorativos de bronce procedentes de un carro de dos ruedas; y la tumba 44/2 de Dürrnberg, que contenía dos brazaletes de oro y otros adornos de este metal, una espada de hierro, dos puntas de lanza de este mismo metal, un casco de bronce, una sítula, una copa de este mismo metal, un kylix de cerámica ática y los elementos de hierro del carro de madera. Con posterioridad al siglo IV a. de C., las tumbas de esta categoría fueron muy poco corrientes.

El incremento en el número de armas colocadas en las tumbas parece indicar un nuevo énfasis en la guerra y en el papel guerrero de los hombres, si bien la presencia de armas en los ajuares tiene siempre un significado problemático. La tendencia a una más homogénea distribución de la riqueza en las tumbas, en comparación con las de los siglos VI y V a. de C., coincide con la nueva práctica del sencillo ritual funerario en las inhuma-

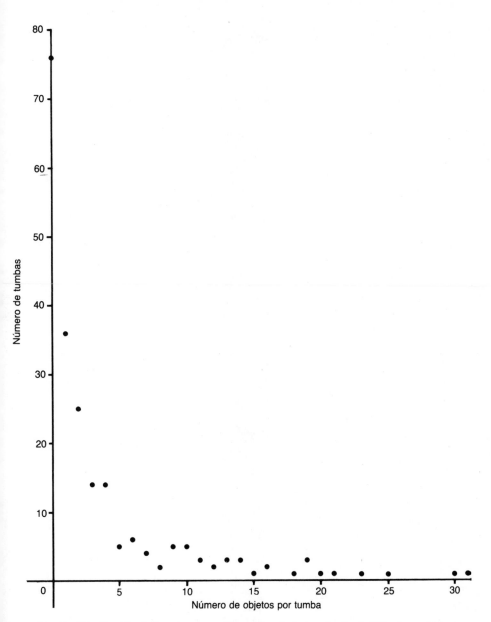

Fig. 42   Distribución de los ajuares en 216 tumbas de la necrópolis de Münsingen-Rain, en Suiza.

ciones, en lugar de los enterramientos en túmulos. Existían, por descontado, algunas diferencias en el tamaño y profundidad de las tumbas, en la presencia o ausencia de ataúdes, pero, comparadas con las de las centurias precedentes, cuando se levantaban enormes túmulos para algunos individuos y se construían elaboradas cámaras de madera, se invertía aproxima-

Fig. 43   Vaina de espada de bronce de la tumba 994 de Hallstatt. Este objeto, recuperado de una de las tumbas más tardías de la necrópolis de Hallstatt, muestra la aparición de la figura humana a inicios del período de La Tène, así como la insistencia en los motivos decorativos a base de espirales y motivos curvilíneos.

Fig. 44   Arranque de asa de bronce fundido de una jarra de Kleinaspergle, en Baden-Württemberg, Alemania occidental. El uso de cabezas estilizadas y espirales decorativas es característico del arte de inicios del período de La Tène. La jarra de este ejemplo imita muy de cerca las jarras etruscas importadas que se han hallado en muchas de las tumbas más ricas del centro de Europa.

damente la misma cantidad de esfuerzo en la preparación de cada una de las tumbas de la segunda Edad del Hierro.

El declive en la producción de mercancías especialmente lujosas refleja esta ausencia de acumulación excepcional de riqueza por parte de unos individuos. El oro es mucho más escaso en las tumbas que durante los siglos VI y V a. de C. y los objetos importantes como los collares o brazaletes son muy raros. De nuevo, la tumba de la segunda mitad del siglo cuarto a. de C. en Waldalgesheim constituye una excepción. Se han encontrado ejemplares aislados de joyas de oro en varios asentamientos, pero nunca con la profusión que se hallaban en las ciudades comerciales más antiguas. Las vasijas de bronce de importación y locales no son raras. No se generaba riqueza en la misma escala que consiguieron las ciudades del período anterior, y por ello los individuos no podían adquirir metales preciosos o no tenían medios para mantener a los artesanos especializados.

Se han encontrado unos pocos depósitos de objetos de metal fechables en este período. El más importante de ellos es el descubierto en 1882 en una fuente de Duchov, al noroeste de Bohemia. Lo formaban un caldero de bronce más unos doscientos objetos de este metal, en su mayoría fíbulas y brazaletes. Este depósito se fecha muy a finales del siglo IV a. de C. Se ha explicado como un depósito votivo y como el surtido de un mercader. Los depósitos son realmente más raros durante estos siglos que en el Bronce final o en los dos siglos previos al cambio de Era.

EL NUEVO ESTILO ARTÍSTICO

Las intensas relaciones entre los centroeuropeos y los griegos entre el 600 y el 480 a. de C. puso en contacto a los artesanos europeos con los elaborados objetos de origen mediterráneo, en particular las vasijas de bronce y las joyas. Durante el siglo V a. de C. se desarrolló en Europa un nuevo estilo de decoración metálica, a partir del Rhin medio. Este estilo arrancó de la escueta decoración geométrica de la primera Edad del Hierro y transformó las formas y los motivos tomados de las manufacturas mediterráneas, formando un nuevo gusto conocido como arte de La Tène o arte céltico. Este estilo se extendió rápidamente por Europa y las islas británicas y se caracterizó por la estilización de las cabezas humanas y animales, los motivos mediterráneos como las palmetas, y el predominio de la línea curva sobre la recta (figs. 43 y 44). En cuestión de décadas, el nuevo estilo reemplazó a los tipos más antiguos de decoración en casi toda Europa.

6. La aparición del urbanismo en la protohistoria europea (200-15 a. de C.)

En los dos siglos previos al cambio de Era se desarrollaron las grandes comunidades de la Europa prerromana, con poblaciones de varios miles de personas. Estas comunidades se formaron básicamente por la misma razón que las ciudades comerciales del siglo VI a. de C.: para aumentar la producción para el comercio, a fin de poder importar las mercancías de lujo. A pesar de la existencia de, al menos, una docena de centros mayores que podrían fácilmente llamarse ciudades, Europa no era una sociedad urbana antes de la llegada de los romanos, hacia la mitad del último siglo antes del cambio de Era. Los *oppida*, nombre que reciben estos centros comerciales, eran excepcionales y su papel en la vida económica de la mayoría de los europeos era mínimo. La inmensa mayoría de la gente vivía en granjas, aldeas y pequeños pueblos, y su modo de vida determinó el carácter de la sociedad de la segunda Edad del Hierro.

LA INTENSIFICACIÓN DE LA PRODUCCIÓN DE HIERRO

Después del 200 a. de C. el hierro se produjo a gran escala en toda Europa. Los yacimientos excavados han proporcionado grandes cantidades de herramientas, armas y adornos de hierro. Por primera vez, existen también abundantes pruebas del trabajo de fundición, que incluyen los talleres y el instrumental usado por los metalúrgicos. La mejor prueba del trabajo del hierro procede de Manching, en Baviera, donde desde 1955 los arqueólogos han recuperado cientos de instrumentos de hierro. En su estudio de los objetos allí encontrados entre 1955 y 1963, Gerhard Jacobi identificó unos doscientos tipos distintos de herramientas de hierro de este yacimiento. Los conjuntos de otros *oppida* son parecidos, como indican los hallazgos publicados de Stradonice, Heidetränk, Dünsberg, Velemszentvid, Staré Hradisko y Vienne.

FIG. 45   Principales yacimientos mencionados en el capítulo 6.

Se encuentra representado un amplio muestrario de herramientas de hierro para actividades productivas. Incluyen instrumental de herreros (martillos, tenazas, yunques, limas, escoplos, punzones, buriles), de carpinteros (hachas, escoplos, taladros, sierras, cuchillos), para el trabajo textil y de las pieles (cuchillas, azuelas, agujas, instrumental para tejer) para la manufactura cerámica, para la agricultura (arados, azadas, palas, cobos, guadañas, cuchillos de podar), aparejos de pesca, balanzas, artículos de aseo, instrumental quirúrgico, utensilios de cocina, llaves, arneses, piezas de carros, anillas y cadenas. Los clavos de hierro son comunes durante el siglo II a. de C.; se necesitaban grandes cantidades para trabar los postes de las murallas que rodeaban los asentamientos. Una mayor eficacia en la producción fue posible gracias a la abundancia de hierro que podía convertirse en herramientas y a la variedad del instrumental especializado que se desarrolló. La tecnología básica de la manufactura de herramientas para los metalúrgicos, la producción agrícola, la carpintería y la cocina, cambió muy poco entre la segunda Edad del Hierro y la Revolución industrial.

El hierro se forjaba y se fundía tanto en las comunidades grandes como pequeñas. Los rastros de fundición los dan mayoritariamente los hornos de fundición y las escorias. El tipo más usual de horno de fundición era el horno redondo, un hoyo de unos 50 centímetros de profundidad por 30 centímetros de diámetro, generalmente con una chimenea de cerámica, de las cuales sólo nos quedan fragmentos (fig. 46). En ocasiones puede encontrarse una masa de hierro fundido en el hoyo de los hornos de fundición de la segunda Edad del Hierro. A menudo, los únicos rastros que perviven de la actividad de fundición en el emplazamiento son las masas de escoria y las toberas de cerámica que conducían el aire, con o sin fuelles, dentro del horno.

La fundición del hierro a gran escala tuvo lugar en algunos *oppida* como Manching, Velemszentvid y Třísov, en general fuera del asentamiento debido al peligro del fuego y a los gases nocivos que se producían. La mayoría de los *oppida* se situaban junto a los depósitos de mineral de hierro y en los casos en que no era así, como Steinsburg, importaban el hierro en forma de lingotes. Muchos asentamientos más pequeños excavados también han dado pruebas de fundición del hierro, por ejemplo, las granjas de Steinebach y Uttenkofen, en Baviera, y las aldeas de Gussage All Saints y Glastonbury, al sur de Gran Bretaña.

En algunas regiones hay pruebas de una poco usual producción a gran escala, mientras que el yacimiento indica la existencia de poca población. En el yacimiento de Msec, en Bohemia, Radomír Pleiner ha investigado un conjunto de diecinueve hornos de fundición asociados a una comunidad muy pequeña. Las pruebas demuestran que el hierro se producía en cantidades mucho más grandes de lo que requerían las necesidades locales. En

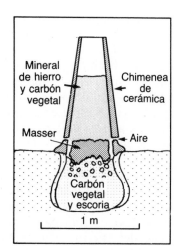

FIG. 46   Un típico horno de fundición de la segunda Edad del Hierro. Basado en un dibujo de Hingst (1978, 64, fig. 75).

Burgenland, al este de Austria se ha encontrado un centenar de lugares de fundición, del que aproximadamente dos tercios se fechan en el siglo I a. de C. Los asentamientos de esta región, rica en hierro, eran pequeños y la producción del metal iba claramente encaminada al comercio. En apariencia, las ciudades cercanas a Velemszentvid y Sopron-Varhely servían como centros comerciales para el hierro de Burgenland, utilizando ellos mismos parte del metal y comercializando el resto. Puesto que el mineral de hierro era relativamente abundante en Europa, el factor limitador de la producción era, por lo general, el suministro de leña para combustible. La tala de leña hacía que el desarrollo de los trabajos de envergadura fuese menos práctico en los centros muy poblados (donde la leña escaseaba debido a la sobrexplotación), que en las comunidades dispersas, fundidoras a pequeña escala y con buenos terrenos forestales.

Se han recuperado herramientas de metalúrgicos en todos los asentamientos mayores (fig. 47). En Manching incluyen cuatro tipos de martillos, tres de tenazas, tres de yunques y un surtido de limas, perforadores, punzones y buriles. Instrumental parecido se ha recuperado en depósitos, como en el de Kappel, en Württemberg, y Wauwilermoos, en Suiza, y en algunas tumbas como en Celles, en el sudoeste de Francia, y en St. Georgen, al este de Austria. La escala de la extracción de hierro y de la manufactura de herramientas muestra que los especialistas trabajaban a tiempo completo en esta industria. En las comunidades pequeñas los instrumentos de hierro podían ser forjados por metalúrgicos a tiempo parcial que colaboraban con sus compañeros en la obtención de los alimentos. La forja y la fundición no son difíciles y no requieren una habilidad muy especializada.

Algunos investigadores han opinado que los metalúrgicos se especializaron en distintos tipos de instrumentos basándose en la variedad de técnicas necesarias para realizar los distintos tipos de objetos, desde las rejas de arado a las fíbulas o a las espadas. Hay pocas pruebas que apoyen esta especialización. Es verdad que los análisis metalográficos de las espadas han demostrado un excepcional conocimiento técnico y se necesitaba una gran habilidad para su realización. Y las marcas del artesano en espadas muy perfectas halladas en Suiza, en particular una que lleva la inscripción griega «KORISIOS», demuestran que sus artífices estaban orgullosos de su trabajo y se identificaban con los productos salidos de sus manos. De todas formas el hecho de que algunos metalúrgicos realizaran trabajos excepcionalmente perfectos no implica necesariamente que no hicieran también objetos más utilitarios, como fíbulas y rejas de arado. Muchos depósitos, como los de Kappel, en Württemberg, y Körner, en Alemania central, contenían un amplio repertorio de objetos que incluían armas, arados y utensilios de cocina. Si estos depósitos constituyen el equipo de un metalúrgico, como así parece al menos en el caso de Kappel, entonces su contenido demostraría que un solo individuo producía los diferentes productos. En su estudio de las fuentes escritas y arqueológicas que hacen referencia a los herreros de los primeros tiempos medievales en Escandinavia (que en muchos aspectos eran parecidos a los de Europa continental en la segunda Edad del Hierro), Müller-Wille afirma que los metalúrgicos realizaban

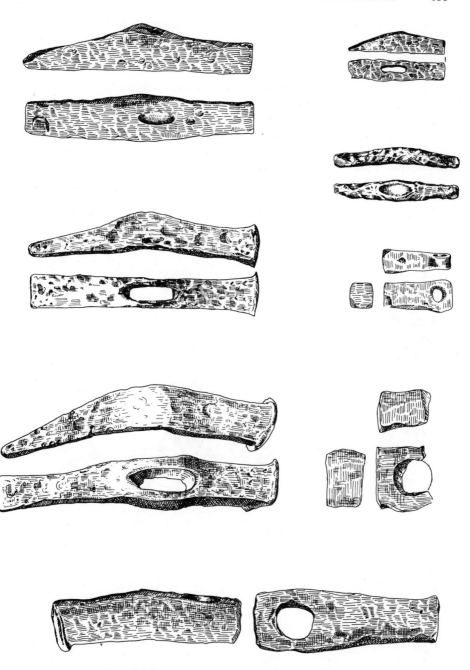

Fɪɢ. 47   Martillos de hierro de Manching que constituyen todo un muestrario de los diferentes tipos y tamaños. El de arriba a la izquierda mide 15,2 cm de largo.

ambos tipos de trabajos, el delicado y el más corriente. En sus análisis de
los objetos de hierro de este período, Pleiner encuentra que las técnicas
de producción no estaban unificadas y que partes de los objetos podían variar en gran manera por la calidad del metal. Puesto que algunos objetos
sobresalen por su realización excepcionalmente bien acabada, las manufacturas de hierro probablemente estaban menos especializadas y unificadas de lo que generalmente se piensa.

En la segunda Edad del Hierro, como en el Bronce final, tenemos enterramientos que contienen instrumental para la metalurgia y que interpreta-
mos como tumbas de herreros. La tumba de Celles, en el sudoeste de

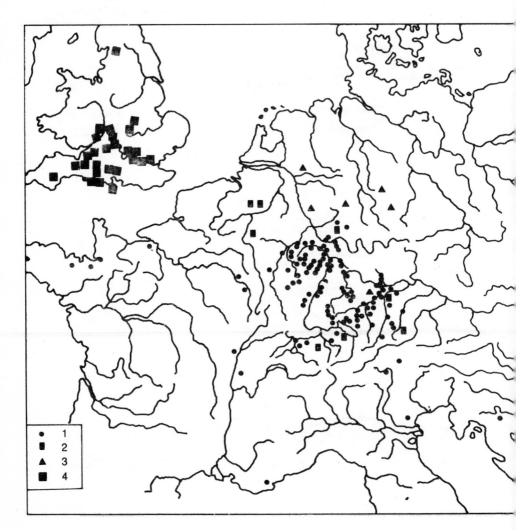

Fig. 48 Distribución de los lingotes de hierro de la segunda Edad del Hierro. Valor de los
símbolos: 1. lingotes de doble punta; 2. lingotes en forma de espada con extremos paralelos; 3.
lingotes ensiformes con extremos afilados y escotaduras; 4. «barra-moneda» (barras planas de
hierro que para algunos constituyeron unidades de valor específicas).

Francia, contenía muchos objetos de hierro, que incluían dos martillos, nueve perforadores, cuatro escoplos, un punzón, una gubia y dos limas. Las tumbas 1 y 18 de Idrija, cerca de Bača, en Eslovenia, también contenían herramientas de herrero. Ninguna de estas tumbas sobresalía por la riqueza de sus ajuares. Ninguna contenía vasijas de cerámica o de bronce importadas o adornos de oro. En su análisis cultural de los metalúrgicos, Robert Forbes halló que en algunas culturas los metalúrgicos alcanzaban altos niveles sociales; en otras, un nivel bajo, pero siempre se les tiene un temor reverencial por sus habilidades especiales. Las pruebas de los primeros tiempos medievales en Escandinavia y en Irlanda muestran que en estos lugares los metalúrgicos gozaban de una posición social relativamente alta, pero nunca ocupaban la cúspide de la escala social. Las tumbas de la segunda Edad del Hierro de la Europa continental muestran que los herreros vivían bien, pero no se encontraban entre las personas más ricas de su comunidad.

Más de setecientos lingotes de hierro de doble punta atestiguan el comercio de metal (fig. 48). Se han hallado de forma más abundante en el sur de Alemania, este de Francia y Suiza, pero también en lugares tan a occidente como Gran Bretaña, tan septentrionales como Dinamarca, tan meridionales como Provenza y tan al este como Polonia. La mayoría se hallaron en depósitos como el descubierto en 1963 en Aubstadt, en Alemania central, que contenía veintitrés lingotes. Estos lingotes, realizados con hierro relativamente puro, podían pertenecer a mercaderes o metalúrgicos, pero también podían haber representado unidades de valor acumuladas por personas enriquecidas. Podían transformarse rápidamente en armas, herramientas o adornos, según requirieran las circunstancias. La distribución de estos lingotes no refleja la de la producción de hierro, sino más bien prácticas regionales de almacenaje del hierro en esta forma particular. Algunos centros de manufactura del hierro no han proporcionado lingotes, como Burgenland, Noricum, Bohemia, y las Montañas de la Santa Cruz en Polonia; mientras que otros, como en los alrededores de Manching y en Saarland, se han encontrado muchos.

En la Europa central se comercializaron pocos objetos de hierro, lo que no había ocurrido con los objetos de bronce. Incluso en los depósitos que contenían muchos tipos diferentes de objetos, como en el de Kappel, todos los objetos de hierro eran de producción local. En apariencia, los trabajadores del hierro no viajaban lejos para realizar su trabajo y no acumulaban piezas de otras regiones.

EL INCREMENTO COMERCIAL CON LAS CIUDADES ITALIANAS

El comercio entre las comunidades europeas del norte de los Alpes y los pueblos de la península italiana se vio afectado en gran manera por los acontecimientos militares y políticos. Los textos históricos romanos proporcionan una buena información sobre los acontecimientos del norte de Italia en los últimos cuatro siglos antes del cambio de Era. En parte como una consecuencia del saqueo de su ciudad por los centroeuropeos hacia el 390 a. de C., los romanos empezaron a desarrollar un ejército y a conquistar territorios hacia el norte, primero en Etruria, en el centro de Italia, y luego, a través de los Apeninos, en la parte meridional de la llanura del Po. En el 283 a. de C. los romanos conquistaron Picenum en el norte, en el territorio conocido como *ager Gallicus*, en el área entre Ravena y Ancona, y fundaron la colonia de Sena Gallica (Senigallia). Entre el 225 y el 222 a. de C. se libró una serie de importantes batallas entre grupos célticos y los ejércitos romanos, en las que éstos salieron victoriosos. La presencia de Aníbal y su ejército cartaginés en Italia entre el 218 y 216 a. de C. desbarató los planes romanos de una más extensa anexión de tierras y de expansionar sus dominios, pero con el restablecimiento de la paz entre Roma y Cartago, el 201 a. de C., quedaba abierto el camino para nuevas acciones militares en el norte de Italia.

Bolonia se convirtió en colonia romana el 189 a. de C. y el 183 Mutina (Módena) y Parma alcanzaron esta categoría. Por esta época, después de haber quedado finalmente deshechas las comunidades célticas, Roma controlaba todo el norte de Italia hasta los Alpes, y ofrecía a los mercaderes romanos la oportunidad de comerciar con las tierras del Norte. En el 181 a. de C. la colonia de Aquileia fue establecida como el puerto más septentrional del mar Adriático para servir específicamente como base a los mercaderes que comerciaban con la zona alpina oriental. Por esta época los mercaderes romanos visitaban la comunidad nórica en el Magdalensberg, en Carintia, al sur de Austria, para desarrollar las relaciones comerciales con los productores de hierro de allí. En el 121 a. de C. los ejércitos romanos atravesaron los Alpes occidentales hacia el sur de Francia y fundaron la colonia de Gallia Narbonensis, extendiéndose hacia el norte hasta el lago de Ginebra. Estos logros permitieron a los mercaderes romanos la gran oportunidad de organizar aventuras comerciales a gran escala con las comunidades de la Galia y afianzar unos contactos más directos entre las culturas romana y centroeuropea.

A finales del siglo II antes de C. el norte de Italia fue invadido por las bandas germánicas de cimbrios y teutones, junto con grupos célticos, que desde el noreste atravesaron los Alpes hacia la llanura del Po, como los invasores anteriores en su intento de apoderarse del botín de las ricas comunidades de la región. El 113 a. de C. estas incursiones derrotaron al ejército romano en la localidad de Noreia, en algún lugar de las regiones austríacas actuales de Carintia o Estiria. Los ejércitos romanos fueron batidos de nuevo ocho años más tarde en Orange, en el valle del Ródano. Pero el 102 y el 101 a. de C. las reorganizadas fuerzas romanas finalmente aniquilaron a estos merodeadores en las batallas de Aix, en el sudeste de Francia, y en Ferrara, cerca de la desembocadura del Po, al norte de Italia. Estas victorias romanas pusieron fin a las incursiones del otro lado de los Alpes que habían impedido la progresión de la conquista romana.

No existen documentos escritos que describan el primer momento del establecimiento de relaciones comerciales entre Roma y el Norte. Las primeras ánforas vinarias romanas encontradas en el centro de Europa son de mediados del siglo II a. de C. y se encuentran en distintos poblados, como

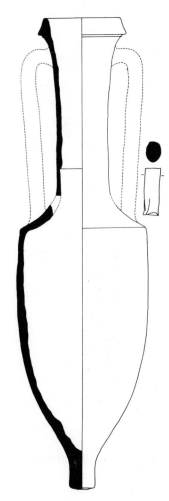

Fɪɢ. 49   Dibujo de un ánfora vinaria romana procedente de Manching. Altura aproximada: 97 cm.

Manching (fig. 49). Las vasijas de bronce de manufactura romana empezaron a llegar en cantidades importantes a comienzos del siglo ɪ a. de C. y la cerámica campaniense también se fecha a finales de este siglo. Así, los testimonios arqueológicos centroeuropeos muestran que el comercio con la Italia romana empezó a mediados del siglo ɪɪ a. de C., poco después de que Roma estableciera su dominio en el norte de Italia.

Las ánforas vinarias, el tipo más corriente de objeto importado en los registros arqueológicos, tienen una fuerte presencia en Occidente. Se han hallado, sobre todo, en Francia, sur de Alemania y Suiza. En Manching se encontraron más de treinta y cuatro, veintinueve en Basel-Gasfabrik, ocho en Basel-Münsterhügel, dieciséis en Altenburg, más de catorce en el Magdalensberg y cuatro en una tumba en Goeblingen-Nospelt, en Luxemburgo.

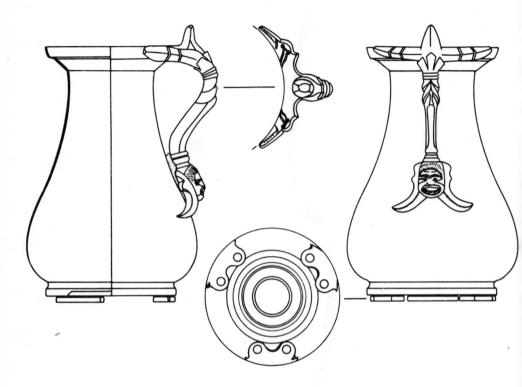

F<small>IG</small>. 50   Dibujo de un jarro de bronce romano del tipo de Kappel-Kelheim. Altura aproximada: 22 cm.

En otros lugares ha aparecido un solo ejemplar. En la Europa centrooriental sólo se han encontrado dos en Stradonice y una en Staré Hradisco. En la mayoría de yacimientos de este área no ha aparecido ninguna. Sólo raras veces se transportaba el vino a lugares lejanos en ánforas cerámicas. La gran cantidad de ánforas encontradas en Francia refleja su fácil transporte con barcas y gabarras por el Ródano y sus afluentes. Fragmentos de veinticuatro mil ánforas se han recuperado en el río Saona, en Chalon. El reducido número de ánforas en el Este no significa que se enviara menos vino hacia aquella zona, sino que se utilizaban recipientes más ligeros como barriles de madera y pieles de animales, ambos sistemas mencionados por Estrabón.

Las vasijas de bronce romanas del siglo i a. de C. están distribuidas de manera más uniforme por toda Europa y la distribución de estas ligeras y pequeñas vasijas puede proporcionar un cuadro muy exacto de las rutas geográficas del comercio del vino. El mayor número de aquellos objetos se ha encontrado en las tierras altas del centro de Europa, al sur de la llanura nordeuropea y entre el Sena inferior, Praga y los Alpes. Entre las vasijas mejor representadas se encuentran los jarros tipo Kappel-Kelheim (treinta y cuatro: véase la figura 50), y los cuencos tipo Aylesford (treinta y uno, véase la figura 51). Importaciones menos numerosas son los coladores, las copas con asas *(kyathoi)*, los cucharones y los cuencos.

Las principales importaciones romanas de la Europa central en términos de valor y volumen eran de una categoría que no deja rastros arqueológicos, como el vino. El vino es la mercancía más veces mencionada por los autores antiguos en relación con el comercio con la Europa central (Ateneo, 4. 36; Diodoro de Sicilia, 5. 26). La gran afición de los centroeuropeos por el vino es el tema central de muchos relatos de las fuentes clásicas y la importancia del comercio del vino durante el siglo vi a. de C. ya ha sido puesta de manifiesto. Tan pronto como los romanos conquistaron el centro de Europa, importaron uvas, melocotones, higos, dátiles y aceitunas, así como ostras, pescado selecto, salsa para pescado *(garum)*, avellanas y carne salada. Es probable que tales productos se comercializaran también antes de la conquista, pero todavía no se han buscado en los contextos de la segunda Edad del Hierro.

Las mercancías comercializadas desde la Europa central hacia la Italia romana no dejaron rastro arqueológico. Nos inclinamos a suponer que dejaron pruebas indirectas. Algunas de las más evidentes proceden del *oppidum* del Magdalensberg, el mayor asentamiento de la antigua Nórica, famosa en el mundo romano por la alta calidad de sus productos de hierro. Hacia el 120 a. de C. la comunidad indígena del Magdalensberg estableció un pacto con Roma para un mutuo beneficio comercial. Los mercaderes de la Nórica tenían permiso para residir y comerciar en el Imperio romano y sabemos que algunos vivieron en Aquileia. En una fecha tan temprana como el año 186 a. de C. había enviados romanos en el lugar y las excavaciones en el Magdalensberg han revelado un gran asentamiento de mercaderes romanos con anterioridad a la anexión de la región al Imperio en el año 15 a. de C.

Los datos más importantes del Magdalensberg consisten en las bodegas descubiertas el año 1960 y que habían sido utilizadas por los mercaderes que dejaron varios cientos de inscripciones grabadas en el yeso de las paredes. Estas inscripciones hacen referencia a transacciones comerciales. El estilo de las letras indica que fueron escritas entre el 35 a. de C. y el 45 de nuestra Era. Por tanto, estos mercaderes precedieron por poco tiempo la anexión de la región por Roma y siguieron actuando hasta poco después. Ambos momentos constituyen una valiosa información sobre el comercio de este poblado. Dado que los habitantes de la Nórica tuvieron excelentes relaciones con Roma desde comienzos del siglo ii a. de C., la anexión se realizó sin luchas. La documentación arqueológica del Magdalensberg y las fuentes escritas indican que se produjeron pocos cambios en los modelos comerciales cuando el poblado quedó incorporado al Imperio.

Las inscripciones relacionan las mercancías intercambiadas y sus cantidades. Todos los objetos mencionados eran herramientas y vasijas de metal. Las herramientas incluían yunques, hachas, broches de cinturón y anillas de hierro; y las vasijas incluían jarros, cuencos, bandejas y copas de cobre o bronce. Las cantidades se solían contar por centenares. Por ejemplo, un grupo de tres mercaderes que vinieron al poblado, trajeron respecti-

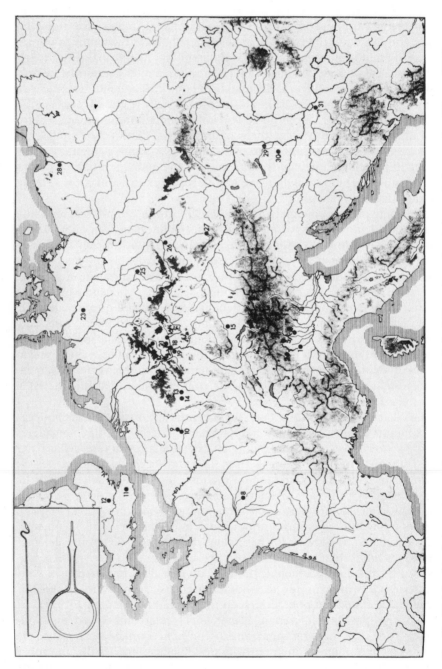

Fig. 51 Distribución de las sartenes de bronce romanas de Aylesford. Para el nombre de los yacimientos. véase Werner (1978).

vamente 720 anillas y 560 hachas, 550 anillas y 510 hachas y 560 anillas y 565 hachas. Otra operación comercial se hizo con 740 bandejas y 500 anillas. En algunos casos se anotó el peso de los objetos: «Sineros, de Aquileia, compró 110 cuencos de un peso de 4,8 kilogramos cada uno»; «Filenus de Roma compró 1400 kilogramos de hachas». Algunas veces también se menciona la ciudad de procedencia de los compradores. Aquileia, Bolonia y Roma son las mejor representadas y algunos mercaderes venían de lugares tan lejanos como el norte de África. Se citan distintas épocas del año, indicando que el comercio se desarrollaba a lo largo de todo el año. Los nombres de los productores de objetos de metal eran de la misma Nórica. Aunque estas inscripciones se refieren únicamente a los objetos de metal, es seguro que también se desarrollaba un comercio basado en otros productos.

Otro hallazgo importante en relación al comercio del hierro entre el centro de Europa y Roma se realizó en el poblado situado en la cima del Burgkogel, una colina cercana a Zell am See, Salzburgo, Austria. Un lingote de hierro que pesaba exactamente 20 libras romanas fue llevado allí probablemente por un comerciante romano. El mismo asentamiento ha proporcionado tres monedas romanas de cobre fechadas entre los años 90 y 84 a. de C.

Los romanos necesitaban mucho hierro. Su creciente ejército necesitaba grandes cantidades para espadas, puñales, cascos y otros pertrechos militares. Clavos y grapas se hacían necesarios para la construcción de puentes, campamentos y barracones. La producción de hierro en Italia era limitada y podían obtenerse grandes cantidades de metal más baratas en el centro de Europa comercializándolo a cambio de vino y otros lujos de la península itálica.

Probablemente también las pieles eran un importante elemento de comercio. Los romanos las necesitaban para los pertrechos militares como sandalias, tiendas, cinturones y correas. Después de la conquista de la Europa central y occidental, los romanos comercializaban los cueros y pieles de Escandinavia y otras partes de la Germania libre (las tierras al norte y al oeste de la frontera del Imperio romano), y es probable que este comercio comenzara antes de la conquista. El ganado está bien representado por los restos de fauna en los yacimientos de este período y las herramientas de hierro recuperadas son las utilizadas en el proceso de preparación de las pieles.

También los esclavos llegaban a Roma por el comercio. La economía romana dependía de un flujo constante de esclavos. Roma adquirió esclavos en todas las partes del Mundo Antiguo y Diodoro de Sicilia hace referencia a los esclavos de la Europa central. Unas manillas de hierro encontradas en La Tène, en Suiza, pudieron usarse para los esclavos. La relación entre guerra y esclavitud era muy íntima en el Mundo Antiguo y las crecientes luchas entre las comunidades de la Europa templada durante el último siglo antes del cambio de Era podían haber estado motivadas por la captura de esclavos para el comercio con Roma además de la captura de botín.

Estrabón en su *Geografía* (4. 4. 3) menciona que el cerdo salado y las telas de lana se exportaban desde la Galia a Italia después de la conquista y lo mismo debió suceder antes de la conquista. Justo después de ésta se llevaron a Italia otros productos, como el ganado, el queso, la resina, la cera, la miel y la brea, que debieron jugar todos ellos también un papel importante en el incipiente comercio.

Para transportar estos productos a lo largo de los ríos se utilizaban barcas y gabarras. El Ródano era la principal arteria que comunicaba el Mediterráneo con la Europa continental. En lo que respecta al comercio con la región al este de los Alpes, Estrabón menciona los transportes por río y por tierra por medio de carros (4. 4. 10, 7. 4. 5. 2) y Diodoro de Sicilia se refiere al uso de carros en la Galia (5. 26). En las regiones montañosas, los animales de carga eran el principal elemento de transporte. Los huesos de asnos descubiertos en el asentamiento de Závist, en Bohemia, se han interpretado como una prueba de la utilización de estos animales mediterráneos para el comercio transalpino. Una estructura de madera hallada en La Tène era probablemente de unas alforjas para cargar barriles o sacos a lomos de una caballería.

LOS CENTROS URBANOS DE LA SEGUNDA EDAD DEL HIERRO: MANCHING Y OTROS *OPPIDA*

Julio César utilizó la palabra *oppidum* para señalar los principales centros de la Galia entre el año 58 y el 50 a. de C., y ahora el término se aplica a todos los grandes poblados fortificados europeos de las dos centurias previas al cambio de Era. Comparten muchas características y ocupan una ancha franja desde el centro de Francia por el oeste hasta la llanura húngara al este y desde el río Lahn por el norte a los Alpes por el sur (fig. 52). En el norte, en Escandinavia y en la llanura nordeuropea, los pequeños asentamientos siguieron siendo la norma, sin rastro de comunidades mayores. En la Gran Bretaña, grandes poblados fortificados como Maiden Castle, Danebury y Hengistbury Head compartían varias características con los *oppida* continentales, pero no albergaban poblaciones tan numerosas. A lo largo de la costa atlántica de Francia existían comunidades más pequeñas. Hacia el este, en las modernas Ucrania, Rumanía y Bulgaria se conocen algunas aglomeraciones de población mayores, pero el grado de actividad industrial y comercial no era tan grande como el de los *oppida* de Europa central. Hacia el sur, los Alpes continuaban habitados por pueblos montañeses que vivían en pequeñas comunidades. En Italia, como en la costa yugoslava y la Francia mediterránea, la característica de las tierras romanas era una economía y un tipo de vida urbano.

Todos los poblados calificados de *oppida* estaban rodeados de murallas construidas de tierra, piedra y maderas y eran mucho mayores que los asentamientos de las épocas anteriores. La muralla de Manching encierra 380 hectáreas de tierra, la de Staré Hradisko, 40, y la de Třísov, 21. Por comparación, la de Heuneburg comprendía 3,2 hectáreas. La mayoría de *oppida* se

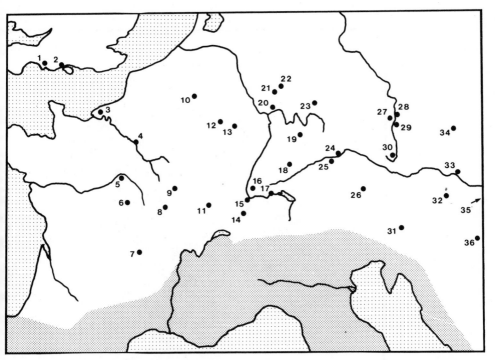

Fig. 52   Localización de los principales *oppida* de fines de la Edad del Hierro. El área punteada indica los territorios romanos durante la primera mitad del siglo I a. de C. 1, Maiden Castle; 2, Hengistbury Head; 3, Fécamp; 4, Paris; 5, Orleans; 6, Bourges; 7, Gergovia; 8, Bibracte; 9, Alesia; 10, Namur; 11, Besançon; 12, Titelberg; 13, Otzenhausen; 14, Bern; 15, Basilea; 16, Kirchzaten; 17, Altenburg-Rheinau; 18, Heidengraben; 19, Finsterlohr; 20, Heidetränk; 21, Dünsberg; 22, Amöneburg; 23, Steinsburg; 24, Kelheim; 25, Manching; 26, Karlstein; 27, Stradonice; 28, Závist; 29, Hrazany; 30, Třísov; 31, Magdalensberg; 32, Vlemszentvid; 33, Bratislava; 34, Staré Hradisko; 35, Budapest-Gellérthegy; 36, Szalacska. Basado en los mapas de Schaaff y Taylor (1975b, 322) y Rieckhoff-Pauli (1980, 38, fig. 1).

establecieron en la cima de colinas y algunos (por ejemplo, Manching) incorporaban estructuras defensivas naturales. Muchos de ellos estuvieron densamente poblados durante un siglo o más. En el interior de estos recintos son aún pocas las investigaciones sistemáticas llevadas a cabo, si bien existen colecciones desde antiguo, formadas a partir de excavaciones no sistemáticas, y por ello es difícil decir si todos o sólo unos pocos tenían una gran población.

Las primeras pruebas de ocupación de estos inmensos poblados parecen fecharse hacia mediados del siglo II a. de C., cuando se desarrollaron comunidades urbanas en Manching, al sur de Alemania, Stradonice, Hrazany y Závist, en Bohemia, y Staré Hradisko en Moravia. Třísov, en Bohemia, Steinsburg, en Alemania central y Altenburg, al sur de Alemania, se fundaron a comienzos del siglo I a. de C. Basel-Münsterhügel se estableció poco antes de mediados de este siglo. Puesto que las excavaciones a gran escala en estos yacimientos han sido muy escasas, no es posible identificar

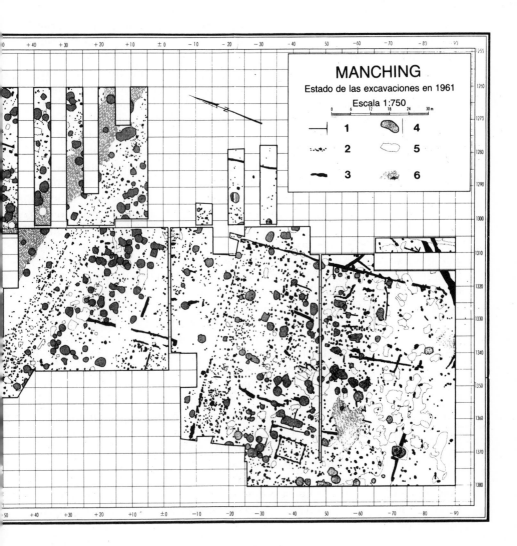

F<small>IG</small>. 53   Plano de una parte de la zona excavada de Manching. Significado de los símbolos: 1, límites de la excavación; 2, agujeros de postes; 3, zanjas; 4, hoyos; 5, ligeras depresiones (menos de 40 cm de profundidad); 6, lechos de antiguos torrentes y charcas. Los números que rodean el plano indican las cuadrículas de 10 metros en que se ha dividido el terreno para la excavación.

sus fases de desarrollo, desde pequeños poblados hasta *oppida*. De muchos yacimientos se conocen los primeros momentos de instalación, pero el proceso de transformación desde comunidades pequeñas a otras mayores más complejas sigue poco claro. El período comprendido entre el año 100 y el 50 a. de C. constituye el mejor momento de estos asentamientos, en cuanto a población, comercio e industria. Algunos fueron abandonados a mediados del siglo I a. de C., Manching inclusive, como Staré Hradisko y Steinsburg, y muchos *oppida* galos fueron conquistados por los ejércitos de César sobre esta fecha. Algunos asentamientos, como el Magdalensberg, en Carintia, y algunos *oppida* de la Galia, continuaron existiendo varias décadas después de la conquista romana; incluso algunos experimentaron sus mejores períodos de actividad en los momentos previos al cambio de Era.

Los rasgos comunes de estos *oppida* sugieren que todos se establecieron en respuesta a unos mismos estímulos, a unas oportunidades y necesidades semejantes, y las diferencias en las fechas de los poblados y en sus momentos de auge enfatizan las diversidades regionales y la falta de una política unitaria a nivel interregional. Las fuentes escritas y arqueológicas demuestran que los *oppida* eran totalmente independientes unos de otros. La falta de toda estructura política unificadora fue una de las razones de que los galos fueran tan fácilmente derrotados por los ejércitos de César.

El comercio a gran escala con los mercaderes romanos y la producción para este comercio sólo podía llevarse a cabo a través de una organización centralizada en la que los productos se juntaran en un solo lugar para su transformación y transporte, como se ha podido documentar bien en el caso de Magdalensberg. Los objetos de hierro, cobre y estaño deseados por los mercaderes romanos eran llevados a Magdalensberg desde los lugares de manufactura en su *hinterland*. Los mercaderes romanos iban allí a realizar sus operaciones comerciales y, por lo que hasta ahora sabemos, no se aventuraban por el país. Los *oppida* crecieron de tamaño porque su riqueza debida a las manufacturas y al comercio atraía a gente de las zonas de alrededor. A cambio de producir grandes cantidades de objetos para el comercio, recibían parte de las importaciones y de los productos manufacturados en los *oppida*, como brazaletes de vidrio, joyas de bronce y herramientas de hierro.

Cuanta más gente se concentrara en estos centros para forjar, fundir y transportar el hierro y para cuidar el ganado y preparar las pieles, más productores de alimentos se hacían necesarios para poder alimentarlos. Las innovaciones técnicas ayudaron a aumentar la eficacia de la producción agrícola; la reja de arado de hierro pasó a ser de uso general, así como las azadas con palas de hierro, predecesoras de las actuales. Las grandes guadañas de hierro se hicieron comunes. Los molinos de rotación, bien representados en Manching y otros lugares, aumentaron la eficiencia de la molienda del grano. En efecto, un instrumental más eficiente permitió que mucha gente fuera alimentada por unos pocos productores de alimentos.

Otro factor en la emergencia de los *oppida* como centros importantes de población puede haber sido el crecimiento del comercio de esclavos con los romanos. Cuando los centroeuropeos comprendieron que los seres humanos podían ser objeto de intercambio con gran provecho, pudo empezar una nueva etapa de incursiones y guerras con el propósito de conseguir esclavos. La historia antigua y la moderna ofrece abundantes ejemplos de pueblos vecinos que luchan entre sí para capturar exclavos para el comercio. Temerosos de las incursiones de los pueblos vecinos, mucha gente pudo haber abandonado sus granjas y aldeas e instalarse en los *oppida*.

De los más de cuarenta asentamientos identificados como *oppida*, sólo unos pocos han sido excavados sistemáticamente. En Manching se han obtenido planos de las estructuras del asentamiento especialmente interesantes. También de Staré Hradisko, Hrazany y Třísov. Muchos de los yacimientos mayores fueron excavados durante el siglo XIX, sin poder beneficiarse de las técnicas modernas (por ejemplo, Bibracte, Stradonice y Velemszentvid) y los que han sido estudiados en tiempos recientes lo han sido desde el punto de vista de sus defensas más que de su organización interna.

Los planos de Manching y otros poblados excavados muestran restos de edificios densamente apretados, en especial los agujeros de postes, trincheras de cimentación y silos (fig. 53). Las estructuras se construyeron de forma rectangular y los edificios y calles se alinean a lo largo de los ejes mayores. Su estructura rectangular muestra que los asentamientos se levantaron siguiendo un plano específico. Tanto en Manching como en Staré Hradisko, las distintas partes del poblado están separadas por empalizadas que implican que estos poblados no eran solamente aglomeraciones de casas y talleres, sino que estaban subdivididos en unidades específicas. Jiří Meduna ha apuntado que las distintas unidades de Staré Hradisko eran granjas separadas, unidas dentro de la estructura del *oppidum*. Werner Stöckli ha dado una interpretación similar para las zonas separadas por medio de largas empalizadas en Manching.

La documentación arqueológica de Manching demuestra la existencia de unos edificios muy grandes y cercados, quizá de uso comunal. La finalidad de la construcción de las estructuras individuales es difícil de determinar, puesto que en la mayoría de los casos la tierra ha sido arada cientos de veces desde la segunda Edad del Hierro. La mayor parte de los objetos recuperados proceden de fosas y de estratos superficiales, por lo que es difícil asociarlos a unos edificios determinados en funcionamiento en un determinado momento en el yacimiento.

Todos los *oppida* mayores han proporcionado pruebas de la producción de hierro, fundición de bronce, manufactura de vidrio, confección de tejidos, producción de cerámica, acuñación de moneda, trabajo de hueso y cuernas y manufactura de joyas. Las ingentes cantidades de hierro y bronce recuperadas demuestran que las manufacturas se hacían a una escala nunca alcanzada con anterioridad. Sin embargo, la mayoría de residentes no eran artesanos. Las herramientas, armas y adornos encontrados podían fácilmente haber sido manufacturados por una pocas docenas de especialistas a lo largo de un siglo. Es muy probable que al menos un 95 % de la población de estos *oppida* fueran agricultores. El instrumental agrícola, incluyendo azadas, guadañas, hoces y cuchillos de podar, son comunes en los

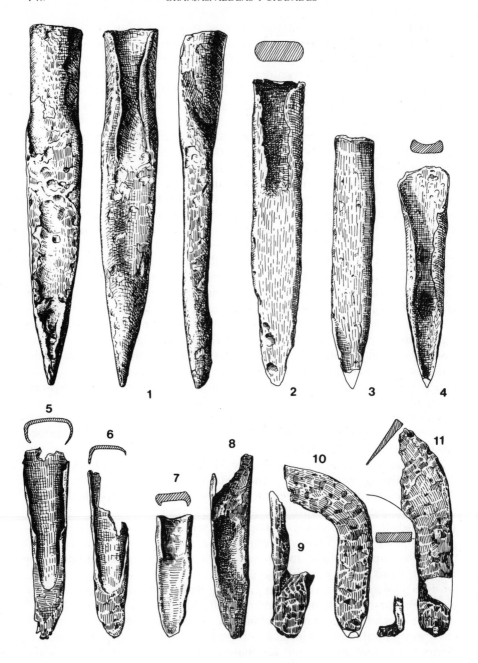

FIG. 54   Rejas de arado de hierro (1-9) y fragmentos de guadañas (10, 11) de Manching. El objeto de arriba a la izquierda mide 27,2 cm de longitud.

hallazgos (fig. 54). Muchos agricultores pueden haber sido artesanos a tiempo parcial, así como también mercaderes, como aún hacen hoy en día muchos campesinos cuando el modelo agrícola no hace necesarias todas sus energías. Joachim Werner (1961) ha escrito sobre el comercio medieval a larga distancia a través de los Alpes, desempeñado estacionalmente por hombres que dedicaban la mayor parte del año al campo de manera completa. En invierno se embarcaban en largas aventuras comerciales. Modelos similares de comercio a tiempo parcial se darían en la Edad del Hierro. Los agricultores vivían en los *oppida* por la mayor facilidad de conseguir bienes materiales y por un tipo de vida más interesante que en las aldeas rurales.

Tenemos buenos ejemplos de pequeñas comunidades satélites alrededor de los *oppida*. Por ejemplo, en el Steinsburg este tipo de asentamientos se han identificado justo en la parte externa de las mismas murallas del *oppidum* y también a distancias de varios cientos de metros de los mismos. En Závist la fortificàción más externa encerraba un asentamiento de un carácter rural más marcado que los que se encuentran dentro de los recintos más interiores. Se han encontrado asentamientos rurales parecidos en el *oppidum* de Gergovia, en el asentamiento sin defensas de Aulnat, en el sur de Francia, y en Bibracte.

Sobre la población de los *oppida* sólo podemos aventurar opiniones, a causa de la falta de buenas necrópolis que vayan asociadas a los establecimientos y que permiten establecer unos cálculos, y también a causa de la falta de excavaciones extensivas en los mismos asentamientos. En la mayor parte de la Europa central la práctica de la inhumación de los cadáveres con ajuares en las tumbas pasó de moda hacia finales del siglo III a. de C. y se conocen muy pocos enterramientos del siglo I a. de C. En el Rin y hacia el oeste se han excavado algunas necrópolis, pero ninguna de tamaño considerable que vaya asociada a algún *oppida*. Basándonos en el tamaño de las zonas amuralladas, en la densidad de los restos de construcciones y en la cantidad de materiales recuperados, los arqueólogos que estudian los *oppida* han realizado cálculos estimativos del tamaño de su población. Filip opina que Stradonice, Závist, Třísov y Staré Hradisko podían tener varios miles de habitantes (1971, 266). Para Závist, Waldhauser propone unos 3400 habitantes (1981, 116). Meduna da la cifra de 5000 para Staré Hradisko (1971, 310). Basándose en las cantidades de comida que los huesos hallados en Manching permiten calcular, Joachim Boessneck y sus colegas opinan que el mínimo número de habitantes puede haber estado alrededor de 1700 y que probablemente podía duplicar o triplicar esta cantidad (1971, 12).

El asentamiento más intensamente estudiado de la segunda Edad del Hierro es Manching, cerca de Ingolstadt, en Baviera. Manching se encuentra situado a cuatro kilómetros al sur del río Danubio, aunque en los tiempos prehistóricos el río corría junto al asentamiento. El asentamiento se localiza en una baja terraza de gravas y arena formada por el Danubio y sus tributarios. Por el oeste está regada por el pequeño río Paar y el Igel Brook y por el sur y sudeste, por ciénagas del pantano de Feilermoos; por el norte se encuentran las gravas y arenas que originalmente constituían la orilla meridional del Danubio.

Werner Krämer, director de las excavaciones de Manching, apunta que la localización fue escogida por su situación respecto a las rutas de comunicación. Se encuentra junto a una de las mayores arterias fluviales de Europa y en el cruce natural de dos rutas terrestres, una a lo largo de la terraza que se extiende en sentido norte-sur entre las tierras pantanosas y la que sigue la orilla sur del río (la misma ubicación de las principales vías romanas en la región en época posterior). Aunque Manching no se encuentra en una altura como la mayoría de los *oppida*, su emplazamiento le propor-

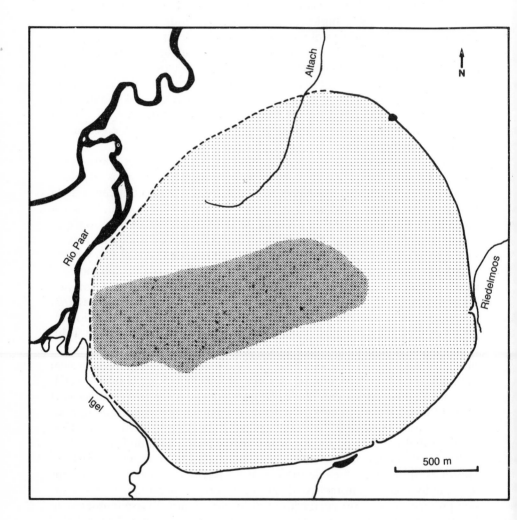

Fig. 55   El *oppidum* de Manching (toda la zona punteada). El área más densamente punteada en la parte central señala el lugar donde los restos del asentamiento son más densos. El pequeño río Paar fluye junto al yacimiento, en el lado oeste, mientras que los otros lados del poblado están rodeados por arroyos. Las partes de la muralla que subsisten están indicadas por una línea continua, y una línea discontinua señala las ya desaparecidas. Basado en Krämer y Schubert (1970. hoja 5).

ciona una defensa natural. El curso de por lo menos dos afluentes, el Igel en el sudoeste y el Riedelmoos en el sudeste, fueron cambiados cuando se construyeron las murallas del *oppidum*. Ambas corrientes fluyen ahora en la base de la muralla externa del yacimiento. Éste es circular y rodeado por murallas de más de siete kilómetros de longitud que encierran 380 hectáreas de tierra (fig. 55). Entre 1955 y 1975, se han excavado 66 906 metros cuadrados (unas 6,7 hectáreas) de la superficie del yacimiento, un poco menos del 2 % de toda el área. Una zona de unos 400 metros de ancho en el interior del asentamiento parece mostrar sólo una ocupación esporádica. Los arqueólogos creen que esta zona, con su suelo húmedo y llano, pudo haberse reservado como pastos para el ganado. La parte central del *oppidum*, densamente habitada, mide de este a oeste 1,5 kilómetros, aproximadamente y comprende 80 hectáreas. En esta zona del yacimiento hay miles de huellas de postes y de fosas. Como en el caso de la mayoría de los asentamientos centroeuropeos, sólo se han conservado las estructuras que han quedado enterradas en el subsuelo, como las trincheras de cimentación, las huellas de los postes, los silos de almacenaje y los pozos. Se han localizado las huellas de los cimientos de una gran diversidad de estructuras, que van desde pequeños edificios rectangulares de 6,5 por 8 metros de tamaño hasta estructuras mucho mayores de finalidad desconocida, una de ellas de seis metros de ancho por más de 80 metros de largo. Los silos, postes y trincheras de cimentación son tan densos que se hace difícil discernir una disposición coherente de las estructuras y reflejan una intensa construcción en el yacimiento durante el siglo que estuvo habitado. Las excavaciones entre 1955 y 1961 dieron unos 400 000 huesos de animales y entre 1955 y 1967, más de 175 000 fragmentos cerámicos. Ninguno de los elementos estudiados hasta el presente proporciona una buena base para establecer la población aproximada del yacimiento, pero una cifra entre una o dos mil personas podría ser bastante razonable.

Manching floreció entre el 150 y el 50 a. de C. Estas fechas se han establecido por las fíbulas, armas e importaciones romanas del yacimiento. Una pequeña necrópolis fechable a comienzos de la segunda Edad del Hierro se encontró en el moderno pueblo de Steinbichel al oeste de la muralla; y dentro del yacimiento, en la parcela de terreno conocido bajo el nombre de Hunsrucken, había una necrópolis de mediados de la segunda Edad del Hierro, quizá en parte contemporánea de la ocupación del *oppidum* a fines de este mismo período. Estas dos necrópolis demuestran que existía una pequeña comunidad en las cercanías antes del 150 a. de C., pero todo parece indicar un rápido crecimiento del yacimiento mayor y no un desarrollo paulatino. No se ha podido encontrar ninguna necrópolis fechable a finales de la segunda Edad del Hierro, el momento de la ocupación principal.

La comunidad tuvo un final violento. Se encontraron muchas armas de hierro, todas con formas locales, escampadas por toda la parte central del poblado, incluyendo espadas, puntas de lanza y umbones, la mayoría de ellos rotos. Restos humanos pertenecientes a más de trescientas personas estaban esparcidos por todo el yacimiento y muchos cráneos mostraban claras evidencias de heridas de batalla. El carácter de las armas indica que esta batalla final tuvo lugar sobre el 50 a. de C.

Las muestras de fabricación de hierro son abundantes en Manching. Se han encontrado grandes montañas de escorias de fundición de mineral local al sur del establecimiento, en el pantano de Feilermoos. Las numerosas herramientas para la forja muestran un trabajo del hierro muy intensivo en el asentamiento. Se han recuperado moldes para la fundición de bronce y fragmentos de hornos también. También se han hallado brazaletes de vidrio, numerosas cuentas de collar de este material y grandes masas de este material informe con el que se confeccionaban aquellos objetos.

El comercio con el mundo romano se encuentra documentado por los fragmentos de más de treinta y cuatro ánforas vinarias y vasijas cerámicas de Campania. Los tesorillos de monedas en la vecindad atestiguan la acumulación de riqueza en forma de metales preciosos. Uno de ellos, con más de un millar de monedas de oro de tipo local, se encontró en el pueblo de Irsching, a seis kilómetros al noreste del *oppidum*, y un tesoro de monedas de plata locales fue enterrado dentro de un cuenco en el interior del yacimiento. Se han encontrado unas treinta monedas en los estratos del yacimiento, así como fragmentos de moldes cerámicos para fundir las monedas, lo que indica su clara acuñación en el lugar. Trece balanzas de platillos, doce de bronce y una de hierro se han encontrado en el asentamiento. Estas balanzas, usadas para pesar metales preciosos, están bien representadas en otros asentamientos mayores. El grafito importado de los depósitos del este se mezclaba con el yeso para hacer una determinada cerámica. La sapropelita, un tipo de carbón, era traído de las minas de Bohemia y utilizado para hacer brazaletes.

La gran cantidad de restos culturales en Manching, especialmente los huesos de animales (véase el análisis de los restos de fauna de Manching más adelante), muestran que el lugar era también un centro de ferias y mercado al que acudía mucha gente de los alrededores para comerciar, divertirse, comer y beber. La gran cantidad de gente que se concentraba allí para las ferias, mercados y celebraciones esparció grandes cantidades de restos de comida, incluyendo huesos de animales y otros desechos domésticos, como la cerámica rota, y probablemente también perdieron muchos pequeños objetos como las fíbulas y las monedas de poco valor. La descripción que Daniel Defoe hace de la feria de Sturbridge, en Inglaterra, en el año 1723, nos da una idea de conjunto de este acontecimiento en tiempos modernos: «Toda la gente en la feria come, bebe y duerme en sus barracas y tiendas; y las mencionadas barracas están entremezcladas con las tabernas, lecherías, casas de bebidas, casas de comidas, cocinas, etc., todo ello también en tiendas; y tantos carniceros y descuartizadores de todo el territorio circundante vienen...». Defoe remarca que las estructuras se levantaban de manera temporal para lo que durara la feria y luego se volvían a desmontar. Estas ferias, todavía comunes en muchas partes de Europa, se remontan a la época prehistórica.

La prueba en apoyo del papel del mercado local de Manching ha venido de pequeños asentamientos como Steinebach, en el sur de Alemania.

Análisis de los restos de fauna de Manching (datos de Boessneck *et al.*, 1971).

De los aproximadamente 400 000 fragmentos analizados:
el 99,8 % son especies domésticas.
el 0,2 % son especies salvajes.
Estimación numérica de la cantidad de animales representados en el asentamiento, según los análisis de los restos de las áreas excavadas:
50 000 cabezas de ganado bovino
50 000 cerdos
50 000 corderos y cabras
6 000 perros
5 000 caballos
Si la ocupación duró unos cien años (entre 150-50 a. de C.), el número de animales vivos en un determinado momento debió ser aproximadamente de:
2 000 cabezas de ganado bovino
1 500 ovejas y cabras
1 000 cerdos
200 caballos
150 perros
Si las cifras de sacrificios anuales eran:
500 cabezas de ganado bovino
500 cerdos
500 ovejas y cabras
50 caballos
la cantidad de carne anual sería de 154 000 kg, unos 422 kg por día.

Estos asentamientos rurales han proporcionado objetos como brazaletes de vidrio y joyas de sapropelita que es poco probable que se realizaran en estas pequeñas comunidades. Las vasijas de bronce romanas, que seguramente llegaban a la Europa central por los *oppida*, también habían alcanzado las pequeñas comunidades. La disponibilidad de los productos de lujo itálicos, así como los nuevos productos realizados en los talleres especializados de los *oppida*, estimularon a los agricultores centroeuropeos a producir un excedente de mercancías para el comercio y a los individuos negociantes a intentar sacar provecho del sistema.

No se ha encontrado rastro de estos negociantes que organizaron la producción y circulación porque, como se ha dicho, no se ha encontrado todavía la necrópolis de Manching. Así, los tesorillos de monedas en el poblado y sus alrededores representan la forma como los negociantes almacenaban su recién adquirida riqueza. En otras regiones los mercaderes de éxito se identificaban por la riqueza de los ajuares, por ejemplo en Goeblingen-Nospelt, en Luxemburgo, Hoppstädten-Weiersbach, cerca de Tréveris, y Hannogne, en las Ardenas.

Una indicación final de la importancia de Manching en su territorio es la supervivencia hasta nuestros días de un gran mercado anual de animales vivos y una feria llamada el Barthelmarkt en Oberstimm, a tres kilómetros al oeste de Manching. Krämer apunta que esta feria constituye la versión moderna de una tradición que ha continuado en Manching desde la segunda Edad del Hierro.

ECONOMÍA Y SOCIEDAD EN LA SEGUNDA EDAD DEL HIERRO

McEvedy y Jones (1978, 18) opinan que debió existir una población de unos treinta millones de europeos en el momento del cambio de Era, tres veces la cantidad estimada para el 1000 a. de C. Diodoro de Sicilia (5. 25) dice que las tribus de la Galia tenían una población entre cincuenta mil y doscientas mil personas. Julio César da las siguientes cifras para las tribus vecinas del norte de Suiza a mediados del siglo I a. de C.: 263 000 los helvecios, 36 000 los tulingi, 32 000 los boii, 23 000 los rauraci y 14 000 los latovici. Afirma que en los levantamientos de los galos, inspirados por el jefe indígena Vercingetorix en el año 52 a. de C., los secuanos (una tribu del este de Francia, entre el río Saona y los montes del Jura) eran 12 000 hombres en rebeldía, los aedui del centro de Francia y los avernos del centrosur de Francia, 35 000 cada una de ellas. Si los hombres capaces de empuñar las armas representaban una cuarta parte de la población, entonces los secuani serían uno 48 000, los aedulos y avernos, 140 000 cada uno de ellos. Estrabón, en su *Geografía* (4. 4. 3) dice que los belgas del norte de la Galia comprendían quince tribus, con 300 000 personas capaces de llevar armas.

Muchos investigadores han debatido la exactitud de las cifras proporcionadas por los autores clásicos. Puesto que César estuvo luchando para conquistar la Europa central, es probable que sobrestimara más que infravalorara el número de las poblaciones indígenas a las que combatía. Si los números dados por César fueran correctos, los helvecios habrían tenido una densidad de treinta personas por kilómetro cuadrado, probablemente demasiado alta. Sabina Rieckhoff-Pauli opina que podría considerarse razonable la mitad de las cifras dadas por César. Basándose en la arqueología, Jiří Waldhauser cree que la parte septentrional de Bohemia estuvo habitada por unas cincuenta mil personas en esta época. Sus cálculos representan una ocupación mucho menos densa que la propuesta por los escritores clásicos para la Galia. Probablemente, la Galia estaba más densamente poblada que la Europa centrooriental, pero no tanto como parece desprenderse de estas cifras.

Poblados

Sólo una pequeña porción de centroeuropeos vivían en los *oppida*, los mayores de los cuales, como Manching, Stradonice y Bibracte, probablemente tenían poblaciones entre las mil y las dos mil personas. La mayoría de europeos todavía vivían en pequeñas aldeas de menos de cien personas. Algunas eran simples granjas, como la de Steinebach, al sur de Baviera. Otras eran aldeas o pequeños pueblos entre dos y veinte personas. Entre los asentamientos de esta categoría que se han excavado se encuentran Eschweiler-Laurenzberg, en Renania, Haina, en el centro de Alemania, Zǎluží, en Bohemia, Mistřín, en Moravia, y en el norte Feddersen Wierde, en la Baja

Sajonia, y Hodde, al sur de Jutlandia. Generalmente estos asentamientos carecían de fortificaciones, si bien algunos tenían defensas a su alrededor. Los restos arqueológicos incluyen huellas de postes que señalan la planta de los edificios, silos de almacenaje y objetos de cerámica, hierro, bronce, piedra y cristal, así como restos de vegetales y fauna consumidos como comida.

Todas estas pequeñas comunidades eran agrícolas y todos sus miembros debían pasar la mayor parte de su tiempo produciendo comida. Aunque la mayoría de los asentamientos ofrecen pruebas de la existencia de manufacturas y comercio ninguno proporciona pruebas suficientes de que el comercio fuera la base económica. Los huesos y cuernos se utilizaban para objetos y se trabajaba también la lana y la madera. Las escorias nos hablan de producción de hierro. La fundición de bronce se halla representada por los crisoles y objetos a medio terminar. Un crisol cerámico de Mistřín contenía restos de oro. Las pequeñas comunidades producían la mayor parte de la cultura material utilizada por sus miembros y no dependían en mucha medida de la producción de los *oppida*. En algunos casos, los asentamientos pequeños producían objetos metálicos para la exportación, como en Msec, en Bohemia, y en mucho lugares de Burgenland. En Gussage All Saints, al sur de Gran Bretaña, una pequeña comunidad campesina fabricaban series de carros adornados aptos para el comercio.

Los conjuntos materiales de estos pequeños asentamientos eran similares a los de los *oppida*, no significativamente más sencillos. Si comparamos la cerámica del yacimiento de Altendorf, cerca de Bamberg, con la de Manching, se comprueba que no sólo era el mismo tipo de cerámica el que se usaba en ambas localidades, sino que incluso los distintos tipos se presentan en las mismas proporciones en ambos lugares. Los objetos de metal también eran parecidos en los emplazamientos grandes y en los pequeños. Por ejemplo, en Eschweiler-Laurenzberg, los martillos, gubias, hoces, cuchillos, llaves y los equipos de los carros y de los caballos, las espadas y puntas de lanza, son indistinguibles de los hallados en Manching. En Eschweiler-Lohn, un pequeño asentamiento que tuvo un final violento, se recuperaron muchas armas de hierro que incluían umbones, puntas y talones de lanzas, puntas de flechas y espadas, además de piedras de hondas, todas ellas muy parecidas a las de los *oppida*. Aparentemente, las pequeñas comunidades de la Europa central poseían un buen conocimiento de las armas y herramientas. Rejas de arado de hierro se encontraron en dos casas del pequeño asentamiento de Záluží, en Bohemia, demostrando que los nuevos instrumentos agrícolas podían conseguirse fácilmente. Las pequeñas comunidades también conseguían adornos de lujo, como las cuentas y brazaletes de vidrio, los brazaletes de lignito y las joyas de sapropelita. Las monedas se encuentran también bien representadas en los yacimientos pequeños y algunas se acuñaron allí mismo.

Las casas centroeuropeas eran rectangulares, por lo general de unos 150 metros cuadrados de superficie interna, con postes de soporte vertical a lo largo de las paredes. En las regiones junto al mar del Norte, a finales de la Edad del Bronce se utilizaba un tipo particular de construcciones: una

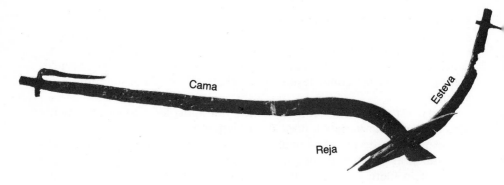

Fɪɢ. 56   El arado de Dostrup, de una ciénaga al norte de Jutlandia, Dinamarca. El arado está compuesto de cinco piezas. La cama, de unos 3 m de largo, esta hecha de un tronco de aliso, y el gancho de su extremo es de madera de avellano. La reja es de madera de tilo y originalmente tenía una punta de un material más duro, ahora perdida. La esteva, al extremo de la cama, también es de madera de tilo. La delgada pieza situada delante de la reja, entre la cama y la esteva, es de madera de saúco y muestra señales de un uso prolongado.

larga estructura rectangular separada en áreas más pequeñas de habitación para las personas y otra más grande, dividida en establos, para albergar hasta treinta cabezas de ganado. La parte de la construcción destinada a habitación humana tenía aproximadamente el mismo tamaño que las casas del resto de Europa. En Gran Bretaña, las casas eran redondas en lugar de rectangulares, pero parecidas en cuanto a tamaño y construcción a las de la Europa central.

La economía

Varios autores clásicos hacen referencia a la producción de alimentos al norte de los Alpes, en la Europa bárbara. La información dada por Posidonio, que escribe a comienzos de siglo ɪ a. de C., encomia la riqueza agrícola y la alta productividad de las tierras centroeuropeas. Estrabón en su *Geografía* (4. 1. 2) escribe que toda la Galia, a excepción de los pantanos y zonas de maleza, era utilizada para la producción de alimentos, y que la tierra producía cereales, mijo, bayas y todo tipo de alimentos. Menciona los enormes rebaños de corderos y las piaras de cerdos de Bélgica y describe la producción de grandes cantidades de alimentos, en especial leche y carne y cerdo fresco y salado (4. 4. 3). Ateneo (4. 36) estaba también impresionado por la cantidad de comida consumida por los centroeuropeos y menciona las hogazas de pan y pescado comidos con sal, vinagre y comino. Muchos autores clásicos se refieren a la cerveza, a veces elaborada con cebada, y a veces con trigo, junto con una bebida elaborada con miel, probablemente la que conocemos con el nombre de hidromiel (Ateneo, 4. 36, Diodoro de Sicilia, 5. 26). Los autores clásicos sabían del comercio de vino y apuntan que el vino era la bebida preferida por los ricos.

La forma básica del arado de madera, sin vertedera para remover la tierra, siguió sin modificaciones hasta el cambio de Era (fig. 56) y el mayor cambio tecnológico fue la adición de la reja de hierro en los últimos doscientos años antes de Cristo. Todos los *oppida* excavados han proporcionado rejas de arado; por ejemplo, cuarenta y tres ejemplares proceden de Steinsburg, nueve de Manching y nueve de Heidetränk, y también se han encontrado puntas en muchos yacimientos pequeños. Pruebas de que podían haber estado en uso elementos para arar más hondo las proporcionan las rejas de arado de hierro como la del depósito de Hainbach, en Land Salzburg, Austria, fechable en el siglo I a. de C. La reja de hierro se utilizaba para la rotura inicial del suelo. Las rejas de hierro y el mayor peso de los arados permitían profundizar más y los agricultores podían arar más tierra por día que con los arados de madera, más sencillos, a la vez que podían atreverse con suelos más duros. La vertedera voltea la tierra y las sustancias minerales pasan a ser más efectivas. La vertedera también permite que la tierra se oxigene más que con los arados más simples y favorece un mayor drenaje del suelo.

La guadaña pasó a ser de uso común también durante este período (fig. 57). La guadaña es, en esencia, una hoz con un largo mango. Dadas las propiedades físicas del bronce, una hoz de este metal podía romperse al usarla o podía ser corta. La dureza del hierro permitía usarlas con hojas mucho más largas. Las guadañas están bien representadas en los *oppida* y en algunos de los asentamientos más pequeños. En Manching se han encontrado doce anillas de hierro utilizadas para juntar la hoja de metal de la guadaña con su mango de madera, además de un grupo de fragmentos de hojas. Veintiocho hojas de guadañas se han recuperado en Steinsburg. También han aparecido guadañas en muchos de los depósitos metálicos, como el de Kappel, Kaiserbrunn y Körner. Los cereales pueden cortarse de manera más rápida con una guadaña que con una hoz. La aparición de este instrumento agrícola aumentó la eficiencia de la recolección de los cereales que formaban la base de la dieta de los europeos. Las guadañas también fueron importantes para la recolección del forraje para el invierno. La manufactura de guadañas a gran escala puede haber jugado un papel importante en el almacenaje de alimentos para las necesidades invernales, y también para la recolección diaria. La estabulación de grandes rebaños puede haber estado relacionada con el aumento del comercio de animales vivos, las pieles, los cueros y los productos diarios de este origen.

Después del hierro, el material que proporciona más información sobre la producción es la cerámica. El análisis de unos 200 000 fragmentos de Manching demuestra que en este asentamiento se fabricaban cuatro tipos de cerámica distintos, tanto en su composición como su técnica de fabricación y sus formas. La uniformidad de composición y tipologías dentro de cada grupo demuestra que era hecha para toda la comunidad por unos artesanos especializados y no por los miembros de cada familia en su propia casa.

Además, del comercio con Italia, existía otro con toda Europa. El cobre y el estaño para los adornos de bronce se extraían de las mismas vetas que antes. Después de un declive durante trescientos años, las minas de sal de

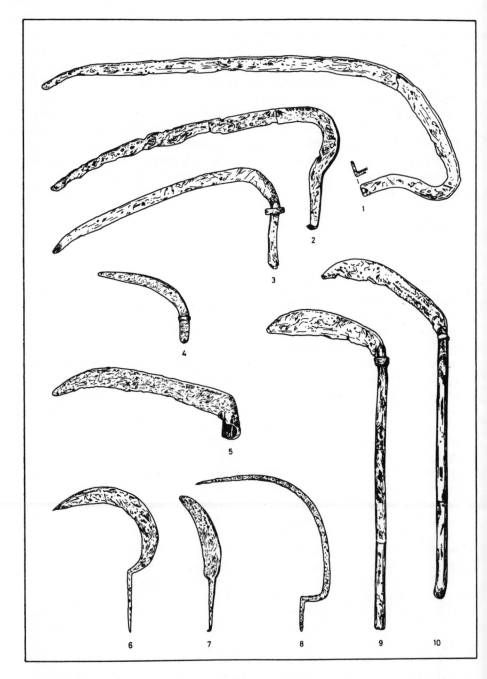

Fig. 57   Guadañas y hoces de fines del período de La Tène. Proceden de 1) Szalacska, 2) Idrija, 3) Oberleiserberg, 4) Kaposmerö, 5) Fort-Harrouard, 6, 7, 9 y 10) La Tène, y 8) Steinsburg. Los objetos 9 y 10 llevan mangos de madera. El mango del objeto 10 tiene 28,2 cm de largo.

Hallstatt reanudaron su actividad hacia el 100 a. de C. La extracción de sal empezó en Reichenhall, al sudeste de Alemania, por la misma época, mientras que la actividad de la comunidad minera del Dürrnberg declinaba, quizá a causa de la nueva competencia de Hallstatt y Reichenhall. Las minas de sal en las zonas montañosas al norte de los Alpes se explotan también ahora y existen pruebas de trabajos más intensos en Bad Nauheim y Schwäbisch, en Alemania, así como en algunos yacimientos de Polonia.

El oro y la plata se usaban para joyería y para acuñar monedas. La plata era rara al norte de los Alpes con anterioridad a este período y la mayor parte llegaría probablemente en forma de monedas procedentes del mundo mediterráneo, como paga de los mercenarios centroeuropeos que sirvieron en los ejércitos de las sociedades mediterráneas, y quizá como pago en metálico de las transacciones comerciales (las inscripciones de Magdalensberg mencionan operaciones en las que los mercaderes romanos pagaban con monedas).

La distribución de la riqueza

Durante el siglo II a. de C., como durante los períodos precedentes, la riqueza material se encuentra repartida en las tumbas de una manera bastante igualitaria. Sólo unas pocas tumbas excepcionalmente ricas, como las de Dühren, en Baden, Alemania, que contenían dos vasijas de bronce y dos espejos también de bronce, procedentes de Italia, un caldero de bronce y su soporte de hierro, dos anillos de oro, dos fíbulas de plata, cuatro brazaletes de vidrio, adornos de ámbar, una moneda de plata y diez vasos cerámicos. La cremación empezó a sustituir a la inhumación como principal sistema funerario durante el siglo II a. de C. y muy pocos objetos se colocaban en las tumbas. Durante el siglo I a. de C. fueron muy escasas las inhumaciones con ajuares. La mayor parte de la Europa central, a excepción de Renania y de los territorios más a occidente, no ha proporcionado ninguna necrópolis, sólo algún grupo aislado de tumbas. No existen necrópolis asociadas a los poblados de mayor tamaño, como por ejemplo Manching. La explicación reside en los cambios en el ritual funerario. Las tumbas de incineración sin ajuares pueden fácilmente pasar desapercibidas para los investigadores modernos. Waldhauser (1979) estudia un enterramiento importante en el interior de un espacio rectangular de finales del período de La Tène en Markvartice, en Bohemia. La tumba, consistente en un pequeño hoyo excavado en el humus superficial, contenía restos incinerados. Si la zona hubiera sufrido la acción del arado, la tumba nunca habría sido descubierta. Si muchos enterramientos se hicieron de manera similar, en pequeños hoyos sin ajuares, debieron ser todos destruidos sin dejar rastro durante los muchos siglos de cultivo transcurridos desde la Edad del Hierro.

Al norte de la zona en que se localizan los *oppida*, las pequeñas necrópolis reflejan un modelo de hábitat basado en pequeñas aldeas y granjas. La figura 58 muestra la distribución de los ajuares en una de ellas. Las úni-

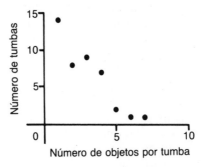

F_{IG}. 58   Distribución de los ajuares en 42 tumbas de la necrópolis de Naumburg, en el Saale (Alemania oriental).

cas partes de Europa en las que se dan los *oppida* asociados a las prácticas funerarias tradicionales son Renania y las áreas vecinas más hacia occidente. La zona alrededor de Tréveris, con unas cuarenta y cinco necrópolis fechadas en el siglo I a. de C., está particularmente bien documentada. Las tumbas tenían ajuares algo más ricos que los de las centurias precedentes, pero los objetos metálicos y cerámicos eran más sencillos y con menos variedad que antes.

La mayoría de las necrópolis de Renania eran pequeñas y mostraban pocas diferencias de riqueza, pero existen algunas excepciones. Una de ellas es la recrópolis de Wederath; corresponde al floreciente centro regional de Tréveris, que primero fue céltica y después romana. La tumba 1216 de Wederath contenía un hombre de unos cincuenta años enterrado con todo su juego de armas de hierro: una espada, dos puntas de lanza, un escudo de madera con partes de hierro y el hacha; así como su navaja de afeitar y un brazalete. Junto a él estaba enterrada una mujer adulta pero joven, con un rico conjunto de joyas de vidrio. Dieciocho vasos cerámicos acompañaban los dos cuerpos. De las once tumbas que formaban parte de la mayor necrópolis de Hoppstädten-Weiersbach, había dos que en sus ajuares contenían carros, y una de ellas, además, sesenta y nueve objetos. En Goeblingen-Nospelt, en Luxemburgo, se han hallado varias tumbas excepcionalmente ricas (fig. 59) asociadas al gran *oppidum* del Titelberg, pero todavía no se ha podido identificar una gran necrópolis. Cuatro de ellas contenían, respectivamente, treinta y uno, treinta y dos, cincuenta y sesenta objetos. De estas tumbas, dos contenían grandes cantidades de cerámicas y bronces romanos, así como armas de fabricación local y bellas joyas de metal. Unas pocas tumbas ricas se encontraron también en necrópolis más pequeñas, como la tumba en el Tréveris-Olewig y la número 2 de Neuwied. Enterramientos parecidos se han encontrado al norte y al oeste del Rin medio, en la región de la Champagne, al noroeste de Francia (Hannogne) y al este de Gran Bretaña (Welwyn). Estos ricos enterramientos del noroeste de Europa se caracterizan por la similitud de su contenido: armas, en especial espadas; vasijas para beber, incluidas las importadas del mundo romano; carros

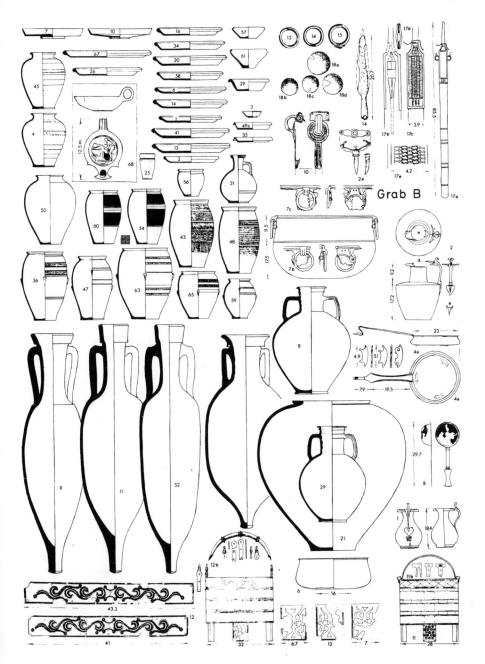

Fig. 59   Armas de hierro (arriba, a la derecha) y un amplio muestrario de cerámica romana y recipientes de metal importados procedentes de la tumba B de la Goeblingen-Nospelt.

Tabla 2. *Objetos excepcionales en las tumbas ricas entre 100-1 a. de C.*

Tumba	Espadas	Escudos	Lanzas	Cascos	Espuelas	Ánforas romanas	Vasijas de metal
Tréveris-Olewig	1		2	1			
Neuwied 2	1	1	4		2		1
Wederath 1216	1	1	2				
Goeblingen-Nospelt A	1		3		1	2	3
Goeblingen-Nospelt B	1		1		1	5	8
Hannogne	1		2			1	2
Novo Mesto	1	1	1	1			

de dos ruedas y adornos de metales preciosos. En la tabla 2 se muestran los objetos especiales para la elite que se han encontrado en estas tumbas.

La preponderancia en ellas de armas es significativa. A fines de la Edad del Bronce, la guerra se convirtió en un medio importante para conseguir riqueza. Tanto el comercio como la guerra son importantes en el desarrollo de los *oppida*, y, como Grierson ha demostrado para los comienzos de la época medieval, no siempre era fácil establecer una separación entre ellos. Un ataque con éxito a un *oppidum* podía proporcionar un rico botín a la vez que esclavos para el comercio con Roma. César menciona la práctica usual entre las tribus galas de hacer incursiones entre los grupos vecinos: «Antes de la llegada de César, casi todos los años los jefes o bien atacaban a otra tribu o bien tenían que defenderse de los ataques de otra tribu» (*La Guerra de las Galias*, 6. 15). Esta situación al norte de los Alpes pudo haber estado en gran parte influenciada por el desarrollo del comercio con Roma, que se inicia a mediados del siglo II a. de C.

Por primera vez desde la Edad del Bronce final, se enterraron numerosos depósitos de metales durante los dos últimos siglos antes del cambio de Era. La interpretación de estos depósitos plantea problemas y en las varias opiniones que se han dado se les considera almacenes de metal de los fundidores, muestrarios de mercaderes ambulantes, ofrendas votivas y tesoros escondidos en tiempo de guerra. Cualquiera que haya sido la circunstancia específica de su ocultación, los depósitos son importantes como acumulación de riqueza, es decir, un capital reunido por grupos o individuos que lo esconden bajo tierra. Estos depósitos pueden dividirse en dos categorías: los que contienen herramientas y los que contienen metales preciosos. El depósito de Kappel, al sur de Württemberg, es un buen ejemplo del primer tipo. Contenía 126 objetos de metal y un mango de asta de venado. Sólo doce de los objetos metálicos estaban enteros. Las piezas de bronce incluían un jarro importado de Italia, dos sítulas itálicas, un cucharón para vino de la misma procedencia, dos arneses, fragmentos de carros y pequeños adornos. Entre los objetos de hierro se encuentran trozos de varios morillos de gran tamaño, dos pares de tenazas, dos martillos, ocho hachas, una gubia, una cuña, un punzón, una hoja de guadaña, una hoja de hoz, un fragmento de espada y fragmentos de anillas y engarces. Este depósito constituía una acumulación de metal considerable y probablemente era propiedad de un metalúrgico bien situado, a juzgar por el gran número de instrumentos de forjador que se halla presente. El depósito de Aubstadt, con veintitrés lingotes de hierro, contenía sólo materiales sin trabajar. En el norte de Europa, el depósito de Hjortspring hallado en un pantano en la isla de Als, en Dinamarca, contenía un barco de 13 metros de largo, ocho espadas de hierro, escudos de madera, puntas de lanza de hierro y de hueso, cota de malla de hierro, vasos de madera y adornos.

Las monedas se acuñaban de manera regular en Europa en los dos últimos siglos antes del cambio de Era. El concepto de moneda se adoptó de los pueblos mediterráneos y las primeras monedas acuñadas en la Europa central tuvieron como modelo las estateras de oro de los reyes de Macedonia, Filipo II (que reinó entre 359 y 336 a. de C.) y Alejandro (rey entre 336 y 323 a. de C.). Desde el siglo IV los centroeuropeos sirvieron como mercenarios en los ejércitos mediterráneos y a muchos se les pagaba en moneda. De esta forma, muchos centroeuropeos se familiarizaron con la moneda como sistema de intercambio y como forma fácil de poder almacenar y disponer de la riqueza. La época más activa de acuñación y circulación de la moneda en la Europa central abarca desde el 120 a. de C. hasta la conquista romana. Todos los *oppida* mayores han proporcionado moldes cerámicos en los que se fundían los cuños e incluso han aparecido en asentamientos más pequeños. Las monedas se convirtieron en un medio importante de atesorar riqueza, supliendo el papel que los lingotes y los objetos de bronce habían cumplido durante la Edad del Bronce. La moneda centroeuropea era casi exclusivamente de oro o plata; fueron muy escasas las acuñadas en bronce. En realidad, hubo poca moneda en circulación en Europa para una economía que verdaderamente quisiera utilizarlas para todas las transacciones, es decir, una economía monetaria.

La mayor parte de las monedas del centro de Europa proceden de depósitos, lo que refuerza la hipótesis de que sobre todo representaban un valor en metal. Muchos depósitos contenían sólo monedas, mientras que en otros se encuentran mezcladas con otras formas de metales preciosos. En Irsching, a seis kilómetros al noreste de Manching, un depósito de más de mil monedas de oro, contemporáneo de la ocupación del *oppidum*, tiene su paralelo con el de monedas de plata hallado dentro del *oppidum* en una vasija enterrada bajo tierra. Un depósito que contenía monedas locales y romanas junto con joyas de plata se encontró en Lauterach, cerca de Bregenz, en la provincia austríaca de Vorarlberg. Contenía veinticuatro monedas de plata romanas fechadas entre el 150 y el 106 a. de C., tres monedas de plata centroeuropeas, dos fíbulas de plata unidas por una cadena de este metal, una gargantilla de plata, un pequeño anillo de plata y un pequeño anillo de bronce. El tesorillo recientemente descubierto en el yacimiento de Niederzier, cerca de Düren, al noroeste de Alemania, contenía tres anillos de lámina de oro y cuarenta y seis monedas de oro, veintiséis europeas y veinte romanas. Las monedas pesaban en conjunto 321,84 gramos, cantidad cercana a la libra romana de 327,45 gramos.

Este sistema de acaparación y disfrute de la riqueza a fines de la Edad del Hierro es parecido al de los siglos precedentes. Los depósitos de metales preciosos, herramientas y lingotes de hierro, al igual que los depósitos de fines de la Edad del Bronce, constituían excedentes de riqueza disponible y puesta al recaudo en lugares seguros. Los ricos enterramientos, como los de Goeblingen-Nospelt, y las joyas de oro y plata, eran formas de exhibir el lujo que proporciona la riqueza, de un modo muy parecido al de los centros comerciales de la primera Edad del Hierro. En el siglo I a. de C., como en los períodos anteriores, la conexión entre la acumulación de riqueza, el crecimiento comercial y el desarrollo de las ciudades es evidente. A fines de la Edad del Hierro, el nuevo instrumental para los trabajos agrícolas, metalúrgicos y otros oficios hicieron la producción mucho más eficiente para poder abastecer a comunidades mucho mayores. Sin embargo, las pautas de formación de las ciudades en la Europa de la Edad del Hierro fueron interrumpidas por la llegada de los ejércitos de aquellas tierras que habían sido la principal fuente proveedora de productos de lujo.

7. El paréntesis romano y la formación de las ciudades medievales

La conquista romana de la parte meridional y occidental de la Europa central rompió la continuidad del desarrollo europeo. Los romanos introdujeron una nueva cultura mediterránea, con verdaderas ciudades, una lengua escrita, una economía centralizada y una jerarquía política. Las comunidades europeas dentro de las fronteras imperiales quedaron supeditadas a la administración romana durante los cuatrocientos años posteriores al nacimiento de Cristo.

ROMA AL NORTE DE LOS ALPES

El 121 a. de C. los ejércitos romanos atravesaron los Alpes occidentales y establecieron la nueva provincia de la Galia Narbonense. La guerra de la Galia protagonizada por Julio César entre el 58 y el 50 a. de C. terminó con la conquista del resto de la Galia, las tierras que ahora constituyen Francia, Bélgica, parte de Holanda, la Alemania a occidente del Rin y Suiza al norte de los Alpes. El año 15 a. de C., los ejércitos romanos, a las órdenes de Tiberio y Druso, el hijo adoptivo del emperador Augusto, cruzaron los Alpes centrales y conquistaron el territorio al sur del Danubio. En el momento del cambio de Era todo el sur y oeste de Europa, así como gran parte de la zona central, había sido anexionada al Imperio romano. El único añadido posterior a este Imperio en Europa fue la tierra entre el Rin y el Danubio, los *Agri Decumates*, conquistados entre el 81 y el 96 de nuestra Era.

La conquista romana puso fin a la economía indígena europea y a su organización política, y la reemplazó por el centralismo romano. El Imperio romano era una civilización con una población urbana mucho mayor que la de las comunidades prehistóricas europeas (la ciudad de Roma tenía casi un millón de habitantes al principio de nuestra Era), el comercio y la industria dirigidos desde la capital imperial y una economía basada en

F<small>IG</small>. 60   Principales yacimientos mencionados en el capítulo 7.

la esclavitud. Inmediatamente después de la conquista, los romanos empezaron a construir ciudades de tipo mediterráneo al norte de los Alpes que diferían de los asentamientos precedentes en tamaño, en su función de
centros administrativos, y en el uso de la piedra para su construcción. Ciudades como Tréveris, Colonia, Mainz y Ausburgo eran metrópolis mediterráneas trasladadas al ambiente de la Europa templada.

Con el establecimiento de las fronteras imperiales en el centro de Europa (fig. 61), se formó un nuevo límite cultural y económico a lo largo del
Rin y del Danubio, con los romanos y pueblos a ellos sometidos al oeste y
sur y los indígenas europeos, sobre todo germanos y celtas, al este y norte.
En los últimos siglos antes del nacimiento de Cristo, algunos grupos germánicos se desplazaron desde el norte de Europa hacia la parte central y meri-

dional del continente y a fines del siglo I a. de C. los restos arqueológicos de gran parte del centro de Europa, en particular Bohemia y el sur de Alemania, muestran que las tradiciones culturales, como los modelos de asentamiento, las prácticas funerarias, los estilos cerámicos y los tipos de joyas de los pueblos célticos de la segunda Edad del Hierro, fueron reemplazadas por las de los pueblos germánicos inmigrantes. Los cambios en los modelos de asentamientos, en las prácticas funerarias y en la cultura material reflejan la preponderancia de los inmigrantes. Las tribus célticas indígenas no fueron aniquiladas ni desplazadas. Los germánicos recién llegados simplemente se establecieron como grupo dominante.

En la segunda mitad del siglo II de nuestra Era, la paz de la Europa romana era perturbada por los cada vez mayores ataques de las bandas germánicas en el *limes*. Los marcomanos, cuados y naristos de la región al este de los Alpes atacaron a través de la frontera del Danubio en el 167 y de nuevo el 170 de nuestra Era. En el 170 barrieron a los defensores romanos del *limes*, saquearon las tierras del Imperio y se dirigieron al norte de Italia, donde atacaron el puerto de la ciudad de Aquileia y otros centros urbanos. Finalmente, fueron derrotados por los ejércitos romanos, pero con posterioridad al siglo II de nuestra Era el peligro de incursiones de grupos

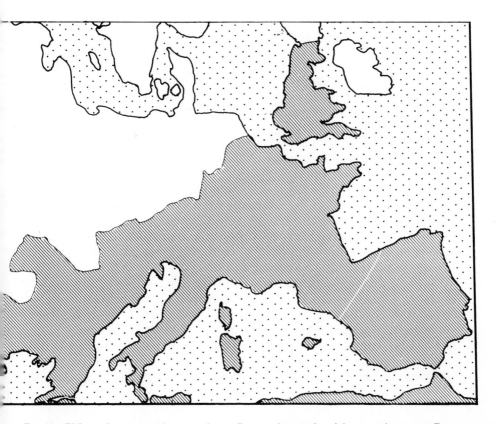

Fig. 61   El Imperio romano (área rayada) en Europa durante los siglos I y II de nuestra Era.

guerreros germánicos procedentes del norte de los Alpes estuvo constantemente presente.

A comienzos del siglo III los alamanes dirigieron una serie de ataques
contra el *limes* entre el Rin y el Danubio y entre 259 y 260 lo cruzaron y saquearon gran parte del sur de Alemania. Estas bandas fueron finalmente
deshechas cerca de Milán el 261 pero, como resultado de sus ataques, los
romanos abandonaron los *Agri Decumates* y retiraron los límites del Imperio al sur del Danubio y lago de Constanza. Los ataques continuaron durante los siglos III y IV. El curso medio y bajo del Rin era atravesado por
hordas de guerreros francos que algunas veces penetraban muy adentro del
territorio romano. A comienzos del siglo V las fuerzas romanas no pudieron
aguantar más la creciente presión de los grupos atacantes y renunciaron a
su dominio en Europa.

ECONOMÍA Y SOCIEDAD DEL PERÍODO ROMANO (1-400)

Dentro de los límites del Imperio

Los mercaderes, ingenieros y administradores romanos estaban prestos
a explotar las grandes riquezas de la Europa central. El capital romano se
invirtió en minería, manufacturas y empresas comerciales en las nuevas tierras conquistadas. Grandes centros de producción de cerámica se establecieron en la Galia y el Rin. La producción de latón se inició en Bélgica y
Renania. Colonia se convirtió en un centro productor de vidrio romano.
Mayen y sus alrededores, en el curso medio del Rin, era la fuente más importante de basalto para piedras de afilar. El hierro se extraía y procesaba a
gran escala en aquellas regiones fácilmente asequibles y con minas muy
ricas, como la Nórica, al sureste de los Alpes. Se plantaron viñedos a lo
largo del Rin y del Mosela, como también en la Galia y en todas estas zonas
se comercializaba el vino.

En las ciudades se construyeron grandes edificios públicos con piedra
local (fig. 62). Se trazaron caminos empedrados para conectar todos los
puntos del Imperio y, de forma preferente, para asegurar el rápido movimiento de las tropas en caso de revueltas o de ataques en las fronteras, pero
también para la circulación de mensajeros, viajeros y tráfico comercial. Se
construyeron puentes para cruzar los ríos.

Las tropas romanas estaban estacionadas a lo largo de las fronteras del
Imperio. Estos soldados, y los muchos trabajadores a tiempo completo que
se dedicaban a la construcción, herrería, manufactura de cerámicas y otras
industrias, requerían grandes cantidades de comida. Esta demanda estimuló altos niveles de producción por parte de la población agrícola indígena de la Europa central y de los esclavos romanos y animó la circulación
de otros elementos como las monedas romanas y los productos artesanos de
fabricación local.

Fɪɢ. 62   La Puerta Negra, la puerta de la ciudad amurallada de Tréveris, en Alemania occidental.

Además de crear ciudades y campamentos militares, los romanos también se establecieron en el campo y construyeron villas de estilo mediterráneo. Las villas rurales *(villae rusticae)* giraban alrededor de la producción agrícola y, por lo general, pertenecían y eran dirigidas por ricos romanos, muchos de los cuales vivían la mayor parte del tiempo en las ciudades, y por veteranos del ejército. Los trabajadores agrícolas eran tanto los indígenas centroeuropeos como los esclavos traídos de otras partes del Imperio. Las fincas dependientes de las villas romanas eran en gran medida autosuficientes e incluían industrias artesanas, como los fundidores de hierro, la manufactura de cerámica y el trabajo de la piel y los tejidos.

La industria y el comercio estaban organizados de una manera mucho más centralizada en el mundo romano que en la Europa prehistórica y se realizaban a gran escala. La integración de todas las provincias en el Imperio, con Roma como centro político y económico, incrementó el desarrollo del comercio a larga distancia y el crecimiento de las industrias productoras de mercancías destinadas al comercio. Por el contrario, el modelo de organización económica en el Bronce final y en la Edad del Hierro fue determinado por la existencia de pequeñas comunidades sin una jerarquía política o económica totalmente desarrollada, y la lucha para la obtención de la riqueza limitó el desarrollo de las empresas comerciales a gran escala.

Ahora el nivel social y la autoridad dependía en gran manera de la posición que los individuos tuvieran en la jerarquía romana. Los nuevos señores romanos concedieron honores a algunos individuos de alto nivel social en las sociedades indígenas europeas, como sabemos por los documentos escritos y por las ricas tumbas de los indígenas, como las de Goeblingen-Nospelt en Luxemburgo, que se fechan entre el 50 y el 10 a. de C. Sin embargo, por lo general, la población indígena se vio obligada a ocupar los escalones más bajos de la nueva sociedad romana. Servían como capataces en las fincas de los romanos ricos y como trabajadores en las industrias y en las empresas de construcción.

Fuera de los límites del Imperio

Las condiciones sociales y económicas en las tierras al norte y al este del Imperio romano en Europa eran diferentes y se parecían a las de la Europa prehistórica. Si bien los mercaderes romanos y otros viajeros cruzaban regularmente la frontera con la Germania libre y se realizaban intercambios comerciales a lo largo de toda la frontera, la influencia de los romanos fuera del Imperio fue mínima.

Después del cambio de Era las tierras más allá del Imperio fueron dominadas por los grupos germánicos. Ningún asentamiento tenía el tamaño de los *oppida* mayores de la segunda Edad del Hierro y ninguno de ellos evidencia la existencia de comunidades mayores a cien, o a lo sumo doscientos, individuos. El centro de Europa no romano mantenía una industria y un comercio a muy pequeña escala. Los numerosos yacimientos excavados y estudiados en el norte de Europa, como Feddersen Wierde, en la Baja Sajonia, y Ezinge y Wijster, en Holanda, nos ofrecen un buen panorama de los modelos económicos de esta época.

Feddersen Wierde, situado en un montículo artificial en la marca de la Baja Sajonia, junto al mar del Norte, se habitó entre fines del siglo I a. de C. y los siglos IV o V de la Era cristiana. Las casas tenían estructura tripartita, con un vestíbulo en la entrada, habitaciones para las personas y establos para el ganado, una forma de casa de campo característica de las regiones costeras del mar del Norte desde el Bronce final hasta los tiempos modernos. Durante el primer momento de ocupación, el asentamiento tenía sólo cinco casas; más tarde, creció hasta veinticinco (fig. 63). Las variantes en el tamaño de las casas, y particularmente en el número de establos para los animales, reflejan seguramente las diferencias de riqueza entre sus habitantes. En Feddersen Wierde se fabricaba cerámica y se fundía hierro. El comercio está atestiguado por la presencia de la cerámica *sigillata*, vasos y cuentas de vidrio, monedas y fíbulas romanas, así como por las piedras de afilar de basalto procedentes de Mayen. Otros asentamientos excavados muestran características similares, por ejemplo, Wijster, Ezinge, Zeijen y Fochteloo, en Holanda, Tofting, al norte de Alemania, y Gröntoft y Nørre Fjand en Dinamarca. Todos eran granjas y pequeñas aldeas con una economía agrícola y pastoril. Los establos para animales en las casas y las grandes cantidades de huesos de ganado en los asentamientos demuestran que la cría de ganado era la ocupación principal. También existían algunas manufacturas locales y algo de comercio. Las omnipresentes importaciones de lujo romanas se obtenían probablemente por intercambio de productos de cuero, carnes en conserva, animales vivos y otros productos pastoriles. También los tejidos de lana pueden haber jugado un papel importante en este comercio. Menos investigaciones se han realizado en los asentamientos de las regiones del interior del continente, pero los lugares estudiados, como Bärhorst, Glauberg y Gelbe Bürg, indican que el tamaño de las comunidades y el modelo económico es parecido a los de la costa.

La base de subsistencia de las tierras de fuera del Imperio romano era parecida a la de los últimos tiempos prehistóricos, con el mismo conjunto de granos, hortalizas y animales domésticos, complementados con las plantas y animales silvestres. El arado con vertedera era ahora de uso regular. Los surcos de arado bajo el yacimiento de Feddersen Wierde demuestran su uso en el siglo I a. de C. La utilización de establos en las zonas costeras del mar del Norte indica que se cuidaba mucho ganado estabulado durante los meses de invierno.

Existen pocos indicios de manufacturas fuera de las que cubren las necesidades locales, a excepción de las muestras de producción intensiva del hierro en algunas zonas, en particular Schleswig-Holstein, en Alemania, y en Polonia. Los asentamientos de esta región muestran una forja y fundición extensivas. El hierro se comercializaba tanto dentro de la misma Germania como a través de la frontera con el Imperio romano.

Los autores latinos se refieren a los mercaderes romanos que cruzan la frontera para comerciar con los germanos y a los germanos que entran en las tierras imperiales para realizar las mismas operaciones comerciales. Los objetos de comercio mencionados incluyen vasijas de plata romanas, monedas y vino, a cambio del ámbar, los esclavos, el cuero y el ganado de los germanos. La documentación arqueológica muestra que la cerámica romana, las ánforas vinarias, las piedras de afilar, los vasos de bronce y vidrio y las joyas fueron objeto de un extenso comercio en la Germania libre. Como en el caso de los asentamientos de la Edad del Hierro estudiados en los capítulos 4 y 6, los europeos proporcionaban materias primas en su comercio con las sociedades urbanas mediterráneas y recibían, a cambio, productos de lujo que incluían el vino y las vasijas para transportarlo y servirlo.

La riqueza en la Europa más allá del Imperio romano aparece en forma de preciosos objetos metálicos que se encuentran en las tumbas y depósitos, en especial las vasijas de bronce y plata romanas, las monedas romanas de oro y plata y las joyas, tanto de origen romano como germánico. La mayor

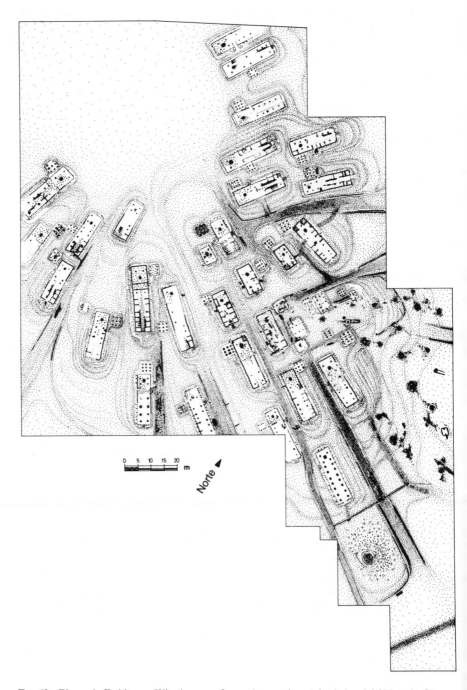

Fig. 63   Plano de Feddersen Wierde en su fase más populosa (alrededor del 300 a. de C.).

parte de los depósitos y tumbas más importantes contenían materiales romanos, ya sea solos o junto con otros objetos germánicos, un hecho que demuestra la íntima conexión entre las interacciones con el mundo romano y la acumulación de riqueza. Unos soldados alemanes que realizaban excavaciones en Hildesheim, en 1868, hallaron un espectacular tesoro de plata romana. El tesoro se escondió en algún momento de los siglos I o II de nuestra Era y contenía veintiséis vasos de plata y una mesa plegable de este material. Entre las vasijas había boles, copas, un gran caldero y también fuentes, todos ellos muy decorados con una técnica excepcionalmente perfecta. Un depósito de los siglos II o III de nuestra Era hallado en Bad Pyrmont, en Westfalia, Alemania, contenía un caldero de bronce romano, unas 250 fíbulas romanas y germánicas y monedas de plata romanas. Otro, fechable en el siglo IV d. de C. en Lengerich, Frisia oriental, contenía una fíbula de oro, dos brazaletes, tres anillos, cuatro botones y una moneda romana, todo ello de oro.

Muchos ajuares funerarios de riqueza parecida demuestran la acumulación de riqueza. Veinticinco ricas tumbas, inhumaciones la mayoría, conocidas como el grupo de Lübsow, se reparten por toda la Alemania libre y Polonia por el este y hasta Bohemia por el sur, todas ellas con estructuras y contenido parecidos. Las primeras cinco tumbas descubiertas en Lübsow, en el norte de Polonia, se hallaban bajo un túmulo de piedras. El enterramiento contenía un sarcófago tallado en un tronco de árbol y los siguientes materiales romanos: dos copas de plata, una sítula de bronce, un jarro y una jofaina de bronce, dos calderos y un espejo de bronce forrado de plata, dos copas de vidrio azul y una fíbula de oro. Los objetos locales incluían tres fíbulas, dos agujas, un cierre de cinturón de plata y dos cuernas para beber recubiertas de plata, unas tijeras de trasquilar de bronce y una vasija cerámica. Las tumbas tipo Lübsow pertenecen al siglo I d. de C., pero ricos enterramientos de los últimos siglos del Imperio romano, como las de Leuna y Hassleben, en Alemania oriental, contenían conjuntos parecidos de objetos de lujo romanos y germánicos.

Durante los cuatro siglos del Imperio romano, las fuentes de riqueza de la Germania libre eran numerosas, pero con seguridad fueron tres los mecanismos que permitieron la acumulación de riqueza de los ajuares y los tesorillos. Tácito dice que los vasos de plata a menudo eran entregados por los romanos a los jefes germánicos como presentes, presumiblemente para comprar la paz y evitar los ataques en las fronteras, y quizá también para establecer cordiales relaciones de cara al comercio organizado. Mucha de la riqueza en forma de productos de lujo romanos probablemente se obtenía por medio de este comercio. Durante los siglos III y IV, sobre todo, los objetos de lujo fueron acaparados por las hordas de asaltantes que cruzaban la frontera para saquear los pueblos y provincias de las tierras imperiales. No siempre es fácil distinguir entre el comercio de los tiempos de paz y el botín obtenido con violencia y, como Philip Grierson (1959) ha puesto de manifiesto, la diferencia no siempre debía ser tan grande como podamos imaginar.

LOS PRIMEROS TIEMPOS MEDIEVALES (400-900)

En la segunda mitad del siglo III d. de C., las incursiones germánicas a través de las fronteras del Imperio aumentaron en frecuencia y efectividad. Los grupos germánicos amigos eran instados por la administración romana para que se asentaran en territorio romano, a fin de que actuaran como colchón frente a los grupos menos amigables. Los jefes de algunas de estas tribus vieron aumentado su poder y riqueza en la sociedad provincial romana de los últimos momentos. Así, por ejemplo, Childerico, un rey franco, vivía al norte de Francia y Bélgica y ayudó a defender el Imperio frente a los sajones, godos occidentales y alanos. Fue enterrado el 482 y su tumba en Tournai, descubierta en el siglo XVI, demuestra que gozó de riqueza y prestigio. Los jefes germánicos aliados con los romanos, buenos conocedores de los mecanismos por otras tribus de su estirpe y por los administradores romanos a los que servían, jugaron un papel esencial en la formación del Imperio merovingio a fines del siglo V.

Después del abandono por los romanos de la zona europea al norte de los Alpes, a mediados del siglo V, los germanos romanizados a occidente del Rin y al sur del Danubio mantuvieron algunas industrias romanas y empresas comerciales. La producción especializada de vidrio continuó en Colonia y la joyería aún siguió elaborándose y las monedas acuñándose en otros centros que previamente fueron romanos. El comercio nunca se colapsó de manera total, ni en la Europa central ni entre ésta y el mundo mediterráneo. Con todo, la población de las ciudades de las provincias bajó durante los siglos V y VI y las manufacturas romanas gradualmente fueron dirigidas por centroeuropeos, empezando a producirse mercancías de carácter distintivamente germánico.

Los modelos de cambio se documentan muy bien, de manera especial en aquellos asentamientos que muestran una continuidad entre los tiempos romanos y el período medieval. En Krefeld-Gellep, en el bajo Rin, cuatro mil tumbas del período comprendido entre el siglo I y el 700 reflejan los cambios en las costumbres funerarias y en la cultura material. Unas pocas tumbas con armamento fechadas en el siglo III son la primera indicación de la llegada de los grupos germánicos al asentamiento. La proporción de las tumbas con armamento crece en el siglo V lo que demuestra un incremento sustancial de los elementos germánicos en la comunidad. Alrededor del quinientos las tumbas ofrecen pruebas de la llegada de gran cantidad de francos que enterraron a sus muertos con más objetos que sus predecesores.

En algunas localidades, como en Krefeld-Gellep, Colonia, Ausgburgo, y en Regensburg, los recién llegados germánicos se instalaron directamente sobre los antiguos asentamientos romanos, como ha demostrado Kurt Böhner en su estudio de la topografía de los asentamientos en la región alrededor de Tréveris. En algunos casos, como en el Lorenzberg, en Baviera, los grupos germánicos utilizaron las estructuras de piedra arruinadas y abandonadas por los romanos para sus necrópolis.

Los asentamientos

Aunque algunas ciudades romanas sobrevivieron como asentamientos germánicos, su población declinó, así como también su superficie y actividades económicas, y en los primeros cien o doscientos años después de la marcha de los romanos muchas fueron abandonadas por los germánicos. Los asentamientos característicos de los primeros tiempos medievales eran aldeas parecidas a las de Feddersen Wierde y Wijster. Como ellas, eran comunidades agrícolas y ganaderas, con una población máxima de doscientas personas y elaboraban manufacturas de carácter limitado y un comercio de una pequeña serie de productos de lujo. El asentamiento de Warendorf en el río Ems cerca de Münster, ocupado entre el 650 y el 800, es un ejemplo bien estudiado. Se excavaron ciento ochenta y seis construcciones en el asentamiento, que incluían grandes estructuras con dobles hileras de postes, con hogares y estructuras más pequeñas construidas también con

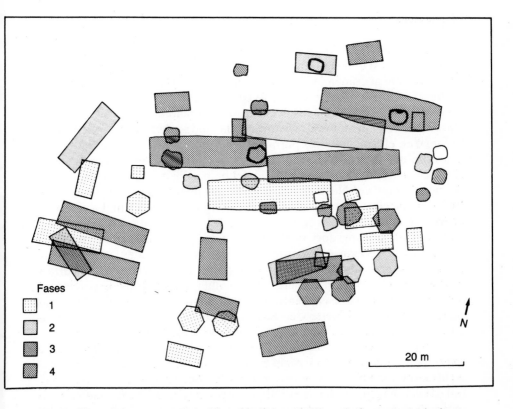

Fases
1
2
3
4

20 m

N

Fig. 64 Plano de la parte excavada del establecimiento de Warendorf que muestra las largas estructuras casa-granero y edificios más pequeños de distintas fases de ocupación. Pudieron identificarse cuatro fases sucesivas de habitación a lo largo de 150 años. Basado en Winkelmann (1958, hoja 2).

postes y con o sin hogares, humildes cabañas y pequeñas estructuras como cobertizos y pesebres (fig. 64). El asentamiento consistía en cuatro o cinco granjas y tenía una población que oscilaba entre las veinticinco y las cincuenta personas. La mayor parte de la cerámica encontrada es sencilla pero algunos fragmentos pertenecían a cerámicas importadas de talleres del Rin. Pudo recuperarse una serie de adornos y herramientas de hierro y las escorias demuestran que se fabricaron en el mismo yacimiento. Pesas de telar y *fusaiolas* prueban la confección textil. Había también cuentas y vasijas de vidrio procedentes del Rin, y piedras de afilar de basalto procedentes de Mayen. Asentamientos similares se han excavado por toda Europa, como en Gladbach, en el Rin medio, y Burgheim, en la Alta Baviera.

Las únicas comunidades que eran considerablemente mayores demográficamente hablando, eran los asentamientos comerciales de las costas del mar del Norte y del mar Báltico, como Helgö y Birka, en Suecia, Dorstad, en Holanda, y Haithabu, en Schleswig-Holstein. Éstas fueron las primeras ciudades comerciales indígenas al norte de los Alpes desde la segunda Edad del Hierro.

El comercio

Las manufacturas locales se encuentran bien representadas en asentamientos como Warendorf. El desarrollo de las industrias encaminadas específicamente al comercio fue importante en la formación de las ciudades medievales. El ejemplo más claro lo constituye la producción cerámica de la zona del Rin. A comienzos del siglo VIII se inició la producción de cerámica a gran escala en los alrededores de la ciudad de Badorf, entre Bonn y Colonia, en el Rin. Estudios pormenorizados de la cerámica de Badorf demuestran que esta manufactura se producía en este asentamiento y desde allí se comercializaba a todo lo largo del bajo valle del Rin y la costa meridional del mar del Norte, hasta lugares tan lejanos hacia el norte como Birka, en Suecia, y por el sur hasta Estrasburgo, en el alto Rin. La cerámica de Badorf se manufacturó entre el 720 y el 860 y se reemplazó por otra variedad, la vajilla de Pingsdorf, también producida para el comercio. Otras manufacturas producían objetos de metal decorado, espadas, vasijas metálicas, hierro en bruto, manufacturas de cuero, vasos y cuentas de vidrio y piedras de afilar para el comercio. Estas nuevas industrias de comienzos del período medieval se concentraban en la Renania, a lo largo de las zonas costeras del mar del Norte y en Suecia. El crecimiento de estas industrias estuvo íntimamente unido a la formación de las nuevas ciudades.

Aunque la descomposición del Imperio romano en Europa provocó la interrupción del comercio basado en los centros urbanos, el comercio local en la Germania libre se vio poco afectado. El comercio entre la Europa central e Italia se recuperó hacia el 500 y se encuentra bien representado por las monedas itálicas, copas de bronce coptas y otras vasijas y cascos ostrogodos en las tumbas de los hombres ricos. La expansión de este comercio de productos de lujo itálicos coincidió con la aparición de las primeras series de ricas tumbas posromanas, como la 1782 de Krefeld-Gellep, los enterramientos de una mujer y un muchacho bajo la catedral de Colonia y la tumba de una mujer en St. Severin de Colonia y Saint Denis de París. Todos estos enterramientos excepcionales se fechan en el siglo VI. Al igual que los ricos enterramientos de la Edad del Hierro, se caracterizan por los objetos locales de lujo (en particular, joyas de oro y armas de hierro) y por lujos exóticos de origen mediterráneo (cascos dorados, seda, adornos de púrpura). El crecimiento de las industrias en la Europa central en los primeros momentos del período medieval proporcionó productos para el comercio, no con las sociedades mediterráneas, sino con el norte de Europa. El foco comercial se desplazó desde el Mediterráneo al mar del Norte.

La distribución de la riqueza

La acumulación de la riqueza se hace evidente en las ricas tumbas de inicios del período medieval, a partir del siglo VI en adelante. La tumba 1782 de Krefeld-Gellep, fechada hacia el 525, era mayor que las de la mayoría de la necrópolis y tenía una cubierta de piedra poco usual. Contenía un conjunto extraordinario de objetos especiales, que incluían una moneda de oro, un anillo de oro con una calcedonia engarzada, dos broches de oro con incrustaciones de vidrio granate y verde, un bocado de freno de hierro y fragmentos de una jamba recubiertos con lámina de oro, un distribuidor de riendas de oro con adornos de plata y granate, un broche de cinturón de plata, una larga espada de hierro con pomo de oro y granates y pendiente con un botón de oro y una bolita de espuma de mar, una lanza de hierro, un venablo de hierro, un casco de hierro con adornos de bronce dorado, una tercera espada de hierro, un puñal y un hacha de bronce, un escudo dorado, dos cuchillos de hierro con mangos dorados y vainas con láminas de oro, un morillo para asar de hierro, una cuchara de plata, una bolsa con bisagras de plata y granates, una aguja de plata, un punzón de hierro y un conjunto de hojas y pedernales. Las vasijas de la tumba comprendían dos cubos de bronce, tres de plata, uno de oro, un jarro y una copa de vidrio, un caldero de bronce, un lebrillo con asa y un cubo de madera. Las armas y vasijas de bronce eran de origen franco, local, lo mismo que los adornos de oro. El casco y la cuchara de plata eran manufacturas ostrogodas, de Italia. Las dos piezas de vidrio eran productos de la tardía industria del vidrio romana, probablemente realizados en Colonia.

Los objetos de esta tumba son característicos de una serie de ricos enterramientos de los siglos VI y VII en la Europa continental. Como en la Edad del Hierro, esta riqueza procedía en último término del excedente agrícola y, secundariamente, del comercio que aquel excedente hacía posible (y que, a su vez, estimulaba la generación del excedente). Estos ricos enterramientos se concentran a lo largo de los ríos principales, en tierras particularmente fértiles, no en zonas de extracción de materias primeras como la sal o el hierro. Las regiones en las que son particularmente numerosos los ricos enterramientos son el área de Colonia-Bonn, la confluencia de los ríos

Mosela-Rin-Lahn, el área Rin-Main-Nahe, el valle medio del Neckar y el curso alto del Danubio.

Las condiciones generales de vida en Europa habían cambiado en muchos aspectos desde la Edad del Hierro. La población era sustancialmente mayor que antes de la conquista romana y las comunidades eran a menudo mayores que los mayores asentamientos prerromanos. La producción agrícola era ciertamente más eficiente, dado que los romanos introdujeron nuevas especies de plantas y animales y nuevos sistemas de plantación, recolección y mantenimiento de la fertilidad del suelo, mejoras que durante el período medieval se extendieron hacia el este y el norte de las antiguas tierras imperiales.

Como en la Edad del Hierro, los excedentes se utilizaban para mantener a los trabajadores especializados en las distintas manufacturas y para intercambiarlos por objetos de lujo. Importaciones como los vasos de vidrio y las piedras de afilar de basalto en los pequeños asentamientos agrícolas demuestran que las comunidades campesinas participaban de un complejo sistema de intercambio que incluía la comercialización de los productos agrícolas. Las personas enterradas en las ricas tumbas pueden considerarse básicamente que eran aquellas que jugaron el papel de negociantes, coordinando el comercio y acaparando los beneficios del mismo. El nivel social de estas personas ha sido muy discutido en la bibliografía histórica medieval. Georges Duby (1974, 43-44) afirma que durante los siglos VII y VIII, en las regiones económicamente más avanzadas de la Europa central, por primera vez los hombres de negocios consiguieron el control económico de los territorios, frente a los campesinos. Con anterioridad, las grandes comunidades campesinas, sin un poder de tipo jerárquico y centralizado, eran relativamente independientes y podían utilizar sus recursos como quisieran.

En el siglo VI la intensificación de la producción de excedentes agrícolas, y el consiguiente crecimiento del comercio, llevó a la aparición de grupos de mercaderes profesionales que jugaron un importante papel en el desarrollo del comercio a escala regional y a larga distancia, a lo largo de los siglos VII y VIII. Pueblos y naciones consiguieron un capital básico en la forma de excedentes de producción agrícola. Las crecientes huestes de mercaderes eran capaces de estimular este excedente de producción y, al mismo tiempo, animar el aumento del comercio y de las industrias especializadas. Muchos fueron los que se beneficiaron de la buena marcha del comercio y, por consiguiente, participaron gustosos en la intensificación de la producción en sus distintas esferas.

La formación de las ciudades medievales

El mismo tipo de interrelación de procesos que se refuerzan mutuamente puede identificarse en el período altomedieval, de la misma forma como se ha expuesto para las ciudades de la Edad del Hierro. Algunos excedentes generados por las comunidades campesinas se comercializaban directamente por las mercancías deseadas y otros eran invertidos por los negociantes de la región para mantener a los especialistas en cerámica, metalúrgicos y artesanos del vidrio. Los productos de estos talleres eran comercializados localmente y a tierras lejanas, como demuestran la distribución de la cerámica de Badorf, las manufacturas de vidrio del Rin, las piedras de afilar de basalto y los objetos de metal para adornos. Algunos de estos productos eran distribuidos entre las comunidades agrícolas a fin de estimular más la producción de productos agrícolas comercializables. Los hombres que coordinaron esta producción y estos sistemas de distribución fueron, en gran medida, los responsables del crecimiento comercial de este período.

Las ciudades comerciales de los siglos VI, VII y VIII se crearon para aumentar la eficiencia del comercio. Mercaderes de diferentes regiones podían llevar sus mercancías a puntos comunes de encuentro con otros comerciantes para intercambiarlas. La mayor parte de estas ciudades tienen su origen en el comercio, pero pronto se convirtieron también en centros de producción. El modelo de crecimiento comercial y de la formación de las ciudades se encuentra bien representado en el centro de Suecia, donde los asentamientos de Helgö y Birka, ambos en islas del lago Mälar, al oeste de Estocolmo, han sido extensamente excavadas. Helgö estuvo en actividad en el período 400-800. Su papel en el comercio a larga distancia ha quedado de manifiesto por el descubrimiento de productos exóticos como una figurita de Buda procedente de la India, una cruz obispal de Irlanda, un cucharón copto de Egipto y cerámica de Badorf de la zona del Rin. La comunidad también producía mercancías para la exportación. Se han recuperado los moldes para fundir joyas y vainas de espada, así como lámina de oro utilizada para la confección de joyas. Escorias de hierro y yunques para forja atestiguan la actividad metalúrgica y la fundición de bronce, oro y plata. Wilheem Holmqvist, el arqueólogo que la excavó, piensa (1976) que Helgö proporcionaba, con sus talleres, productos manufacturados a gran parte de Escandinavia y que era un centro comercial del hierro en bruto que mandaba a la Europa central. Las materias primas de origen local, como las pieles, el cuero, la miel, la cera y la brea pueden también haberse exportado hacia el sur, si bien, por descontado, ningún rastro queda en el registro arqueológico.

Birka, a seis kilómetros al noroeste de Helgö, la sustituyó como centro comercial de la región y tuvo su momento de esplendor entre los años 800 y 1000. En Birka se han hallado pruebas de industrias similares a las de Helgö y los productos traídos por el comercio indican unas relaciones comerciales parecidas. Las tumbas de Birka contenían monedas árabes, francas y anglosajonas, cerámicas eslavas y francas, sedas chinas y pesas y balanzas utilizadas por los mercaderes. A juzgar por las trescientas tumbas conocidas de Birka, la cifra de su población puede haber rondado las quinientas personas, parecida a la de las mayores ciudades de la primera Edad del Hierro y a la de los pequeños *oppida* de la segunda Edad del Hierro.

Otros centros comerciales del Báltico y del mar del Norte y de las costas de Escandinavia proporcionan un panorama parecido. Kaupang, al sureste de Noruega, Ribe, en la costa occidental de Jutlandia, y Löddeköpinge, al sur de Suecia, han proporcionado cerámica procedente del Rin y del este de

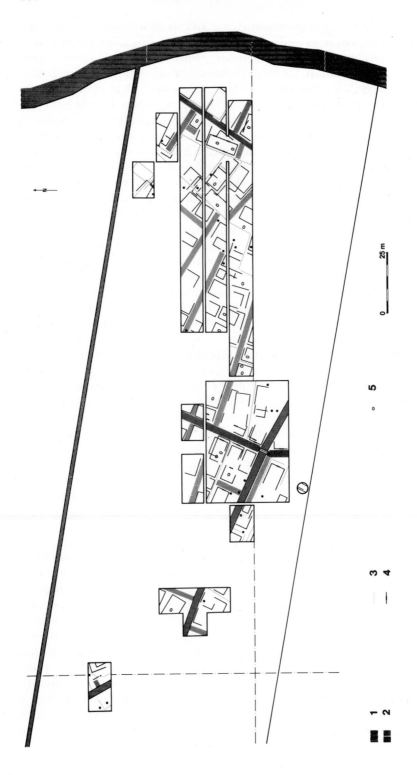

Fig. 65   Plano de una porción del área excavada del yacimiento de Haithabu. Descripción de los símbolos: 1, arroyo; 2, calles y vías; 3, defensas; 4, paredes y salidas; 5, hogares.

Europa, monedas de diversa procedencia y talleres que fabricaban cuentas de vidrio, vasijas de esteatita y piezas de metal.

En el continente se desarrollaron ciudades parecidas: en Dorstad, en la desembocadura del Rin, y en Haithabu, cerca de Schleswig, al sureste de la península de Jutlandia. La cerámica de Dorstad, la mayor parte de la cual se fabricó en Renania, fecha el yacimiento entre el 700 y 900. Otros productos extranjeros incluyen cuentas y vasijas de vidrio, y piedras de afilar de basalto. También estaban activas en Dorstad industrias de bronce y hierro, producción textil, trabajo del hueso y del ámbar.

Haithabu se fundó en el siglo VII (fig. 65). En contraste con otros asentamientos, no tenía población en su *hinterland*. La situación de Haithabu en el Schlei, una bahía del mar Báltico, la convertía en punto de encuentro de los productos que venían del mar Báltico, y del mar del Norte y su transporte por tierra a través de los diecisiete kilómetros que separan Haithabu del río Treene permitía la rápida llegada de las mercancías al extremo meridional de Jutlandia. Aunque los alrededores de Haithabu carecían de bienes comerciables, el asentamiento se convirtió en el mayor centro comercial de las primeras fases de la Europa medieval y, por lo menos después del 900, también en un centro industrial. En ella encontramos cerámica de Renania y de las tierras eslavas del este de Europa. La piedras de afilar de basalto de Mayen se llevaban a Haithabu sin desbastar y allí se cortaban y se terminaba el producto. Se realizaban trabajos de hierro, joyas, objetos de vidrio, textiles y adornos de hueso.

En Gran Bretaña el principal puerto comercial durante los siglos VIII y IX fue Hamwih, el moderno Southampton. La importación extensiva de cerámicas, vidrio, objetos de metal y objetos de hueso demuestra la intensidad del comercio con el continente, en particular con las áreas del norte de Francia y Renania. Las manufacturas locales trabajaban el hierro, el bronce, la plata, el cuero, la cerámica, los tejidos y el hueso.

Con la excepción de Dorstad, en el bajo Rin, y Hamwih, en Gran Bretaña, todas estas ciudades comerciales de los siglos VIII y IX se localizan en regiones nunca conquistadas por los romanos. Los romanos nada tuvieron que ver con los orígenes de estas ciudades medievales. Ninguna se encontraba en territorios gobernados de forma estatal, si bien, como Randsborg ha argumentado recientemente (1980), podría haberse desarrollado una organización estatal en Dinamarca en el siglo X. Estas primeras ciudades comerciales medievales no eran centros políticos ni administrativos. En este aspecto, eran parecidas a las ciudades comerciales de la primera y segunda Edad del Hierro.

La separación de las funciones políticas y administrativas de los centros comerciales está particularmente bien demostrada en el caso de Hamwih. El centro político de Winchester se encontraba sólo a dieciocho kilómetros río arriba del Itchen. Martin Biddle define el primer Winchester medieval como «real, eclesiástico, ceremonial, heredero de una antigua y todavía viva dignidad», y a Hamwih como «multitudinario, cosmopolita, comercial, con grandes expectativas». Las dos comunidades estaban estrechamente relacionadas, una como capital política y religiosa de Wessex, y la otra como su centro comercial. Fue esta última la que se convirtió primero en ciudad.

Estas ciudades del norte de Europa representan el primer estadio del desarrollo urbano de Europa, un proceso estudiado por Pirenne (1925) y otros, básicamente desde una perspectiva histórica. A partir de los siglos VIII y IX, la producción agrícola intensiva, la expansión de la actividad manufacturera y el aumento del comercio siguieron fortaleciéndose mutuamente y dieron como resultado el crecimiento de los centros comerciales, un proceso que culminó en la aparición de las grandes ciudades del Renacimiento y de la primera Europa moderna.

Resumen

La formación de las sociedades complejas (cómo evolucionaron las ciudades y los estados y, de modo más general, cómo se desarrolló el mundo moderno a partir de sus raíces prehistóricas) ha sido un tema muy tratado por la investigación antropológica durante las dos últimas décadas. La mayoría de los investigadores del origen del urbanismo y del Estado se han centrado en dos partes del mundo, el Próximo Oriente y Mesoamérica, en las cuales tuvieron lugar los desarrollos urbanos «pristinos» (es decir, en donde ninguna sociedad urbana vecina podía haber tenido un papel preponderante en el cambio hacia el urbanismo). En estudios recientes, Klaus Randsborg (1980) y Richard Hodges (1982) han aplicado modelos teóricos generados por estas regiones a la formación del primer urbanismo en la Europa medieval, pero pocos trabajos monográficos se han centrado en el surgimiento de los centros comerciales de la Europa templada prehistórica.

En la prehistoria de la Europa septentrional y central nunca existieron centros urbanos de la categoría de los del Próximo Oriente y de Mesoamérica, pero en los últimos siglos previos al nacimiento de Cristo, como se ha subrayado en este libro, emergieron centros comerciales que de forma justificada pueden llamarse ciudades y que tienen muchas similitudes importantes con ciudades europeas posteriores y con los primeros centros urbanos de otras partes del mundo. El estudio del aumento de la complejidad cultural europea necesariamente tiene que ser distinto de los del Próximo Oriente y Mesoamérica, en gran parte debido a las posibilidades y dificultades que derivan de distintos medios y culturas.

La mayoría de explicaciones ofrecidas sobre el origen de las ciudades y la organización estatal en el Próximo Oriente y Mesoamérica no son aplicables a la Europa templada. Por ejemplo, el riego, importante para la intensificación de la agricultura en el Próximo Oriente, necesitó un enorme gasto de capital y una compleja labor de organización, lo que Karl Wittfogel (1957) y otros han interpretado como los factores que motivaron el desarrollo del urbanismo. Pero en el medio húmedo y fértil de la Europa templada la irrigación era innecesaria. La diversidad del medio y la organización de los sistemas comerciales para importar distintos productos a las localidades donde no podían obtenerse de manera natural figuran como explicación de los orígenes del urbanismo en Mesoamérica y, hasta cierto punto, en el Próximo Oriente. Pero estos factores eran menos significativos en la Europa templada, en donde el medio era mucho más homogéneo. No tenemos pruebas de que las instituciones teocráticas jugaran un papel importante en la formación de las ciudades europeas, al contrario de lo que puede haber ocurrido en otras áreas; las primeras ciudades europeas se establecieron como centros comerciales.

Para el caso europeo, algunos investigadores han argumentado que la formación de las ciudades comerciales entre el 600 y el 500 a. de C. (capítulo 4) fue el resultado específico de las interacciones con las sociedades urbanas mediterráneas, en particular desde la importación de objetos manufacturados lujosos de estas sociedades estatales. Pero, como he demostrado, no fue la llegada de las mercancías lujosas del Mediterráneo y su distribución por Europa lo que condujo a la formación de los centros comerciales; fueron más bien los esfuerzos organizativos para producir mercancías para intercambiar por estos lujos deseados. Éste fue el proceso esencial detrás del desarrollo de las villas y ciudades de la primera y segunda Edad del Hierro y, después del período romano, de los inicios de la Edad Media. Los dos procesos (llegada y distribución de las mercancías de lujo por un lado y organización de la producción por otro) estuvieron íntimamente relacionados, pero es importante su distinción. En Hallstatt, un centro minero y comercial (capítulo 3), no hay indicios de ninguna conexión con las sociedades urbanas. La formación de las ciudades de Eslovenia en los siglos VIII y VII a. de C. puede entenderse de manera parecida, por el crecimiento del comercio y de la producción para este comercio entre las sociedades de la Europa prehistórica, sin ningún contacto importante con las sociedades urbanas mediterráneas.

En el modelo que aquí proponemos, los factores críticos en el desarrollo de las primeras ciudades de la Europa templada fueron el crecimiento del comercio a fines de la Edad del Bronce, la iniciativa individual y la motivación de las comunidades a producir aquellos productos que pudieran ser intercambiados por los lujos deseados. El inicio de la intensificación de la producción se dio durante el Bronce final. Las mayores cantidades de bronce hicieron posible una mayor acumulación de la riqueza personal, así como una más eficaz producción de herramientas agrícolas y armas, todo lo cual contribuyó a generar mayores excedentes para alimentar el comercio y las manufacturas. A partir del 1000 a. de C. la economía de subsistencia, los sistemas comerciales y las técnicas artesanales permitieron la aglomeración de gran número de individuos en los centros de producción que generaban mercancías para el intercambio con los productos de lujo ansiados. El deseo de acumular estos lujos movía a los individuos a producir más.

El mismo proceso se desencadenó en distintas épocas y lugares de Europa durante el último milenio a. de C. y, de nuevo, varios siglos después del final del mundo romano. Sólo con la formación de algunas ciudades en los siglos IX y X en la Europa central y septentrional, algunas de estas comunidades se convirtieron en permanentes. Siguieron creciendo a lo largo de la Edad Media y algunas siguen existiendo en nuestros días.

Notas bibliográficas

Introducción

Para posibles vías alternativas al estudio de la progresiva complegidad en la protohistoria europea, véase Redman, 1978 para el Próximo Oriente. Revisa una serie de modelos que se han aplicado al desarrollo del urbanismo y civilización en esta parte del mundo, incluyendo los que se centran en los sistemas de irrigación, en la especialización artesana, en la presión demográfica, en el comercio local y, a larga distancia, y en el sistema ecológico. A causa de las grandes diferencias entre el medio natural del Próximo Oriente y Europa, sólo los aspectos referidos a la especialización artesana y al comercio pueden aplicarse a la protohistoria europea y ambos se han tratado en este libro.

Con respecto a Europa, Alexander (1972) distingue un número de funciones en las primeras villas y ciudades que podrían servir como vías para el estudio de sus orígenes. Aquéllas incluyen factores políticos, comerciales, industriales, culturales y sociológicos. De ellos, Alexander incide en los comerciales e industriales como particularmente importantes para el desarrollo de Europa.

Sobre el uso de la analogía en la interpretación arqueológica, Leach (1977) y Leone (1982) consideran las posibilidades de reconstrucción de los modelos cognitivos del pasado a partir de la evidencia arqueológica. La bibliografía sobre la analogía entre etnografía y arqueología es abundante; véase, por ejemplo, Orme (1981) y Hodder (1982). El estudio histórico directo ha sido relativamente poco aplicado a la protohistoria europea por los investigadores que se dedican a los cambios culturales, si bien los científicos que trabajan en una línea más tradicional han demostrado la validez de esta vía. Véase, por ejemplo, Jackson (1964), que constituye un intento importante de conectar la literatura irlandesa altomedieval con la Edad del Hierro de Europa continental; y Ross (1967), que estudia las pervivencias del arte y los rituales. Muchos trabajos sobre la Europa central y septentrional han mostrado la continuidad de la economía y el modelo de los asentamientos; véase Jankuhn (1969), Müller-Wille (1977a) y Pauli (1972, 1974, 1978, 1980a). Kahrstedt (1938) aplica un modelo de revolución política y social a los cambios de la primera Edad del Hierro; Werner (1961) utiliza los datos medievales sobre el comercio a larga distancia para aproximarse a los modelos de la Edad del Hierro.

Capítulo 1. Las primeras ciudades de la Europa prehistórica

Véase Childe (1950) para las diez condiciones que deben darse en el Próximo Oriente y Mesoamérica para hablar de ciudades. Adams (1960) discute los criterios de Childe sobre el urbanismo en el Cercano Oriente y Mesoamérica, véase Adams (1966), Rathje (1971, 1972) y Redman (1978). Importantes estudios de las ciudades y villas de la protohistoria y de inicios del período medieval en Europa pueden encontrarse en Werner (1939), Christ (1957), Hrubý (1965), Neustupný (1969, 1970), Alexander (1972), Denecke (1973), Biddle (1976), Collis (1976, 1979), Nash (1976), Milisauskas (1978) y Hodges (1982). Sobre el tamaño relativamente pequeño de las ciudades europeas con anterioridad a los tiempos modernos véase Braudel (1981). Una buena geografía general de Europa es la de Malmström (1971).

INTENTOS DE URBANISMO EN LA EUROPA PREHISTÓRICA

Las excavaciones en asentamientos específicos se encuentran descritas en los siguientes trabajos: Buchau: Reinerth (1928, 1936). Goldberg: Schröter (1975). Little Woodbury: Bersu (1940). Heuneburg: Kimmig (1975a, 1975b). Manching: Krämer (1975). Třísov: Břeň (1966). Závist: Motyková, Drda, y Rybová (1978). Hrazany: Jansová (1965). Staré Hradisko: Meduna (1970). Steinsburg: Spehr (1971). Danebury: Cunliffe (1976). Los estudios sobre la protohistoria europea que incorporan paralelismos antropológicos son los de Jankuhn (1977), Jankuhn, Schützeichel y Schwind, eds. (1977), Wahle (1964); Moberg (1977, 1981), Stjernqvist (1972, 1981), Randsborg (1973, 1974, 1980), Neustupný (1969), Otto (1955), Otto and Herrmann, eds. (1969), Child (1930, 1951, 1958). Sobre la organización de la metalurgia, véase Rowlands (1972). Los argumentos sobre los orígenes de los centros de la primera Edad del Hierro, en Filip (1962, 1978). También pueden verse Frankenstein y Rowlands (1978). Sobre los *oppida* de la segunda Edad del Hierro, véase Crumley (1974a, 1974b), Nash (1976, 1978a, 1981) y Alexander (1972). Para la distinción entre los dos tipos principales de comercio el elitista intercambio de regalos de lujo y el comercio basado en el valor, véase Hawkes (1940, 380) y Rowlands (1973, 596). Sobre una idea similar en otro contexto, puede verse Tourtellot y Sabloff (1972), Clark y Piggott (1965, 308) apuntan que puede haberse formado una «clase de mercaderes» a fines de la Edad del Bronce. Sobre el ejercicio de la libertad de acción y de trabajo de los individuos en su propio interés, véase Glassie (1977).

LA ACUMULACIÓN DE RIQUEZA EN LA PREHISTORIA

Para el comercio neolítico, véase el resumen de Wyss (1969). Sobre las tumbas de Bell Baker, véase Harrison (1980). Sobre Varna, véase Ivanov (1978), resumido por Renfrew (1978). La necrópolis de Straubing fue publicada por Hundt (1958); la de Branč, por Vladár (1973) y por Shennan (1975). Los mapas de distribución de los lingotes de cobre y bronce se hallan en Kleemann (1954) y Hundt (1974). Sobre el rico grupo de tumbas de Leubingen, véase Grössler (1907) y Otto (1955). Para una visión de conjunto de los objetos del Bronce medio, véase Pirling (1980) y Stary (1980). Sobre la cultura de Wessex en Gran Bretaña, véase Megaw y Simpson, eds. (1979, 207-230). Sobre los depósitos de este período, véase Primas (1977a).

LA BASE ECONÓMICA

Para la descripción de las condiciones de vida y las actividades cotidianas de los campesinos europeos, lo que probablemente proporcione una clara visión de cómo era su vida en la protohistoria, véase Homans (1942) y Duby (1968) para el período medieval; y Fél y Hofer (1972) y Hartley (1979) para la época moderna. Percival (1980) describe un experimento sobre el modo de vida en la Edad del Hierro que sutilmente remarca los contrastes entre la moderna vida urbana y la existencia en la prehistoria. Los experimentos de la granja Butser están descritos en Reynolds (1979). Sobre la supuesta baja producción agrícola de la Europa medieval, véase Duby (1974). Véase también Sahlins (1972, 137-138), para quien las comunidades campesinas no tendían a producir excedentes a menos que tuvieran un motivo especial para ello.

EL TRUEQUE

Para los mecanismos de intercambio en las sociedades tradicionales, véase Polanyi (1944, 1959), Finley (1973), Sahlins (1972) y Dalton (1977). Para los debates sobre la complejidad de los distintos mecanismos en la Europa prehistórica, véase Grierson (1959), Bloch (1961) y Herlihy (1971). Para los primeros textos que tratan básicamente de intercambios entre personas de la elite social, véase Finley (1965a), Mauss (1967) y Charles-Edwards (1976). Para ejemplos de comercio en sociedades tradicionales faltas de mercados, pero en las que las operaciones comerciales se realizan de acuerdo con el valor de las mercancías, más bien que por obligaciones de carácter social, véase Spicer, ed. (1952). Para ejemplos de artesanos a tiempo parcial que se dedican a producir comida la mayor parte del año y también desarrollan una actividad estacional para el comercio, véase Rowlands (1972), Fél y Hofer (1972) y Papousek (1981).

LOS NEGOCIANTES

Para los negociantes en general véase Greenfield, Strickon y Aubey, eds. (1979), especialmente los artículos de Greenfield y Strickon y Colson (1972). Sobre los negociantes no occidentales, véase Firth y Yamey, eds. (1964), en especial la introducción de Firth y Firth (1965). Los comerciantes en el Próximo Oriente antiguo: Adams (1974). Los negociantes en el mundo mediterráneo en la Antigüedad: Knorringa (1926) y Finley (1973). Sobre el pillaje como fuente regular de ingresos en los primeros tiempos medievales europeos, véase Bloch (1961) y Grierson (1959).

El análisis de Herskovits de la economía primitiva proporciona numerosos ejemplos de funcionamiento empresarial. Según Herskovits, el objetivo de conseguir un beneficio no es raro entre los pueblos modernos no occidentales y conceptos como crédito y préstamo con interés se encuentran bien documentados en las sociedades tradicionales no monetales (1940, 225-230). Medidas de valor como las barras de sal en África y los granos de cacao en el México prehispánico, son frecuentes en las transacciones por trueque (214-215) y valores fijos para los intercambios regulares son corrientes entre las partes implicadas en un comercio regular (206-216). Véase también Dalton (1977, 199) para los productos medida de valor que él llama «moneda primitiva». Los intermediarios son comunes en los sistemas comerciales y a menudo son capaces de generar beneficios con su esfuerzo: Herskovits (1940, 216-225). El trueque de trabajo por productos está también bien documentado en los medios tradicionales: Herskovits (1940).

LA DISTRIBUCIÓN DE LA RIQUEZA

Para las diferentes interpretaciones de los datos etnológicos y arqueológicos, véase Deetz (1977a, 1977b) y Ferguson (1977). Sobre los intentos de interpretar los primitivos enterramientos medievales como documentos sobre la estructura social, véase Böhner (1958) y Christlein (1973, 1979). Véase también Steuer (1979) para las fuentes arqueológicas y Bloch (1961) y Duby (1974) para las documentales. Sobre la utilidad de la riqueza material como criterio para asegurar un determinado nivel social, véase Demos (1970, 37-38), Christlein (1973) y Dethlefsen (1981, 137). Para la conexión entre la riqueza material de las tumbas y el poder y nivel social, véase especialmente Böhner (1958) y Steuer (1979). La tumba de Childerico, un rey franco sepultado el 482 a. de C., proporciona una valiosa prueba de la conexión entre la riqueza material y la posición social: Böhner (1970, 84-88). Para el estudio en general de la riqueza y la posición social en las sociedades tradicionales véase Sahlins (1963, 1972) y Oberg (1973).

Para la interpretación de la riqueza en los enterramientos, véanse los trabajos de Chapman, Kinnes y Randsborg, eds. (1981), en especial las conclusiones de Chapmann y Randsborg y el artículo de Brown. Véase también Ucko (1969), Binford (1971), Christlein (1973) y Steuer (1979). Sobre los criterios para determinar qué ajuares se colocan en una tumba, véase Bruck (1926), Binford (1971), Kurtz y Boardman (1971) y Brown (1981). Se han llevado a cabo intentos de comparar los valores de los ajuares prehistóricos por Winters (1968) y Rathje (1970). Coles (1973, 1977, 1979) ha estudiado el tiempo y esfuerzo requerido para producir los objetos. Intentos de calibrar y comparar la riqueza en las tumbas de la Europa prehistórica se encuentran en Randsborg (1973, 1974, 1980). Sobre la suma de objetos en las tumbas para conocer la riqueza relativa, véase Kilian-Dirlmeier (1970, 1974), Čižmář (1972), Waldhauser, ed. (1978) y Randsborg (1980). Sobre la diferente distribución de la riqueza en los enterramientos masculinos y femeninos, puede verse Arnold (1980). Para la riqueza como función de las familias más que de los individuos, véase Tax (1953, 189). Para la riqueza y su distribución entre las familias y los individuos a inicios de la era moderna, véase Laslett (1973) y Mittauer (1979).

LA INTEGRACIÓM POLÍTICA

Para el esquema de las bandas, tribus, principados y estados, véase Service (1962) y sobre sus aplicaciones a la Europa prehistórica, véase Renfrew y Shennan, eds. (1982). Para los primeros centros político-rituales a inicios de la Edad Media y su diferenciación de los centros comerciales, véase Macalister (1931) y O'Riordain (1964) para Tara; Biddle (1973) para Winchester y Lindqvist (1936) para Uppsala. El estudio de Biddle sobre Winchester es particularmente ilustrativo de la separación entre los centros comerciales y los político-rituales.

LOS CAMBIOS

Para los cambios culturales en general, véase Barnett (1953) y Rogers y Shoemaker (1971). Un trabajo particularmente lúcido y bien acabado sobre la economía y los cambios sociales a través del contexto arqueológico puede encontrarse en Renfrew (1972). (El mundo egeo del tercer milenio a. de C. era culturalmente y desde el punto de vista del medio muy distinto de la Europa prehistórica, y por ello no pueden establecerse comparaciones específicas.) Para la conexión entre las conductas de los negociantes y los cambios, véase, en especial, Barth (1963) y los trabajos de Greenfield, Strickon y Aubey, eds. (1979). Sobre el ansia de riqueza y prestigio como presión humana universal véase Herskovits (1940).

Capítulo 2.   Europa en el 1000 a. de C.

Para los grandes cambios culturales de fines de la Edad del Bronce véase Otto (1978), Peroni (1979) y Coles y Harding (1979).

EL PAISAJE, LA POBLACIÓN Y LOS ASENTAMIENTOS

Estudios generales sobre el panorama de la prehistoria europea son los de Clark (1952), Jankuhn (1969) y Piggott, ed. (1981).

Opiniones muy interesantes sobre los distintos grupos regionales pueden verse en McEvedy y Jones (1978). También sobre las poblaciones prehistóricas, véase Acsádi y Nemeskéri (1970) y Donat y Ullrich (1976). Para el asentamiento de Elp, consúltese Waterbolk (1964). Para las expectativas de vida en la Europa prehistórica, véase Acsádi y Nemeskéri (1970, 211) y Pauli (1980a, 135, 314 n. 19). Para la demografía de los primeros asentamientos modernos en la Europa central, véase Schönberger (1926). Sobre las necrópolis, consúltese Eibner (1974) para St. Adrä; Müller-Karpe (1957) para Grünwald, Unterhaching y Gernlinden; y Müller-Karpe (1952) para Kelheim. En muchas regiones no se conocen necrópolis que tengan más de diez tumbas, como, por ejemplo, en Nord-Württemberg: Dehn (1972, 39). Respecto a la regularidad de los asentamientos a pequeña escala en toda Europa, véase Bouzek, Koutecký y Neustupný (1966, 111).

Ejemplos de asentamientos en el llano son Künzing: Hermann (1974-1975); Hascherkeller: Wells (1983); Aulnay-aux-Planches: Brisson y Hatt (1967); Lovčićky: Říhovský (1972). Para un estudio general sobre tales asentamientos, véase Šaldová (1981). Los asentamientos junto a lagos incluyen Wasseburg Buchau: Reinerth (1928, 1936); Zug-Sumpt: Speck (1955); y Auvernier: Rychner (1979). Entre las plazas fuertes están Wittnauer Horn: Bersu (1945, 1946), Kastenberg: Laur-Belart (1955); Lochenstein: Bersu y Goessler (1924); y Hohlandsberg: Jehl y Bonnet (1968, 1971) y Bonnet (1974). Para este tipo de asentamientos en general, véase Coblenz (1967), Herrmann (1969), Šaldová (1977) y Jockenhövel (1974). La mayor parte de los estudios sobre yacimientos citados hasta el momento incluyen análisis de las viviendas, pero puede también verse el trabajo monográfico de Herrmann (1974-1975). Sobre las casas de planta circular en Gran Bretaña: Bradley (1978). Para la economía de las distintas comunidades, véase una síntesis en Wyss (1971b) y Coles y Harding (1979). Los niveles de destrucción de los yacimientos están descritos en Bersu (1945, 81) y Härke (1979, 26). Las horas de trabajo que fueron necesarias para construir los grandes terraplenes pueden encontrarse en Coles (1973, 1979) y Burl (1979).

LA ECONOMÍA DE SUBSISTENCIA

Estudios generales sobre la subsistencia son los de Clark (1952) y Jankuhn (1969).

Plantas comestibles. Renfrew (1973) dio una visión de conjunto sobre las plantas utilizadas. Una bibliografía sobre los hallazgos de plantas en los yacimientos prehistóricos del norte y del centro de Europa puede hallarse en Körber-Grohne (1981); véase, también, Lüdi (1955). Para los datos recientes de la etnografía europea sobre los esquemas y tecnología agrícola, véase Fél y Hofer (1972), Hartley (1979) y Piggott, ed. (1981). Para los utensilios agrícolas preshistóricos, véase Rees (1979, 1981). Un mapa de la distribución de los hallazgos de arados prehistóricos está en Glob (1951, 13, fig. 5). Para las rocas grabadas con escenas de arado véase Anati (1961) y Glob (1954).

La tecnología agrícola. Excelentes ilustraciones de los distintos tipos de arados se reproduen en Steensberg (1936) y Glob (1951). Sobre el posible uso del arado en el neolítico, véase Glob (1951, 124-125) y Kjaerum (1954).

Para la descripción de las herramientas específicas, pueden consultarse los siguientes libros. Para las hoces: Steansberg (1943). Las primeras hoces de metal en la Europa central a comienzos del Bronce medio: Filip (1969, 1289), Courtin et al. (1976, 175) y Primas (1977a, 164). Para el depósito de Frankleben: Von Brunn (1968, 319). Otros depósitos que contienen hoces: Müller-Karpe (1959); Von Brunn (1968) y Herrmann (1966). Para las hoces halladas en depósitos de los poblados: Reinerth (1936, pl. 39, 2) para Buchau, y Wyss (1971b, 137, fig. 21, 2) para Zürich-Haumesser. Sobre los mangos de madera de las hoces halladas en los asentamientos suizos lacustres: Ruoff (1971, 81) y Wyss (1971b, 137, fig. 21, 1-2). Moldes para noces en depósitos de los yacimientos: Von Brunn (1968, 240, n. 1). Von Brunn apunta la posibilidad de que las hoces se fundieran en numerosos pequeños asentamientos por toda Europa (1968, 240-241). Véase Bradley (1978) para una visión general sobre los sistemas agrícolas. Wailes (1970, 282, fig. 2) propociona un mapa de la distribución de los distintos sistemas de agricultura prehistórica en Europa. Para un estudio más profundo del campo, véase Clark (1952, 98-99, 106-107), Piggott (1965, 250) y Peroni (1979, 9).

Los animales domésticos. Para los animales domésticos en la Europa prehistórica, véase en especial, Boessneck *et al.* (1971), Bökönyi (1974) y Jankuhn (1969). Para la utilización del ganado, véase Sheratt (1981), y para los establos, Müller-Wille (1977a) y Waterbolk (1964).

LAS MANUFACTURAS

La cultura material en el Bronce final. Hay muchos estudios sobre la cerámica; véase, por ejemplo, Unz (1973). Para los objetos de bronce véanse las series *Prähistorische Bronzefunde* publicadas por C. H. Beck, de Munich. Para el instrumental lítico utilizado en este período, véase Herrmann (1966). Para el trabajo en madera, Coles, Heal y Orme (1978) y Schweingruber (1976). Los asentamientos lacustres suizos proporcionaron abundantes objetos de madera, véase al respecto Speck (1955), Wyss (1971a) y Primas y Ruoff (1981). Para la primera producción de hierro en este período, véase Vogt (1949-1950), Kimmig (1964), Pleiner (1980) y Šramko (1981). Para el vidrio: Haevernick (1978). Para la producción textil: Hald (1950) y Hundt (1970). Para el trabajo del oro: Eogan (1981) (con catálogo y bibliografía).

La organización de las manufacturas. Los hornos localizados en yacimientos determinados están estudiados por los siguientes autores: Elchinger Kreuz: Pressmar (1979). Hohlandesberg: Jehl y Bonnet (1968). Sévrier: Bocquet y Couren (1974). Breisach-Münsterberg: Bender, Dehn y Stork (1976, 217-220). Buchau: Pressmar (1979, 31). Hascherkeller: Wells (1983). Los asentamientos del valle del Saona en Bonnamour (1976). Sobre los ceramistas en las sociedades tradicionales, véase David (1972). David y David-Hennig (1971) y Papousek (1981). Sobre los depósitos de grafito y su comercio, véase Kappel (1969).

La distribución de los yacimientos de cobre en Europa está estudiada por Gimbutas (1965, 21, fig. 2) y Muhly (1973). Para los hallazgos de las minas de cobre del Tirol y Salzburgo, véase Pittioni (1951, 1976) y Neuninger, Pittioni y Preuscher (1969). Sobre la necrópolis del Lebenberg, véase Pittioni (1952) y Eibner Plank y Pittioni (1966). Los lingotes de cobre procedentes de depósitos se encuentran reproducidos en Müller-Karpe (1959, pls. 139, A28, 164, 37, 175, 132, 177, C1-2) y Von Brunn (1968, pl. 184, 15-20). Los lingotes de Zürich-Wollishofen están reproducidos en Wyss (1967a, pl. 16, 7, 8). Jockenhövel (1973) estudia los lingotes aparecidos en los enterramientos. El depósito de Pfeffingen se encuentra reproducido en Müller-Karpe (1959, pls. 164, 165A) y el de Winklass en Müller-Karpe (1959, pl. 149). Sobre la idea de un valor fijo para el mineral de bronce, véase Primas (1977a, 1977b).

Para la fundición de bronce en los distintos asentamientos, pueden verse los siguientes estudios sobre asentamientos lacustres suizos: Wyss (1967a, 4); Hohlandsberg: Bonnet (1974); y Runder Berg: Stadelmann (1980, 38). Para los asentamientos de altura suizos: Wyss (1971*b*, 123). Para los asentamientos en el valle del Saona: Bonnamour (1976). Para Hascherkeller: Wells (1980*a*, 1983). Para Velemszentvid: Von Miske (1929) y Foltiny (1958, 20-32). Para Hallunda: Jaanusson (1971). Para Aldermaston Wharf: Bradley *et al*. (1980). Los restos actuales de un horno de fundición en Saint Germain-du-Plain se encuentran reproducidos en Bonnamour (1976, pl. 34). Véase Rowlands (1972) para la cuestión del grado de especialización. Respecto a la falta de pruebas sobre la existencia de esclavitud antes de fines de la Edad del Hierro, véase Peschel (1971*a*). La consecución de un buen rango social y político por parte de los artesanos en la tradición centroeuropea está tratada en Pauli (1978). Para los moldes de fundición hallados en los asentamientos véase Herrmann (1966) y para los moldes, técnicas de fundición y amartillado, véase Drescher (1958, 1980) y Hodges (1964). Sobre Tisza y los Cárpatos como posibles centros de trabajo del bronce, véanse los trabajos de Von Merhart (1952) y Gimbutas (1965, 152-153). Para la distribución de los objetos de lámina de bronce: Sprockhoff (1930) y Von Merhart (1952); y para los experimentos con lámina de bronce, Coles (1977). Las tumbas de los metalúrgicos son estudiadas por Müller-Karpe (1969) y Jockenhövel (1973). Para los depósitos que contienen objetos de procedencias muy diversas véase Brongers y Woltering (1926, 26), y para el depósito de Villethierry, Mordant y Prampart (1976). Sobre los desplazamientos de los metalúrgicos, véase Pauli (1978, 444).

Para la distribución de los pequeños objetos de joyería véanse los estudios de Betzler (1974), Kuback (1977) y Beck (1980) y los mapas que incluyen. La presencia de objetos de oro demuestra también que los mineros satisfacían los gustos locales a lo largo de sus viajes; véase Kimmig (1948-1950). Los mapas de la distribución de las espadas se encuentran en Cowen (1955) y Schauer (1971). Sobre el depósito de Hajdúböszörmény, véase Hampel (1887); para el de Unterglauheim, Müller-Karpe (1959, 293, pl. 269); para el de Dresden-Dobritz, Coblenz (1951). Para una valoración de la presencia de bronce en las tumbas de este período, véase Wells (1981, 110). Sobre los depósitos votivos de bronce, véase Torbrügge (1970-1971).

EL COMERCIO

Para el estudio e ilustraciones de las herramientas de este período, véanse los depósitos publicados por Müller-Karpe (1959) y Von Brunn (1968). Para el comercio del ámbar, véase Bohnsack (1976). Para las conchas del Mediterráneo: Wyss (1971*b*, 140, fig. 25). La minería y comercialización de la sal en Hallstatt, en Barth, Felber y Shauberger (1975). El comercio de ganado y pieles desde la gran llanura nordeuropea hacia el sur: Brongers y Woltering (1973, 13). La posibilidad de un comercio del vino desde el Mediterráneo: Piggott (1959). Para los vehículos de transporte y las caballerías véase Pauli (1980*a*, 220-231).

LA DISTRIBUCIÓN DE LA RIQUEZA

Sobre el aumento de la acumulación de riqueza personal, véase el estudio con la reproducción de los depósitos en Müller-Karpe (1959) y de las tumbas en Stary

(1980). Para el armamento de lujo, los cascos están tratados por Hencken (1971), los escudos en Coles (1962) y las corazas en Gabrovec (1960). Las vasijas de bronce de este período están estudiadas por Merhart (1952). Los objetos de oro, en Eogan (1981). Los nuevos tipos de espadas en Cowen (1955), Müller-Karpe (1961) y Schauer (1971). La aparición de las llaves de metal, en Pauli (1978, 262-264). La construcción de fortalezas está tratada por Herrmann (1969).

Un estudio general de los modelos de enterramientos se encuentra en Coles y Harding (1979). Los modelos funerarios de Hart an der Alz están estudiados en Müller-Karpe (1955) y otras tumbas excepcionalmente ricas, en Říhovský (1978) y Stary (1980).

Capítulo 3.   La aparición de centros de producción y comercio (800-600 a. de C.)

Hallstatt

Para el medio geográfico de Hallstatt véase Morton (1954, 1956). Los primeros hallazgos del área de Hallstatt están resumidos en Reitinger (1968). Para los depósitos de fines de la Edad del Bronce, véase Reinecke (1934) y Reitinger (1968, 128-129).

Las minas.   Las minas y su contenido han sido estudiados por Schauberger (1960, 1976) y por Barth (1970*a*, 1970*b*, 1971, 1973, 1980*a*, 1980*b*). Cronologías absolutas de las minas se encuentran en Barth, Felber y Schauberger (1975).

La necrópolis.   Véase Kromer (1959) y Wells (1981) para las tumbas. La cronología de las tumbas es estudiada por Kromer (1959) y Peroni (1973).

Su despegue como centro comercial.   Para la primera producción de sal en Europa, véase Riehm (1954), Nenquin (1961) y Alexander (1982). La producción de sal en la primera Edad del Hierro en otras partes: Bertaux (1977). La importancia histórica de la sal y las necesidades de sal del cuerpo humano: Bloch (1963) y Multhauf (1978). La sal en la protohistoria: Pauli (1974). Para el comercio evidenciado por los ajuares, véase Kromer (1963) y Wells (1978). Sobre las minas de cobre de Bischofshofen, véase Neuninger, Pittioni y Preuschen (1969).

Kromer (1958) opina que la comunidad de mineros de Hallstatt estaba formada esencialmente de hombres de buena constitución física, pero los importantes análisis de Häusler (1968) demuestran que la comunidad estaba formada por hombres, mujeres y niños. Véase, también, Kilian-Dirlmeier (1971). Compárese con el estudio de Lauli (1978) sobre los mineros de sal del Dürrnberg.

Stična

Para el medio natural de Eslovenia, véase Winner (1971) y sobre los asentamientos del Bronce final en la región véase *Arhesloška Najdišča Slovenije.* Para el establecimiento de los nuevos asentamientos de altura durante el siglo VIII a. de C., véase Gabrovec (1973, 1976). La primera Edad del Hierro en Eslovenia se encuentra sintetizada en Gabrovec (1966, 1974). Para las excavaciones de Stična véase Gabrovec, Frey y Folting (1970).

La necrópolis. Las excavaciones de la duquesa de Mecklenburg se encuentran descritas en Wells (1981). Las excavaciones recientes en la necrópolis llevadas a cabo por el Museo Nacional de Ljubljana están tratadas por Gabrovec (1974).

Su emergencia como centro comercial. La importancia del hierro está tratada por los siguientes autores: El hierro en el contexto del bronce final, en Vogt (1945-1950), Kimmig (1964) y Pleiner (1980). Las minas de hierro en Eslovenia: en Müllner (1908), Davies (1935, 182-184), Rieth (1942) y Gabrovec (1966). Presencia de escorias en los asentamientos: Müllner (1908, 39-88). Escorias en las tumbas de Magdalenska: Rieth (1942, 81-82); en Vače: Müllner (1908, 63); en Teplice: Müllner (1908, 64). El trabajo del hierro en el Waschenberg, en Austria: Pertlwieser (1970) y Pleiner (1980, 386-387). Los objetos de hierro en la necrópolis de Este: Frey (1965). La explotación tardía, en el período romano de las minas de hierro de Eslovenia: Davies (1935) y Alföldy (1974, 113-114). La producción moderna de hierro: Mutton (1961, 145-146) y Pounds (1969, 700, 710).

Para el comercio del ámbar véase Bohnsack (1976). Importaciones itálicas en Eslovenia: Wells (1981, 114). Contactos de tipo general entre Eslovenia y el noreste de Italia: Frey (1966, 1969), Frey y Gabrovec (1971) y Kimmig (1974). Objetos de Eslovenia en las tumbas de Hallstatt: Egg (1978).

LA PRODUCCIÓN ESPECIALIZADA Y LA FORMACIÓN DE LAS CIUDADES

Para ejemplos de empresas individuales que organizan la producción para obtener unos beneficios, véase Tax (1953), Barth (1963) y Greenfield, Strickon y Aubeg, eds. (1979). Ejemplos de gente que abandona la vida agrícola para trasladarse a los centros de producción aparecen en Landes (1969) y Hareven y Langenbach (1978). Sobre el concepto de capital como mercancías y servicios invertidos en la producción para obtener mayores beneficios, véase Firth (1964). En el Bronce final una (pero no necesariamente la única) fuente de capital fue la acumulación de objetos de bronce puesta de manifiesto por los depósitos.

En contraste con el mundo mediterráneo, en el que existen abundantes pruebas de la utilización del trabajo esclavista durante esta época (véase, por ejemplo, Lauffer [1955-1956] y Burford [1972, 73, 171]), no existen indicios de esclavitud en el centro de Europa (Peschel [1971a]).

EL RESTO DE EUROPA

Härke (1979) proporciona un buen resumen de las pruebas de asentamientos en Europa central. El estudio de Kossack (1959) a escala regional es excepcionalmente detallado. Para Kleinklein, véase Schmid (1933); Dobiat (1980) trata de las minas de hierro en sus cercanías y de las necrópolis. Sobre las tumbas de Bylaný, véase Dvořák (1938), Koutecký (1968) y Pleinerová (1973). Para los enterramientos en otros lugares, véanse los siguientes autores: Grosseibstadt: Kossack (1970). Nové Košariská: Pichlerová (1969). Uttendorf: Moosleitner (1977). Países Bajos: Kooi (1979). Este de Francia: Schaeffer (1930); Millotte (1963). Zainingen: Zürn (1957). Gomadingen: Von Föhr (1892). Bolonia: Mansuelli y Scarani (1961). Este: Frey (1969). Para los enterramientos en Francia, véase los artículos de síntesis de Guilaine, ed. (1976) y, en Suiza, Drack, ed. (1974).

Muchos arqueólogos europeos atribuyen importantes cambios culturales a las immigraciones de jinetes nómadas del este que llegan al centro de Europa en esta época. Para el estudio de estos grupos, conocidos bajo el nombre global de Cimerios, véase Kossack (1954), Powell (1971), Gabrovec (1980) y Terenožkin (1980). La cuestión del tamaño y significado de los mismos no se trata en los presentes estudios.

Capítulo 4.   Crecimiento de los centros comerciales (600-400 a. de C.)

EL COMERCIO CON LOS GRIEGOS

Para la colonización griega entre 800-500 a. de C.: Dunbabin (1948), Roebuck (1959) y Boardman (1973). Para la fundación de Marsella hacia el 600 a. de C.: Wackernagel (1930) y Clarel-Lévêque (1974). Para las primeras importaciones griegas y etruscas en Europa central: Dehn y Frey (1979) y Wells (1980b). El vino como producto comercial: Seltman (1957). El comercio de la cerámica ática: Boardman (1979). Las características del comercio griego: Hasebroek (1933) y Casson (1979). El comercio de Marsella en los siglos VI y V a. de C.: Villard (1960) y Benoit (1965). La muralla de ladrillos de Heuneburg: Dehn (1957). Las estelas de Hirschlanden: Zürn (1970). La introducción de la rueda de alfarero en el centro de Europa: Dehn (1962-1963) y Lang (1974, 1976). Los textos literarios que hablan del comercio griego: Knorringa (1926) y Will (1958). Los productos que probablemente se comercializaban en el centro de Europa: Minns (1913, 438-441), Semple (1931), Finley (1959, 1965b) y Wells (1980b 67-80).

EL HEUNEBURG Y OTRAS CIUDADES

El estudio general del Heuneburg se encuentra en Kimmig (1968, 1975a, 1975b) y Gersbach (1975, 1978, 1981). Estudios específicos son los de Mansfeld (1973), Lang (1974) y Dämmer (1978). Para las tumbas en los alrededores de Heuneburg: Riek (1962) y Schiek (1959). El estudio de la cronología del asentamiento: Kimmig (1975a, 196), Spindler (1975) y Dämmer (1978, 67, fig. 11). Otros asentamientos: Schiek (1959), Gersbach (1969), Sperber (1980, 1981) y Kurz (1982).

Para el concepto de *ciudad* en relación con el Heuneburg y otros asentamientos contemporáneos, véase Neustupný (1969, 1970, 1977) y Hensel (1970). Para el Heuneburg y otros asentamientos como centros políticos véase Zürn (1970, 118-128) y Frankenstein y Rowlands (1978).

EL COMERCIO DE LUJO. EL EXCEDENTE DE PRODUCCIÓN Y LA EMERGENCIA DE LAS CIUDADES

Para las actividades comerciales griegas previas al 600 a. de C. en la desembocadura del Ródano: Rolland (1951), Vullard (1960) y Benoit (1965). El intercambio de regalos entre los griegos y otros pueblos: Fischer (1973). Los motivos de la producción de un excedente: Sahlins (1972, 136-137). El mapa de distribución de las importaciones mediterráneas en el centro de Europa: Schaaff y Taylor (1975a). Para la cerámica ática de Vulci: Hus (194, 87-88, n. 1). Para la distribución de los objetos de oro: Paret (1942) y Drack (1980). El declive del comercio de Marsella y el final de las relaciones entre el Mediterráneo y la Europa central, en Villard (1960), Benoit (1965) y Wells y Bonfante (1979). Para las pruebas arqueológicas que muestran el declive del comercio: Bittel (1934) y Liepschwager (1972). Un estudio sobre los centros micénicos en Grecia: Vermeule (1964).

EL CAMBIO DE MODELOS EN EUROPA

Asentamientos. Para un estudio general de los asentamientos, véase Härke (1979) y Dušek (1974a). Aunque no son abundantes los restos de asentamientos, algunos estudios excelentes dejan claro su, en general, tamaño pequeño y su carácter rural, por ejemplo en Těšětice, en Moravia (Podborský [1965]) y en Kornwestheim, al norte de Württemberg (Joachim y Biel [1977]). Véanse también los estudios regionales de Millotte (1963) y Haffner (1976). La necrópolis de los mineros de cobre de Welzelach: Lippert (1972). Para asentamientos concretos deben consultarse los siguientes autores: para Hellbrunnerberg: Moosleitner (1979). Para Biskupin: Niesiołowska-Wedzka (1974). Los grandes asentamientos de la cultura de Kalenderberg: Patek (1976) y Kaus (1981). Para Smolenice: Dušek (1974b, 1980). Para Závist: Motyková, Drda y Rybová (1978) y Motyková, Rybová y Drda (1981). Para los asentamientos de Lausitz: Herrmann (1969).

Para el tema de la escasa diferenciación de la riqueza en la Europa del Este, en comparación con la Europa centrooccidental: Rajewski (1974, 431) y Dušek (1977a). Para Sopron: Patek (1976, 1981). Para Nové Košariská: Pichlerová (1969). Para Szentes-Vekerzug: Párducz (1952, 1954, 1956). Para Tápiószele: Párducz (1966). Para Chotín: Dušek (1966). Para Bolonia: Mansuelli y Scarani (1961); Chevallier (1962a). Para Spina: Alfieri y Arias (1958) y Aurigemma (1960).

Economía. Para Waschenberg: Pertlwieser (1969, 1970, 1971). Para Hillesheim: Haffner (1971a). Para Býčí Skála: Nekvasil (1980, 1981). Para la utilización generalizada del hierro en esta época: Šramko (1974), Nebehay (1977, 55) y Pleiner (1962).

La distribución de la riqueza. Para Hohmichele: Riek (1962). Para Magdalenenberg: Spindler (1971-1977). Para Hochdorf: Biel (1980, 1982). Para Grafenbühl: Zürn (1970). Para Vix: Joffroy (1954, 1962). Para la distribución de los anillos de oro: Drack (1980). Las ricas tumbas del siglo v están tratadas en conjunto en Wells (1980b, 104-142).

Capítulo 5.   Incursiones y migraciones hacia el sur de Europa (400-200 a.de C.)

Para la desaparición de las comunidades mayores que habían mantenido fuertes relaciones comerciales con las sociedades mediterráneas, véase Wells y Bonfante (1979). Artículos recogidos por Guštin, ed. (1977), tratan el declive de las manufacturas y comercio evidentes en la región oriental de los Alpes.

LAS EXPEDICIONES A ITALIA Y LA EUROPA DEL ESTE

Un excelente resumen de los resultados es el de Dehn (1979) con una completa bibliografía. Las fuentes literarias para las invasiones de Grecia, en Maier (1973). Sobre los mercenarios célticos en los ejércitos mediterráneos: Scheers (1981, 23, n. 8). *I Galli e l'Italia* (1978) contiene una completa visión de los documentos arqueológicos en Italia. Para la necrópolis de Bolonia: Zannoni (1876-1884). Estudios generales de las pruebas arqueológicas en el norte de Italia, en Chevallier (1962*a*, 1962*b*) y De Marinis (1977). Para Grecia: Maier (1973). Para Hungría: Szabó (1971). Para Yugoslavia: Todorović (1968). Para Rumanía: Zirra (1979).

LOS SAQUEOS

Para los nombres de las tribus del centro de Europa que emigraron a Italia, véase Contzen (1861). Para una idea de la riqueza asequible por medio de los saqueos en las ciudades del norte y centro de Italia, véase Scullard (1967), Pallottino (1971) y Boitani, Cataldi y Pasquinucci (1973). Para las tumbas de tipo indoeuropeo en el norte de Italia: *I Galli e l'Italia*. Para la tumba 953 de Benacci: Sassatelli (1978). Para la rica tumba de Ciumești: Rusu (1969).

LOS SIGLOS IV Y III A. DE C. EN EL CENTRO DE EUROPA

Los asentamientos.   Para Nebringen: Krämer (1964). Para Vevey: Martin-Kilcher (1981). Para Au an der Leitha: Nebehay (1971). Para Jenišův Újezd: Waldhauser, ed. (1978). Para Münsingen-Rain: Hodson (1968). Para Radovesice: Waldhauser (1977, 1979, 1981).

La economía.   Respecto a la cantidad de armas en las tumbas: Sankot (1978). El enterramiento de metalúrgico en St. Georgen: Taus (1963). Para una comparación global de las cantidades de hierro y bronce manufacturados y las formas de la cultura material, véase también, por ejemplo, Bretz-Mahler (1971), para Francia; Nebehay (1973), para Austria. Pleiner (1962) es el mejor estudio de conjunto sobre las mejoras en el trabajo del hierro. Para Waldalgesheim: Driehaus (1971) y Zahlhaas. Para Mannersdorf: Mossler y Pauli (1980).

El Dürrnberg. Los estudios más interesantes son los de Penninger (1972, 1980), Maier (1974), Moosleitner, Pauli, y Penninger (1974), Pauli (1978) y Zeller (1980).

La distribución de la riqueza. La tumba 44/2 de Dürrnberg en Penninger (1972). El tesoro de Duchov: Megaw (1970, 99) y Kruta (1971).

EL NUEVO ESTILO ARTÍSTICO

Para el arte de la Edad del Hierro en general, véase Megaw (1970). Jacobsthal (1944) se centra en el estilo de La Tène del 500 a. de C. en adelante. Von Hase (1973) examina los modelos mediterráneos que siguen los motivos decorativos europeos.

Capítulo 6. La aparición del urbanismo en la Europa protohistórica (200-1 a. de C.)

LA INTENSIFICACIÓN DE LA PRODUCCIÓN DE HIERRO

Jacobi (1974) presenta los resultados de los análisis de las herramientas de hierro de Manching que han sido las más ampliamente estudiadas. Para la presencia del hierro en otros yacimientos mayores de este período véase la siguiente bibliografía. Para Stradonice: Pič (1906). Para Velemszentvid: Foltiny (1958). Para Třísov: Břeň (1966). Para Steinsburg: Spehr (1971). Para Dünsberg: Jacobi (1977). Para Heidetränk: Müller-Karpe y Müller-Karpe (1977). Para Vienne: Chapotat (1970). Para Bibracte: Bulliot (1895) y Déchelette (1904). Para Titelberg: Rowlett, Thomas y Rowlett (1982). Para Glastonbury: Bulleid y Gray (1911, 1917). Para Meare: Gray y Bulleid (1953). La sorprendente semejanza de las herramientas de la segunda Edad del Hierro y las modernas se pone de manifiesto si se comparan estos instrumentos prehistóricos con los reproducidos por Fél y Hofer (1972) y Hartley (1979). Un buen mapa de los mayores depósitos de minerales en el centro y centro-norte de Europa se encuentra en Pleiner (1969, supl. 1). Para las ténicas de explotación de los minerales: Davies (1935). El desarrollo técnico y el nivel de la producción de hierro en esta época en Pleiner (1964, 1977a). Las técnicas utilizadas en la forja: Pleiner (1962, 1976, 1977a, 1977b, 1981), Bielenin (1977) y Coghlan (1977).

Para los pequeños asentamientos pueden verse los siguientes estudios. Para Steinebach: Krämer (1951-1952). Para Uttenkofen: Neubauer (1956). Para Gussage All Saints: Wainwright (1979). Para Glastonbury: Bulleid y Gray (1911, 1917). Para Msec: Pleiner (1977b, 107-109). Para los lugares de fundición del Burgenland: Bielenin (1977) y Kaus (1977). Sobre la organización dispersa de la producción del hierro a causa de la intensiva explotación de los bosques véase Davies (1935, 6).

Para las herramientas y técnicas de los metalúrgicos, véase, en especial, Pleiner (1962) y Jacobi (1974). Para el depósito de Kappel: Fischer (1959). Para el depósito de Wauwilermoos: Wygss (1974a, 187, fig. 17). Para la tumba de Celles: Pagès-Allay *et al.* (1903). Para la tumba de St. Georgen: Taus (1963). La especialización de los mineros en: Jacobi (1974, 260-261) y Reim (1981, 209-210). Análisis de espadas de hierro en: Guyan (1977). Para las marcas de los artífices de espadas: Wyss (1954, 1956). Para el depósito de Körner: Goetze (1900). Respecto al nivel social de los mineros a inicios de la Edad Media en Escandinavia y Europa continental: Müller-Wille (1977*b*). Para las tumbas de Idrija: Szombathy (1903). Para el nivel cultural de los mineros: Forbes (1964). Sobre el nivel social de los mineros en la épica irlandesa: Wainwright (1979). Para el depósito de Aubstadt: Pauli (1980*b*, 300).

El INCREMENTO COMERCIAL CON LAS CIUDADES ITALIANAS

La historia de la expansión romana en el norte de Italia y más lejos, en Toynbee (1965); un resumen en Pauli (1980*a*, 45-55). La cronología del comercio entre la Italia romana y las tierras del norte de los Alpes, en Stöckli (1979*a*), Werner (1978) y Meduna (1982). Para el vino importado en ánforas al norte de los Alpes, Nash (1978*b*, ap. 3) y Stöckli (1979*a*). Para las ánforas en el Saona en Chalon, Bohn (1925, 79). Para las ánforas en la Gran Bretaña, Peacock (1971). Para los recipientes de cuero y de madera para transportar vino más allá de los Alpes, Werner (1961). Para las vasijas de bronce romanas al norte de los Alpes, Werner (1954, 1978), y Christlein (1963-1964). Los alimentos importados de Italia después de la conquista en Staehelin (1948, 430-440).

Sobre el Magdalensberg y la prueba del comercio del hierro con Italia, véase Egger (1961), Obermayr (1971) y Alföldy (1974). Para Aquileia: Panciera (1957). El lingote de hierro de Burgkogel, cerca de Zell am See: Moosleitner (1980). Para una valoración de las cantidades de hierro que necesitaban los romanos, véase Dietz *et al.* (1979, 289-307) y Kellner (1972, 92-96). Para las necesidades de cuero por parte del ejército romano: Dietz *et al.* (1979, 291-293, 301, 305). El comercio romano de cueros y ganado entre las provincias centroeuropeas y la Germania libre, en Sawyer (1977, 142-143). El comercio prehistórico de cueros y ganado desde la llanura nordeuropea hacia el sur, en Brongers y Woltering (1973). La abundancia de ganado en los asentamientos europeos, en Boessneck *et al.* (1971, 32-59). Las herramientas para el trabajo del cuero en Jacobi (1974, 51-57). Sobre las necesidades de esclavos por parte de los romanos y su comercio, véase Hopkins (1978). El comercio romano de esclavos en la cuenca media del Danubio en Harris (1980). Sobre las manillas de La Tène: Wyss (1974*b*, 129, fig. 25, 3). Las materias orgánicas transportadas desde la Europa central a Italia después de la conquista, en Staehelin (1948, 440-442).

Sobre el transporte en barcos: Casson (1971). Las caballerías como principal medio de transporte a través de los Alpes: Werner (1961). Para los dientes de asno hallados en Závist, en Bohemia: Jansová (1971, 280). Para los entramados de madera de las alforjas hallados en La Tène: Vouga (1923, pl. 3-8) y Wyss (1974, 126, fig. 22, 21).

LOS CENTROS URBANOS DE LA SEGUNDA EDAD DEL HIERRO: MANCHING Y OTROS *OPPIDA*

Para el significado y utilización del témino *oppidum* véase Kornemann. La bibliografía sobre los *oppida* es voluminosa; los estudios recientes citados aquí incluyen en su bibliografía los trabajos anteriores. Collis (1975) proporciona un catálogo de los asentamientos. Crumley (1974*a*, 1974*b*) y Nash (1976, 1978*b*) se centran en los asentamientos frenceses. Véase *Archeologické rozhledy* 23 (1971), con breves estudios de muchos asentamientos específicos. Un mapa reciente de la distribución de los yacimientos aparece en Schaaff y Taylor (1975b). Dehn (1951) estudió la relación de los *oppida* con los relatos de César. Para la topografía de los asentamientos, el mismo autor (1965). Los *oppida* de Gran Bretaña, concentrados al sur del país, se han estudiado, por lo general, de forma separada de los continentales; los principales *oppida* ingleses son Maiden Castle (Wheeler [1943]), Danebury (Cunliffe [1976]) y Hengistbury Head (Cunliffe [1978]). Para la cronología de los *oppida*: Stöckli (1979a). Para la cronología de asentamientos específicos: Břeň (1971), Fischer (1971), Peschel (1971b), Crumley (1974a, 35), Nash (1978b), Waldhauser (1979) y Meduna (1980). Sobre su ocupación durante el período romano: Dehn (1971, 401-402) y Crumley (1974a, 35).

Para los planos de los *oppida*, véase los siguientes autores. Para Manching: Krämer y Schubert (1970) y Schubert (1972). Para Hrazany: Jansová (1965). Para Třísov: Břeň (1966, 1971). Para Staré Hradisko: Meduna (1970, 1971). Para Stradonice: Pič (1906). Para Velemszentvid: Foltiny (1958). Para Bibracte: Bulliot (1895) y Déchelette (1904).

Las relaciones entre los *oppida* y las comunidades más pequeñas de sus alrededores pueden encontrarse en: Spehr (1971), Stöckli (1979a, 1979b) y Collis (1980). Para Závist: Motyková, Drda, y Rybová (1978) y Motyková, Rybová y Drda (1981).

Krämer y Schubert (1970) proporcionan un completo panorama del asentamiento de Manching. Krämer (1975) es la síntesis más reciente. Krämer (1960) es un buen resumen en inglés. Para la producción del hierro en el yacimiento: Jacobi (1974). Para el comercio con el mundo romano: Stöckli (1979a). Para los tesorillos de monedas: Krämer (1958). Para el comercio de grafito: Kappel (1969). Para la producción de cerámica: Maier (1970), Pingel (1971) y Stöckli (1979a). Las citas de Defoe sobre la feria de Sturbridge en Muncey (1936). Para las ferias en la Europa medieval: Walford (1883), Duby (1968) y Braudel (1972). Para las muestras de intercambios en Oberstimm: Krämer (1958, 197).

ECONOMÍA Y SOCIEDAD EN LA SEGUNDA EDAD DEL HIERRO

Sobre la población, consultar: Russell (1958) y McEvedy y Jones (1978). El análisis de las cifras dadas por César y otros autores clásicos, en: Staehelin (1948) y Rieckhoff-Pauli (1980, 43). Para Bohemia Waldhause (1981, 116).

Asentamientos. Para los pequeños asentamientos, consúltense las siguientes monografías: Para Steinebach: Krämer (1951-1952). Para Eschweiler-Laurenzberg: Joachim (1980). Para Haina: Donat (1968-1969). Para Zăluži: Motyková-Šneiderová (1960). Para Mistřín: Ludikovský (1968). Para Feddersen Wierde: Haarnagel (1975, 1977, 1979). Para Hodde: Hvass (1975). Para Gussage All Saints: Wainwright (1979). Para Altendorf: Stöckli (1979b). Para Eschweiler-Lohn: Joachim (1980). Para las monedas acuñadas en las comunidades pequeñas: Bónis (1971, 523-524) y Collis (1980). Para las casas en las zonas costeras del mar del Norte: Müller-Wille (1977a).

La economía. El estudio de las citas de los autores clásicos respecto a la agricultura en la Europa central se encuentran en: Tierney (1960). Para los arados: Steensberg (1936) y Glob (1951). Asentamientos con buenos conjuntos de rejas de arado de hierro son Manching (Jacobi [1974]), Steinsburg (Spehr [1971]), Heidetränk (Müller-Karpe y Müller-Karpe [1977]), Dünsberg (Jacobi [1977]) y Vienne (Chapotat [1970]). Sobre las rejas de arado de hierro, en los asentamientos pequeños, véase, para Záluží: Motyková-Šneiderova (1960); para Gussage All Saints: Wainwright (1979). Para las rejas de arado en los depósitos: Amberger (1927) y Goetze (1900). Para el depósito de Hainbach: Pauli (1980*b*, 301). Para las rejas de arado en general: Spehr (1966). Estudios generales sobre el arado y su importancia: Wailes (1972). Para las guadañas, véase la bibliografía citada para Manching, Körner, Kaiserbrunn y Kappel en el primer apartado de este capítulo. Para las guadañas con mangos de madera pertenecientes al período de La Tène: Vouga (1923, 24-25, pls. 74-75). Sobre el uso de las guadañas: Steensberg (1943, 239) y Spehr (1971, 488).

Sobre la sal de Reichenhall: Menke (1977). Y en Nauheim: Süss (1973). Sobre la producción y comercio del oro: Harfmann (1970, 1978).

La distribución de la riqueza. Para la tumba de Sinsheim-Dühren: Fischer (1981). Los cambios en las costumbres funerarias y la sustitución de la inhumación por la incineración, así como la disminución de objetos en los ajuares: Krämer (1950, 93, 1952) y Waldhauser (1979, 142-146). Sobre la tumba de Markvartice: Waldhauser (1979, 147). Ejemplos de pequeñas necrópolis al norte de Europa central son: Bad Nauheim (Schönberger [1952]), Naumberg (Spehr [1968]) y Dietzenbach (Polenz [1971]). Para otras necrópolis puede consultarse la siguiente bibliografía: Para Tréveris, Mahr (1967); para Wederath, Haffner (1971*b*, 1974*b*, 1978); para Hoppstädten-Weiersbach, Haffner (1969); para Goeblingen-Nospelt, Thill (1967*a*, 1967*b*) y Haffner (1974*a*); para Tréveris-Olewig, Schindler (1971); para Neuwied, Joachim (1973); para Hannogne, Flouest y Stead (1977); para Welwyn, Stead (1967). En otras partes de Europa se han encontrado pocas tumbas de riqueza similar, como, por ejemplo, en Eslovenia la de Novo Mesto (Schaaff [1980]). Para el comercio y la piratería en los tiempos medievales, Grierson (1959). Sobre el depósito de Kappel, Fischer (1959); para el depósito de Aubstadt, Pauli (1980, 300); para el depósito de Hjortspring, Rosenberg (1937) y Becker (1948); para las monedas y su acuñación, Allen (1978*a*, 1978*b*), Nash (1978*b*, 1981), Scheers (1981), Oberbeck (1980) y Kos (1980); para el depósito de Irsching, Overbeck (1980, 322); para Lauterach, Pauli (1980*a*, 288-290); para Niederzier; Pauli (1980*b*, 314-315).

Capítulo 7. El paréntesis romano y la formación de las ciudades medievales

ROMA AL NORTE DE LOS ALPES

Sobre la conquista de Europa por parte de los romanos, véanse los resúmenes de Toynbee (1965) y C. M. Wells (1972). Fischer (1976) estudia las regiones ubicadas inmediatamente al norte de los Alpes. Los problemas de las relaciones ente los celtas y los grupos germánicos y las migraciones de estos últimos hacia el sur, se encuentran desarrollados en Hachmann, Kossack y Kuhn (1962) y Todd (1975).

Dentro de los límites del Imperio. Excelentes síntesis regionales proporcionan un panorama muy completo de la economía, la sociedad y la cultura material de las provincias: Staehelin (1948), Wightman (1970), Kellner (1972), Alföldy (1974), Filtzinger, Planch y Cämmerer, eds. (1976) y Dietz *et al.* (1980). Un tratamiento más de divulgación en MacKendrick (1970).

Fuera de los límites del Imperio. La economía y sociedad de la Germania libre son estudiadas por Hachmann (1956-1957), Jankuhn (1969) y Todd (1975). Véanse, también, otros estudios más detallados de Donat (1977), Zimmermann (1978) y Hedeager (1980). Los asentamientos se encuentran estudiados de manera resumida, con una buena bibliografía, por Böhner (1975a). Feddersen Wierde en Haarnagel (1975, 1977, 1979). Wijster en Van Es (1965). Para los asentamientos en general: Müller-Wille (1979). Sobre el volumen de población de las comunidades: Donat y Ullrich (1976). Para el trabajo del hierro en la Germania libre: Pleiner (1964), Bielenin (1978) y Hingst (1978). Para el comercio entre la Germania libre y el Imperio romano: Eggers (1951), Nierhaus (1954), Sawyer (1977, 142-143), Hedeager (1979a, 1979b) y Kunow (1980). Un estudio general del comercio, en Todd (1975, 35-38). Sobre las tumbas de Lübsow, Eggers (1949-1950) y Oldenstein (1975). Para las dificultades de una distinción entre comercio y botín en las pruebas arqueológicas, puede verse Reinecke (1958) y Grierson (1959).

LOS PRIMEROS TIEMPOS MEDIEVALES (400-800)

Para la continuidad entre los períodos romano y medieval, véase el resumen, con bibliografía, de Böhner (1975b). Sobre la tumba de Childerico, Böhner (1970, 84-88). Para Krefeld-Gellep, Pirling (1978).

Los asentamientos. Buenos estudios de los modelos de los primeros asentamientos medievales, son los de Böhner (1958), Janssen (1976, 1977), Donat (1978) y Müller-Wille (1979). Para Gran Bretaña: Rahtz (1976) y Biddle (1976). Para Warendorf: Winkelmann (1958). Para Gladbach: Sage (1969). Para Burgheim: Christlein (1979).

El comercio. El desarrollo de las industrias que producen específicamente para la exportación comercial: Tischler (1952), Böhner (1955-1956), Capelle (1968), Werner (1970), Christlein (1971) y Hodges (1982). Para el comercio medieval a larga distancia, Werner (1961). Sobre la tumba 1782 de Krefeld-Gellep, Pirling (1964). Sobre las ricas tumbas de Colonia: Doppelfeld y Pirling (1966). Para la tumba de St. Denis: Werner (1964).

La distribución de la riqueza. Además de la bibliografía citada para las ricas tumbas del apartado anterior, véase Christlein (1973). Para la agricultura como base de la riqueza de inicios del período medieval: Duby (1968, 1974) y Hodges (1982).

Formación de las ciudades medievales.   Sobre Helgö, Holmqvist (1976); sobre Birka: Ambrosiani (1973); sobre Dorestad: Van Es (1973); sobre Haithabu: Schietzel (1975, 1981). Estos asentamientos y otros son analizados en Hodges (1982). El papel del comercio en la formación de las primeras ciudades medievales, en Pirenne (1925, 1936), Ennen (1953), Schlesinger (1973), Barley, ed. (1977), Van Regteren Altena y Heidinga (1977), Hodges (1982) y Hodges y Whitehouse (1983).

Para las ciudades de Gran Bretaña, véanse los artículos editados por Wilson, ed. (1976). Para el Southampton sajón, Addyman (1973) y Hodges (1981). Para Winchester como capital real, Biddle (1973, 1976).

Conclusiones

Para estudios generales referentes a la formación de las ciudades y los estados, véase Braidwood y Willey, eds. (1962), Adams (1966), Rathje (1971, 1972), Renfrew (1972), Moore, ed. (1974), Redman (1978), Lamberg-Karlovsky y Sabloff (1979) y Renfrew y Wagstaff, eds. (1982). Este último trabajo contiene todas las referencias bibliográficas. Childe (1958) y Orme (1981, 276) tratan de los modelos específicos de desarrollo cultural de Europa en relación con otras partes del mundo.

Obras citadas

De los artículos publicados en otras lenguas distintas del inglés, alemán, francés e italiano, pero con resúmenes en una de esta lenguas, se relaciona primero el título original, seguido por el título del resumen, entre paréntesis.

Acsádi, G., and J. Nemeskéri. 1970. *History of Human Life Span and Mortality.* Budapest: Akadémiai Kiadó.

Adams, R. M. 1960. "Early Civilizations, Subsistence, and Environment." In C. H. Kraeling and R. M. Adams, eds., *City Invincible,* pp. 269–295. Chicago: University of Chicago Press.

––––––. 1966. *The Evolution of Urban Society.* Chicago: Aldine.

––––––. 1974. "Anthropological Perspectives on Ancient Trade." *Current Anthropology* 15:239–249.

Addyman, P. V. 1973. "Saxon Southampton: A Town and International Port of the 8th to the 10th Century." In H. Jankuhn, W. Schlesinger, and H. Steuer, eds., *Vor- und Frühformen der europäischen Stadt im Mittelalter,* pt. 1, pp. 218–228. Göttingen: Vandenhoeck and Ruprecht.

Alexander, J. 1972. "The Beginnings of Urban Life in Europe." In P. J. Ucko, R. Tringham, and G. W. Dimbleby, eds., *Man, Settlement and Urbanism,* pp. 843–850. London: Duckworth.

––––––. 1982. "The Prehistoric Salt Trade in Europe." *Nature* 300:577–578.

Alfieri, N., and P. E. Arias. 1958. *Spina: Die neuentdeckte Etruskerstadt und die griechischen Vasen ihrer Gräber.* Munich: Hirmer.

Alföldy, G. 1974. *Noricum.* Trans. A. Birley. London: Routledge and Kegan Paul.

Allen, D. F. 1978a. "The Coins from the Oppidum of Altenburg and the Bushel Series." *Germania* 56:190–229.

––––––. 1978b. *An Introduction to Celtic Coins.* London: British Museum.

Amberger, H. 1927. "Ein spätlatènezeitlicher Fund vom Attersee." *Mitteilungen der Anthropologischen Gesellschaft in Wien* 57:206–209.

Ambrosiani, B. 1973. "Neue Ausgrabungen in Birka." In H. Jankuhn, W. Schlesinger, and H. Steuer, eds., *Vor- und Frühformen der europäischen Stadt im Mittelalter*, pt. 2, pp. 58–63. Göttingen: Vandenhoeck and Ruprecht.

Anati, E. 1961. *Camonica Valley*. New York: Knopf.

Arheološka Najdišča Slovenije. 1975. Ljubljana: Izdala Slovenska Akademija Znanosti in Umetnosti, Inštitut za Arheologijo.

Arnold, C. J. 1980. "Wealth and Social Structure: A Matter of Life and Death." In P. Rahtz, T. Dickinson, and L. Watts, eds., *Anglo-Saxon Cemeteries*, pp. 81–142. British Archaeological Reports, vol. 82. Oxford: British Archaeological Reports.

Aurigemma, S. 1960. *La necropoli di Spina in Valle Trebba*. Rome: 'L'Erma' di Bretschneider.

Barley, M. W., ed. 1977. *European Towns: Their Archaeology and Early History*. London: Academic Press.

Barnett, H. G. 1953. *Innovation: The Basis of Cultural Change*. New York: McGraw-Hill.

Barth, F. 1963. *The Role of the Entrepreneur in Social Change in Northern Norway*. Bergen: Norwegian Universities Press.

Barth, F. E. 1970a. "Neuentdeckte Schrämspuren im Heidengebirge des Salzberges zu Hallstatt, Oö." *Mitteilungen der Anthropologischen Gesellschaft in Wien* 100:153–156.

———. 1970b. "Salzbergwerk und Gräberfeld von Hallstatt." In *Krieger und Salzherren: Hallstattkultur im Ostalpenraum*, pp. 40–52. Mainz: Römisch-Germanisches Zentralmuseum.

———. 1971. "Funde aus dem Ender-Werk des Salzberges zu Hallstatt." *Mitteilungen der Anthropologischen Gesellschaft in Wien* 101:37–40.

———. 1973. "Versuch einer typologischen Gliederung der prähistorischen Funde aus dem Hallstätter Salzberg." *Mitteilungen der Anthropologischen Gesellschaft in Wien* 102:26–30.

———. 1980a. "Das prähistorische Hallstatt." In D. Straub, ed., *Die Hallstattkultur: Frühform europäischer Einheit*, pp. 67–79. Linz: Oberösterreichischer Landesverlag.

———. 1980b. "Neue archäologische Forschungen im Salzbergwerk Hallstatt." *Oberösterreich* 30, no. 1, pp. 17–19.

Barth, F. E., H. Felber, and O. Schauberger. 1975. "Radiokohlenstoffdatierung der prähistorischen Baue in den Salzbergwerken Hallstatt und Dürrnberg-Hallein." *Mitteilungen der Anthropologischen Gesellschaft in Wien* 105:45–52.

Beck, A. 1980. *Beiträge zur frühen und älteren Urnenfelderkultur im nordwestlichen Alpenvorland*. Munich: Beck.

Becker, C. J. 1948. "Die zeitliche Stellung des Hjortspring-Fundes." *Acta Archaeologica* (Copenhagen) 19:145–187.

Bender, H., R. Dehn, and I. Stork. 1976. "Neuere Untersuchungen auf dem Münsterberg in Breisach (1966–1975). 1. Die vorrömische Zeit." *Archäologisches Korrespondenzblatt* 6:213–224.

Benoit, F. 1965. *Recherches sur l'hellénisation du Midi de la Gaule.* Annales de la Faculté des Lettres, Aix-en-Provence, n.s. 43. Aix-en-Provence: Ophrys.

Bersu, G. 1940. "Excavations at Little Woodbury, Wiltshire." *Proceedings of the Prehistoric Society* 6:30–111.

———. 1945. *Das Wittnauer Horn.* Basel: Birkhäuser.

———. 1946. "A Hill-Fort in Switzerland." *Antiquity* 20:4–8.

Bersu, G., and P. Goessler. 1924. "Der Lochenstein bei Balingen." *Fundberichte aus Schwaben,* n.s. 2:73–103.

Bertaux, J.-P. 1977. "Das Briquetage an der Seille in Lothringen." *Archäologisches Korrespondenzblatt* 7:261–272.

Betzler, P. 1974. *Die Fibeln in Süddeutschland, Österreich und der Schweiz I.* (*Urnenfelderzeitliche Typen*). Munich: Beck.

Biddle, M. 1973. "Winchester: The Development of an Early Capital." In H. Jankuhn, W. Schlesinger, and H. Steuer, eds., *Vor- und Frühformen der europäischen Stadt im Mittelalter,* pt. 1, pp. 229–261. Göttingen: Vandenhoeck and Ruprecht.

———. 1976. "Towns." In D. M. Wilson, ed., *The Archaeology of Anglo-Saxon England,* pp. 99–150. London: Methuen.

Biel, J. 1980. "Treasure from a Celtic Tomb." *National Geographic,* March 1980, pp. 428–438.

———. 1982. "Ein Fürstengrabhügel der späten Hallstattzeit bei Eberdingen-Hochdorf, Kr. Ludwigsburg (Baden-Württemberg)." *Germania* 60:61–104.

Bielenin, K. 1977. "Einige Bemerkungen über das altertümliche Eisenhüttenwesen im Burgenland." In A. Ohrenberger and K. Kaus, eds., *Archäologische Eisenforschung in Europa,* pp. 49–62. Eisenstadt: Burgenländisches Landesmuseum.

———. 1978. "Der frühgeschichtliche Eisenerzbergbau in Rudki im Świętokrzyskie(Heilig-Kreuz)-Gebirge." In W. Kroker, ed., *Eisen und Archäologie: Eisenerzbergbau und -verhüttung vor 2000 Jahren in der VR Polen,* pp. 8–23. Bochum: Deutsches Bergbau-Museum.

Binford, L. R. 1971. "Mortuary Practices: Their Study and Potential." *American Antiquity* 36, no. 3, pt. 2, pp. 6–29.

Bittel, K. 1934. *Die Kelten in Württemberg.* Berlin: Walter de Gruyter.

Bloch, M. 1961. *Feudal Society.* Trans. L. A. Manyon. Chicago: University of Chicago Press.

Bloch, M. R. 1963. "The Social Influence of Salt." *Scientific American,* July 1963, pp. 88–96.

Boardman, J. 1973. *The Greeks Overseas.* 2d ed. Harmondsworth: Penguin.

————. 1979. "The Athenian Pottery Trade: The Classical Period." *Expedition* 21, no. 4, pp. 33–39.

Bocquet, A., and J.-P. Couren. 1974. "Le four de potier de Sévrier, Haute-Savoie (Age du Bronze Final)." *Etudes Préhistoriques* 9:1–6.

Boessneck, J., A. von den Driesch, U. Meyer-Lemppenau, and E. Wechsler-von Ohlen. 1971. *Die Tierknochenfunde aus dem Oppidum von Manching.* Wiesbaden: Franz Steiner.

Bohn, O. 1925. "Amphorenschicksale." *Germania* 9:78–85.

Böhner, K. 1955–1956. "Frühmittelalterliche Töpferöfen in Walberberg und Pingsdorf." *Bonner Jahrbücher* 155–156:372–387.

————. 1958. *Die fränkischen Altertümer des Trierer Landes.* Berlin: Gebr. Mann.

————. 1970. "Die Franken." In K. Böhner, D. Ellmers, and K. Weidemann, eds., *Das frühe Mittelalter: Führer durch das Römisch-Germanische Zentralmuseum in Mainz,* pp. 75–125. Mainz: Philipp von Zabern.

————. 1975a. "Ausgrabungen von kaiserzeitlichen Siedlungen im freien Germanien." In *Ausgrabungen in Deutschland 1950–1975,* vol. 2, pp. 3–9. Mainz: Römisch-Germanisches Zentralmuseum.

————. 1975b. "Probleme der Kontinuität zwischen Römerzeit und Mittelalter in West- und Süddeutschland." In *Ausgrabungen in Deutschland 1950–1975,* vol. 2, pp. 53–63. Mainz: Römisch-Germanisches Zentralmuseum.

Bohnsack, D. 1976. "Bernstein und Bernsteinhandel." In J. Hoops, ed., *Reallexikon der germanischen Altertumskunde,* 2d ed., vol. 2, pp. 290–292. Berlin: Walter de Gruyter.

Boitani, F., M. Cataldi, and M. Pasquinucci. 1973. *Le città etrusche.* Florence: Mondadori.

Bökönyi, S. 1974. *History of Domestic Mammals in Central and Eastern Europe.* Budapest: Akadémiai Kaidó.

Bónis, É. B. 1971. "Beiträge zur Rolle der LT D-Siedlungen in Pannonien." *Archeologické rozhledy* 23:521–528.

Bonnamour, L. 1976. "Siedlungen der Spätbronzezeit (Bronze Final III) im Saône-Tal südlich von Chalon-sur-Saône." *Archäologisches Korrespondenzblatt* 6:123–130.

Bonnet, C. 1974. "Un nouvel aperçu sur la station d'altitude de Hohlandsberg, Wintzenheim (Haut-Rhin)." *Cahiers alsaciens d'archéologie, d'art et d'histoire* 18:33–50.

Bouzek, J., D. Koutecký, and E. Neustupný. 1966. *The Knovíz Settlement of North-West Bohemia.* Prague: National Museum.

Bradley, R. 1978. "Prehistoric Field Systems in Britain and North-West Europe." *World Archaeology* 9:265–280.

Bradley, R., S. Lobb, J. Richards, and M. Robinson. 1980. "Two Late

Bronze Age Settlements on the Kennet Gravels: Excavations at Aldermaston Wharf and Knight's Farm, Burghfield, Berkshire." *Proceedings of the Prehistoric Society* 46:217–295.

Braidwood, R. J., and G. R. Willey, eds. 1962. *Courses toward Urban Life.* Viking Fund Publications in Anthropology, no. 32. New York: Wenner-Gren.

Braudel, F. 1972. *The Mediterranean and the Mediterranean World in the Age of Philip II.* Trans. S. Reynolds. New York: Harper and Row.

————. 1981. *The Structures of Everyday Life.* Trans. S. Reynolds. New York: Harper and Row.

Břeň, J. 1966. *Třísov: A Celtic Oppidum in South Bohemia.* Prague: National Museum.

————. 1971. "Das keltische Oppidum in Třísov." *Archeologické rozhledy* 23:294–303.

Bretz-Mahler, D. 1971. *La civilisation de La Tène I en Champagne.* Paris: Centre National de la Recherche Scientifique.

Brisson, A., and J.-J. Hatt. 1967. "Fonds de cabanes de l'âge du Bronze final et du premier âge du Fer en Champagne." *Revue archéologique de l'Est et du Centre-Est* 18:7–51.

Brongers, J. A., and P. Woltering. 1973. "Prehistory in the Netherlands: An Economic-Technological Approach." *Berichten van de Rijksdienst voor het Oudheidkundig Bodermonderzoek* 23:7–47.

Brown, J. A. 1981. "The Search for Rank in Prehistoric Burials." In R. Chapman, I. Kinnes, and K. Randsborg, eds., *The Archaeology of Death,* pp. 25–37. Cambridge: Cambridge University Press.

Bruck, E. F. 1926. *Totenteil und Seelgerät im griechischen Recht.* Munich: Beck.

Bulleid, A., and H. St. G. Gray. 1911 and 1917. *The Glastonbury Lake Villages.* 2 vols. Glastonbury: Glastonbury Antiquarian Society.

Bulliot, J. G. 1899. *Fouilles de Mont Beuvray de 1865 à 1895.* Autun: Dejussieu.

Burford, A. 1972. *Craftsmen in Greek and Roman Society.* London: Thames and Hudson.

Burl, A. 1979. *Prehistoric Avebury.* New Haven: Yale University Press.

Capelle, T. 1968. *Der Metallschmuck aus Haithabu.* Neumünster: Karl Wachholtz.

Casson, L. 1971. *Ships and Seamanship in the Ancient World.* Princeton: Princeton University Press.

————. 1979. "Traders and Trading: Classical Athens." *Expedition* 21, no. 4, pp. 25–32.

Chapman, R., I. Kinnes, and K. Randsborg, eds. 1981. *The Archaeology of Death.* Cambridge: Cambridge University Press.

Chapotat, G. 1970. *Vienne Gauloise.* Lyon: Imprimerie Audin.

Charles-Edwards, T. M. 1976. "The Distinction between Land and Moveable Wealth in Anglo-Saxon England." In P. H. Sawyer, ed., *Medieval Settlement*, pp. 180–187. London: Edward Arnold.

Chevallier, R. 1962a. "L'Italie du nord au seuil de l'histoire: Villanoviens et Etrusques." *Latomus* 21:99–123.

———. 1962b. "La Celtique du Pô." *Latomus* 21:356–370.

Childe, V. G. 1930. *The Bronze Age*. New York: Macmillan.

———. 1950. "The Urban Revolution." *Town Planning Review* 21, no. 1, pp. 1–17.

———. 1951. *Social Evolution*. New York: Henry Schuman.

———. 1958. *The Prehistory of European Society*. Harmondsworth: Penguin.

Christ, K. 1957. "Ergebnisse und Probleme der keltischen Numismatik und Geldgeschichte." *Historia* (Wiesbaden) 6:215–253.

Christlein, R. 1963–1964. "Ein Bronzesiebfragment der Spätlatènezeit vom Zugmantel." *Saalburg-Jahrbuch* 21:16–19.

———. 1971. "Anzeichen von Fibelproduktion in der völkerwanderungszeitlichen Siedlung Runder Berg bei Urach." *Archäologisches Korrespondenzblatt* 1:47–49.

———. 1973. "Besitzabstufungen zur Merowingerzeit im Spiegel reicher Grabfunde aus West- und Südwestdeutschland." *Jahrbuch des Römisch-Germanischen Zentralmuseums* 20:147–180.

———. 1979. *Die Alamannen*. 2d ed. Stuttgart: Konrad Theiss.

Čižmář, M. 1972. "Společenská struktura moravských keltů podle výzkumu pohřebišť" (Die Gesellschaftsstruktur der Kelten in Mähren im Lichte der Erforschung von Gräberfeldern). *Časopis Moravského Musea* (Brno) 57:73–81.

Clark, J. G. D. 1952. *Prehistoric Europe: The Economic Basis*. London: Methuen.

Clark, J. G. D., and S. Piggott. 1965. *Prehistoric Societies*. London: Hutchinson.

Clarke, D. L. 1979. "The Economic Context of Trade and Industry in Barbarian Europe till Roman Times." In D. L. Clarke, *Analytical Archaeologist: Collected Papers*, pp. 263–331. London: Academic Press.

Clavel-Lévêque, M. 1974. "Das griechische Marseille: Entwicklungsstufen und Dynamik einer Handelsmacht." In E. C. Welskopf, ed., *Hellenische Poleis*, vol. 2, pp. 855–969. Berlin: Akademie-Verlag.

Coblenz, W. 1951. "Der Bronzegefässefund von Dresden-Dobritz." *Arbeits- und Forschungsberichte zur sächsischen Bodendenkmalpflege* 1:135–161.

———. 1967. "Zu den bronzezeitlichen Metallfunden von der Heidenschanze in Dresden-Coschütz und ihrer Rolle bei der zeitlichen und funktionellen Deutung der Burgen der Lausitzer Kultur." *Arbeits- und Forschungsberichte zur sächsischen Bodendenkmalpflege* 16–17; 179–211.

Coghlan, H. H. 1977. *Notes on Prehistoric and Early Iron in the Old World*. 2d ed. Oxford: Pitt Rivers Museum.

Coles, J. M. 1962. "European Bronze Age Shields." *Proceedings of the Prehistoric Society* 28:156–190.

_____. 1973. *Archaeology by Experiment*. New York: Charles Scribner's Sons.

_____. 1977. "Parade and Display: Experiments in Bronze Age Europe." In V. Markotic, ed., *Ancient Europe and the Mediterranean*, pp. 51–58. Warminster: Aris and Phillips.

_____. 1979. *Experimental Archaeology*. London: Academic Press.

Coles, J. M., and A. Harding. 1979. *The Bronze Age in Europe*. New York: St. Martin's.

Coles, J. M., S. V. E. Heal, and B. Orme. 1978. "The Use and Character of Wood in Prehistoric Britain and Ireland." *Proceedings of the Prehistoric Society* 44:1–45.

Collis, J. 1975. *Defended Sites of the Late La Tène in Central and Western Europe*. British Archaeological Reports, Supplementary Series, vol. 2. Oxford: British Archaeological Reports.

_____. 1976. "Town and Market in Iron Age Europe." In B. Cunliffe and T. Rowley, eds., *Oppida: The Beginnings of Urbanisation in Barbarian Europe*, pp. 3–23. British Archaeological Reports, Supplementary Series, vol. 11. Oxford: British Archaeological Reports.

_____. 1979. "Urban Structure in the Pre-Roman Iron Age." In B. C. Burnham and J. Kingsley, eds., *Space, Hierarchy and Society*, pp. 129–136. British Archaeological Reports, International Series, vol. 59. Oxford: British Archaeological Reports.

_____. 1980. "Aulnat and Urbanisation in France." *The Archaeological Journal* 137:40–49.

_____. 1982. "Gradual Growth and Sudden Change: Urbanisation in Temperate Europe." In C. Renfrew and S. Shennan, eds., *Ranking, Resource and Exchange*, pp. 73–78. Cambridge: Cambridge University Press.

Contzen, L. 1861. *Die Wanderungen der Kelten*. Leipzig: Wilhelm Engelmann.

Courtain, J., J. Guilaine, and J.-P. Mohen. 1976. "Les débuts de l'agriculture en France: Les documents archéologiques." In J. Guilaine, ed., *La préhistoire française*, vol. 2, pp. 172–179. Paris: Centre National de la Recherche Scientifique.

Cowen, J. D. 1955. "Eine Einführung in die Geschichte der bronzenen Griffzungenschwerter in Süddeutschland und den angrenzenden Gebieten." *Berichte der Römisch-Germanischen Kommission* 36:52–155.

Crumley, C. L. 1974a. *Celtic Social Structures*. Ann Arbor: University of Michigan, Museum of Anthropology.

_____. 1974b "The Paleoethnographic Recognition of Early States: A Celtic Example." *Arctic Anthropology* 11:254–260.

Cunliffe, B. 1976. "Danebury, Hampshire." *Antiquaries Journal* 56:198–216.

————. 1978. *Hengistbury Head*. London: Elek.

Dalton, G. 1977. "Aboriginal Economies in Stateless Societies." In T. K. Earle and J. E. Ericson, eds., *Exchange Systems in Prehistory*, pp. 191–212. New York: Academic Press.

Dämmer, H.-W. 1978. *Die bemalte Keramik der Heuneburg*. Mainz: Philipp von Zabern.

David, N. 1972. "On the Life Span of Pottery, Type Frequencies, and Archaeological Inference." *American Antiquity* 37:141–142.

David, N., and David-Hennig, H. 1971. "Zur Herstellung und Lebensdauer von Keramik." *Bayerische Vorgeschichtsblätter* 36:289–317.

Davies, O. 1935. *Roman Mines in Europe*. Oxford: Clarendon Press.

Déchelette, J. 1904. *Les fouilles de Mont Beuvray de 1897–1901*. Paris: A. Picard.

Deetz, J. 1977a. "Material Culture and Archaeology: What's the Difference?" In L. Ferguson, ed., *Historical Archaeology and the Importance of Material Things*, pp. 9–12. Special Publication no. 2. Washington: Society for Historical Archaeology.

————. 1977b. *In Small Things Forgotten: The Archaeology of Early American Life*. New York: Anchor Press.

Dehn, R. 1972. *Die Urnenfelderkultur in Nordwürttemberg*. Stuttgart: Müller and Gräff.

Dehn, W. 1951. "Die gallischen 'Oppida' bei Cäsar." *Saalburg-Jahrbuch* 10:36–49.

————. 1957. "Die Heuneburg beim Talhof unweit Riedlingen (Kr. Saulgau)." *Fundberichte aus Schwaben*, n.s. 14:78–99.

————. 1962–1963. "Frühe Drehscheibenkeramik nördlich der Alpen." *Alt-Thüringen* 6:372–382.

————. 1965. "'Mediolanum': Lagetypen spätkeltischer Oppida." *Beihefte der Bonner Jahrbücher*, vol. 10, pt. 2, pp. 117–128.

————. 1971. "Einige Bemerkungen zur Erforschung gallischer Oppida in Frankreich." *Archeologické rozhledy* 23:393–405.

————. 1979. "Einige Überlegungen zum Charakter keltischer Wanderungen." In P.-M. Duval and V. Kruta, eds., *Les mouvements celtiques du Ve au Ier siècle avant notre ère*, pp. 15–18. Paris: Centre National de la Recherche Scientifique.

Dehn, W., and O.-H. Frey, 1979. "Southern Imports and the Hallstatt and Early La Tène Chronology of Central Europe." In D. and F. R. Ridgway, eds., *Italy before the Romans*, pp. 489–511. London: Academic Press.

de Marinis, R. 1977. "The La Tène Culture of the Cisalpine Gauls." In M. Guštin, ed., *Keltske Študije*, pp. 23–50. Brežice: Posavski musej.

Demos, J. 1970. *A Little Commonwealth: Family Life in Plymouth Colony*. New York: Oxford University Press.

Denecke, D. 1973. "Der geographische Stadtbegriff und die räumlichfunktionale Betrachtungsweise bei Siedlungstypen mit zentraler Bedeutung in Anwendung auf historische Siedlungsepochen." In H. Jankuhn, W. Schlesinger, and H. Steuer, eds., *Vor- und Frühformen der europäischen Stadt im Mittelalter*, pt. 1, pp. 33–55. Göttingen: Vandenhoeck and Ruprecht.

Dethlefsen, E. S. 1981. "The Cemetery and Culture Change: Archaeological Focus and Ethnographic Perspective." In R. J. Gould and M. J. Schiffer, eds., *Modern Material Culture*, pp. 137–159. New York: Academic Press.

Dietz, K., U. Osterhaus, S. Rieckhoff-Pauli, and K. Spindler. 1979. *Regensburg zur Römerzeit*. Regensburg: Friedrich Pustet.

Dobiat, C. 1980. *Das hallstattzeitliche Gräberfeld von Kleinklein und seine Keramik*. Graz: Landesmuseum Joanneum.

Donat, P. 1968–1969. "Eine spätlatènezeitliche Siedlung am Fusse der Steinsburg bei Römhild." *Alt-Thüringen* 10:143–176.

————. 1977. "Stallgrösse und Viehbesitz nach Befunden germanischer Wohnstallhäuser." *Deutsche Akademie der Wissenschaften zu Berlin, Sektion für Vor- und Frühgeschichte, Schriften* 30:251–263.

————. 1978. "Haus, Hof und Dorf in Mitteleuropa vom 7.–12. Jahrhundert." *Ethnographisch-Archäologische Zeitschrift* 19:61–67.

Donat, P., and H. Ullrich. 1976. "Bevölkerungszahlen: Archäologie." In J. Hoops, ed., *Reallexikon der germanischen Altertumskunde*, vol. 2, pp. 349–353. Berlin: Walter de Gruyter.

Doppelfeld, O., and R. Pirling. 1966. *Fränkische Fürsten im Rheinland: Die Gräber aus dem Kölner Dom, von Krefeld-Gellep und Morken*. Düsseldorf: Rheinland-Verlag.

Drack, W. 1980. "Gold." In E. Lessing, ed., *Hallstatt: Bilder aus der Frühzeit Europas*, pp. 64–71. Vienna: Jugend und Volk.

Drack, W., ed. 1974. *Ur- und frühgeschichtliche Archäologie der Schweiz*, vol. 4, *Die Eisenzeit*. Basel: Schweizerische Gesellschaft für Ur- und Frühgeschichte.

Drescher, H. 1958. *Der Überfangguss*. Mainz: Römisch-Germanisches Zentralmuseum.

————. 1980. "Zur Technik der Hallstattzeit." In D. Straub, ed., *Die Hallstattkultur: Frühform europäischer Einheit*, pp. 54–66. Linz: Oberösterreichischer Landesverlag.

Driehaus, J. 1971. "Zum Grabfund von Waldalgesheim." *Hamburger Beiträge zur Archäologie* 1, no. 2, pp. 101–114.

Duby, G. 1968. *Rural Economy and Country Life in the Medieval West*. Trans. C. Postan. London: Edward Arnold.

————. 1974. *The Early Growth of the European Economy*. Trans. H. B. Clarke. Ithaca, N.Y.: Cornell University Press.

Dunbabin, T. J. 1948. *The Western Greeks*. Oxford: Clarendon Press.

Dušek, M. 1966. *Thrakisches Gräberfeld der Hallstattzeit in Chotín*. Bratislava: Vydavatel'stvo Slovenskej Akadémie Vied.

———. 1974a. "Die Thraker im Karpatenbecken." *Slovenská Archeologia* 22:361–434.

———. 1974b. "Der junghallstattzeitliche Fürstensitz auf dem Molpír bei Smolenice." In B. Chropovský, ed., *Symposium zu Problemen der jüngeren Hallstattzeit in Mitteleuropa*, pp. 137–150. Bratislava: Vydavatel'stvo Slovenskej Akadémie Vied.

———. 1980. "Slowakei." In E. Lessing, ed., *Hallstatt: Bilder aus der Frühzeit Europas*, pp. 100–104. Vienna: Jugend und Volk.

Dušek, S. 1977a. "Zur chronologischen und soziologischen Auswertung der hallstattzeitlichen Gräberfelder von Chotín." *Slovenská Archeologia* 25:13–44.

———. 1977b. "Zur sozialökonomischen Interpretation hallstattzeitlicher Fundkomplexe der Südwest-Slowakei." In J. Herrmann, ed., *Archäologie als Geschichtswissenschaft*, pp. 177–185. Berlin: Akademie-Verlag.

Dvořák, F. 1938. *Wagengräber der älteren Eisenzeit in Böhmen*. Prague: University of Prague.

Egg, M. 1978. "Das Grab eines unterkrainischen Kriegers in Hallstatt." *Archäologisches Korrespondenzblatt* 8:191–201.

Egger, R. 1961. *Die Stadt auf dem Magdalensberg*. Österreichische Akademie der Wissenschaften, Philosophisch-Historische Klasse, Denkschriften, vol. 79. Vienna: Böhlau.

Eggers, H. J. 1949–1950. "Lübsow: Ein germanischer Fürstensitz der älteren Kaiserzeit." *Praehistorische Zeitschrift* 34–35:58–111.

———. 1951. *Der römische Import im freien Germanien*. Hamburg: Museum für Völkerkunde und Vorgeschichte.

Eibner, C. 1974. *Das späturnenfelderzeitliche Gräberfeld von St. Andrä v. d. Hgt. P. B. Tulln, Nö.* Vienna: Franz Deuticke.

Eibner, C., L. Plank, and R. Pittioni. 1966. "Die Urnengräber vom Lebenberg bei Kitzbühel, Tirol." *Archaeologia Austriaca* 40:215–248.

Ennen, E. 1953. *Frühgeschichte der europäischen Stadt*. Bonn: L. Röhrscheid.

Eogan, G. 1981. "The Gold Vessels of the Bronze Age in Ireland and Beyond." *Proceedings of the Royal Irish Academy* 81, C, no. 14, pp. 345–382.

Fél, E., and T. Hofer. 1972. *Bäuerliche Denkweise in Wirtschaft und Haushalt*. Göttingen: Otto Schwarz.

Ferguson, L. 1977. "Historical Archaeology and the Importance of Material Things." In Ferguson, ed., *Historical Archaeology and the Importance of Material Things*, pp. 5–8. Special Publication no. 2. Washington: Society for Historical Archaeology.

Filip, J. 1962. *Celtic Civilization and Its Heritage*. Prague: New Horizons.

————. 1969. "Sichel." In J. Filip, ed., *Enzyklopädisches Handbuch zur Ur- und Frühgeschichte Europas*, vol. 2, pp. 1288–1290. Stuttgart: W. Kohlhammer.

————. 1971. "Die keltische Besiedlung Mittel- und Südosteuropas und das Problem der zugehörigen Oppida." *Archeologické rozhledy* 23:263–272.

————. 1978. Keltská Opevnění jako Ukazatel a Odraz Historického Vývoje a Struktury Keltské Společnosti" (Celtic Strongholds as an Indicator and a Reflection of the Evolution and the Structure of Celtic Society). *Archeologické rozhledy* 30:420–432.

Filtzinger, P., D. Planck, and B. Cämmerer, eds. 1976. *Die Römer in Baden-Württemberg*. Stuttgart: Konrad Theiss.

Finley, M. I. 1959. "Technology in the Ancient World." *Economic History Review*, 2d ser. 12:120–125.

————. 1965a. *The World of Odysseus*. New York: Viking Press.

————. 1965b. "Trade and Politics in the Ancient World: Classical Greece." In *Deuxième conférence internationale d'histoire économique*, pp. 11–35. Paris: Mouton.

————. 1973. *The Ancient Economy*. London: Chatto and Windus.

Firth, R. 1964. "Capital, Saving and Credit in Peasant Societies: A Viewpoint from Economic Anthropology." In R. Firth and B. S. Yamey, eds., *Capital, Saving and Credit in Peasant Societies*, pp. 15–34. Chicago: Aldine.

————. 1965. *Primitive Polynesian Economy*. 2d ed. London: Routledge and Kegan Paul.

Firth, R., and B. S. Yamey, eds. 1964. *Capital, Saving and Credit in Peasant Societies*. Chicago: Aldine.

Fischer, F. 1959. *Der spätlatènezeitliche Depot-Fund von Kappel (Kreis Saulgau)*. Stuttgart: Silberburg.

————. 1971. "Die keltische Oppida Südwestdeutschlands und ihre historische Situation." *Archeologické rozhledy* 23:417–431.

————. 1973. "ΚΕΙΜΗΛΙΑ: Bemerkungen zur kulturgeschichtlichen Interpretation des sogenannten Südimports in der späten Hallstatt- und frühen Latène-Kultur des westlichen Mitteleuropa." *Germania* 51:436–459.

————. 1976. "P. Silius Nerva: Zur Vorgeschichte des Alpenfeldzugs 15 v. Chr." *Germania* 54:147–155.

————. 1981. "Sinsheim-Dühren." In K. Bittel, W. Kimmig, and S. Schiek, eds., *Die Kelten in Baden-Württemberg*, pp. 471–472. Stuttgart: Konrad Theiss.

Flouest, J.-L., and I. M. Stead. 1977. "Une tombe de La Tène III à Hannogne (Ardennes)." *Mémoires de la société d'agriculture, commerce, sciences et arts du départment de la Marne* 92:55–72.

Foltiny, S. 1958. *Velemszentvid: Ein urzeitliches Kulturzentrum in Mitteleuropa*. Vienna: Österreichische Arbeitsgemeinschaft für Ur- und Frühgeschichte.

Forbes, R. J. 1964. "The Evolution of the Smith, His Social and Sacred Status." In R. J. Forbes, *Studies in Ancient Technology*, vol. 7, pp. 52–102. Leiden: Brill.

Frankenstein, S., and M. J. Rowlands. 1978. "The Internal Structure and Regional Context of Early Iron Age Society in South-Western Germany." *Institute of Archaeology Bulletin* 15:73–112.

Frey, O.-H. 1966. "Der Ostalpenraum und die antike Welt in der frühen Eisenzeit." *Germania* 44:48–66.

———. 1969. *Die Entstehung der Situlenkunst*. Berlin: Walter de Gruyter.

Frey, O.-H., and S. Gabrovec. 1971. "Zur Chronologie der Hallstattzeit im Ostalpenraum." In M. Garašanin, A. Benac, and N. Tasić, eds., *Actes du VIIIᵉ congrès international des sciences préhistoriques et protohistoriques*, vol. 1, pp. 193–218. Belgrade: Union internationale des sciences préhistoriques et protohistoriques.

Gabrovec, S. 1960. "Grob z oklepom iz Novega mesta" (Panzergrab von Novo mesto). *Situla* 1:27–79.

———. 1966. "Zur Hallstattzeit in Slowenien." *Germania* 44:1–48.

———. 1973. "Začetek halštatskega obdobja v Sloveniji" (Der Beginn der Hallstattzeit in Slowenien). *Arheološki Vestnik* 24:367–373.

———. 1974. "Die Ausgrabungen in Stična und ihre Bedeutung für die südostalpine Hallstattkultur." In B. Chropovský, ed., *Symposium zu Problemen der jüngeren Hallstattzeit in Mitteleuropa*, pp. 163–187. Bratislava: Vydavatel'stvo Slovenskej Akadémie Vied.

———. 1976. "Zum Beginn der Hallstattzeit in Slowenien." In H. Mitscha-Märheim, H. Friesinger, and H. Kerchler, eds., *Festschrift R. Pittioni*, vol. 1, pp. 588–600. Vienna: Franz Deuticke.

———. 1980. "Der Beginn der Hallstattkultur und der Osten." In D. Straub, ed., *Die Hallstattkultur: Frühform europäischer Einheit*, pp. 30–53. Linz: Oberösterreichischer Landesverlag.

Gabrovec, S., O.-H. Frey, and S. Foltiny. 1970. "Erster Vorbericht über die Ausgrabungen im Ringwall von Stična (Slowenien)." *Germania* 48, 12–33.

I Galli e l'Italia. 1978. Rome: Soprintendenza Archeologica di Roma.

Gersbach, E. 1969. "Heuneburg-Aussensiedlung-jüngere Adelsnekropole." *Fundberichte aus Hessen*, suppl. 1, pp. 29–34.

———. 1975. "Das Modell der Heuneburg." In *Ausgrabungen in Deutschland 1950–1975*, vol. 3, pp. 317–319. Mainz: Römisch-Germanisches Zentralmuseum.

———. 1978. "Ergebnisse der letzten Ausgrabungen auf der Heuneburg bei Hundersingen (Donau)." *Archäologisches Korrespondenzblatt* 8:301–310.

――――. 1981. "Neue Aspekte zur Geschichte des späthallstatt-frühlatène-zeitlichen Fürstensitzes auf der Heuneburg." In C. and A. Eibner, eds., *Die Hallstattkultur: Bericht über das Symposium in Steyr 1980 aus Anlass der Internationalen Ausstellung des Landes Oberösterreich*, pp. 357–374. Linz: Oberösterreichischer Landesverlag.

Gimbutas, M. 1965. *Bronze Age Cultures in Central and Eastern Europe*. The Hague: Mouton.

Glassie, H. 1977. "Archaeology and Folklore: Common Anxieties, Common Hopes." In L. Ferguson, ed., *Historical Archaeology and the Importance of Material Things*, pp. 23–35. Special Publication no. 2. Washington: Society for Historical Archaeology.

Glob, P. V. 1951. *Ard og plov in Nordens oldtid*. Aarhus: Universitetsforlaget.

――――. 1954. "Plovbilleder i Val Camonica" (Plough Carvings in the Val Camonica). *Kuml* 7–17.

Goetze, A. 1900. "Depotfund von Eisengeräthen aus frührömischer Zeit von Körner (Sachsen-Coburg-Gotha)." *Zeitschrift für Ethnologie* 32:202–214.

Gray, H. St. G., and A. Bulleid. 1953. *The Meare Lake Village*. Vol. 2. Taunton: Taunton Castle.

Greenfield, S. M. 1979. "Entrepreneurship and Dynasty Building in the Portuguese Empire in the Seventeenth Century." In S. M. Greenfield, A. Strickon, and R. T. Aubey, eds., *Entrepreneurs in Cultural Context*, pp. 21–63. Albuquerque: University of New Mexico Press.

Greenfield, S. M., A. Strickon, and R. T. Aubey, eds. 1979. *Entrepreneurs in Cultural Context*. Albuquerque: University of New Mexico Press.

Grierson, P. 1959. "Commerce in the Dark Ages." *Transactions of the Royal Historical Society*, 5th ser. 9:123–140.

Grössler, H. 1907. "Das Fürstengrab im grossen Galgenhügel am Paulus-schachte bei Helmsdorf (im Mansfelder Seekreise)." *Jahresschrift für die Vorgeschichte der sächsisch-thüringischen Länder* 6:1–87.

Guilaine, J., ed. 1976. *La préhistoire française*, vol. 2, *Les civilisations néolithiques et protohistoriques de la France*. Paris: Centre National de la Recherche Scientifique.

Guštin, M., ed. 1977. *Keltske Študije*. Brežice: Posavski musej.

Guyan, W. U. 1977. "Neue archäologische Untersuchungen zur Eisen-verhüttung in der Schweiz." In A. Ohrenberger and K. Kaus, eds., *Archäologische Eisenforschung in Europa*, pp. 119–126. Eisenstadt: Burgenländisches Landesmuseum.

Haarnagel, W. 1975. "Die Wurtensiedlung Feddersen Wierde im Nordsee-

Küstengebiet." In *Ausgrabungen in Deutschland 1950–1975*, vol. 2, pp. 10–29. Mainz: Römisch-Germanisches Zentralmuseum.

———. 1977. "Das eisenzeitliche Dorf 'Feddersen Wierde.'" In H. Jankuhn, W. Schlesinger, and H. Steuer, eds., *Vor- und Frühformen der europäischen Stadt im Mittelalter*, pt. 1, pp. 253–284. Göttingen: Vandenhoeck and Ruprecht.

———. 1979. *Die Grabung Feddersen Wierde*. Wiesbaden: Franz Steiner.

Hachmann, R. 1956–1957. "Zur Gesellschaftsordnung der Germanen in der Zeit um Christi Geburt." *Archaeologia Geographica* 5–6:7–24.

Hachmann, R., G. Kossack, and H. Kuhn. 1962. *Völker zwischen Germanen und Kelten*. Neumünster: Karl Wachholtz.

Haevernick, T. E. 1978. "Urnenfelderzeitliche Glasperlen." *Zeitschrift für Schweizerische Archäologie und Kunstgeschichte* 35:145–157.

Haffner, A. 1969. "Das Treverer-Gräberfeld mit Wagenbestattungen von Hoppstädten-Weiersbach, Kreis Birkenfeld." *Trierer Zeitschrift* 32:71–127.

———. 1971a. "Ein hallstattzeitlicher Eisenschmelzofen von Hillesheim, Kr. Daun." *Trierer Zeitschrift* 34:21–29.

———. 1971b. *Das keltisch-römische Gräberfeld von Wederath-Belginum*, vol. 1, *Gräber 1–428, ausgegraben 1954–1955*. Mainz: Philipp von Zabern.

———. 1974a. "Zum Ende der Latènezeit im Mittelrhein." *Archäologisches Korrespondenzblatt* 4:59–72.

———. 1974b. *Das keltisch-römische Gräberfeld von Wederath-Belginum*, vol. 2, *Gräber 429–883, ausgegraben 1956–1957*. Mainz: Philipp von Zabern.

———. 1976. *Die westliche Hunsrück-Eifel-Kultur*. Berlin: Walter de Gruyter.

———. 1978. *Das keltisch-römische Gräberfeld von Wederath-Belginum*, vol. 3, *Gräber 885–1260, ausgegraben 1958–1960, 1971 und 1974*. Mainz: Philipp von Zabern.

Hald, M. 1950. *Olddanske Tekstiler*. Copenhagen: Nordisk Forlag.

Hampel, J. 1887. *Altertümer der Bronzezeit in Ungarn*. Budapest: Friedrich Kilian.

Hareven, T. K., and R. Langenbach. 1978. *Amoskeag: Life and Work in an American Factory-City*. New York: Pantheon.

Härke, H. G. H. 1979. *Settlement Types and Patterns in the West Hallstatt Province*. British Archaeological Reports, International Series vol. 57. Oxford: British Archaeological Reports.

Harris, W. V. 1980. "Towards a Study of the Roman Slave Trade." In J. H. D'Arms and E. C. Kopff, eds., *The Seaborne Commerce of Ancient Rome*, pp. 117–140. Rome: American Academy in Rome.

Harrison, R. J. 1980. *The Beaker Folk*. London: Thames and Hudson.

Hartley, D. 1979. *Lost Country Life*. New York: Pantheon.

Hartmann, A. 1970. *Prähistorische Goldfunde aus Europa*. Berlin: Gebr. Mann.

──────. 1978. "Ergebnisse spektralanalytischer Untersuchung späthallstatt- und latènezeitlicher Goldfunde vom Dürrnberg, aus Süddeutschland, Frankreich und der Schweiz." In L. Pauli, ed., *Der Dürrnberg bei Hallein III*, pp. 601–617. Munich: Beck.

Hasebroek, J. 1933. *Trade and Politics in Ancient Greece*. Trans. L. M. Fraser and D. C. Macgregor. London: G. Bell and Sons.

Häusler, A. 1968. "Kritische Bemerkungen zum Versuch soziologischer Deutung ur- und frühgeschichtlicher Gräberfelder." *Ethnographisch-Archäologische Zeitschrift* 9:1–30.

Hawkes, C. F. C. 1940. *The Prehistoric Foundations of Europe to the Mycenaean Age*. London: Methuen.

Hedeager, L. 1979a. "Processes toward State Formation in Early Iron Age Denmark." In K. Kristiansen and C. Paludan-Müller, eds., *New Directions in Scandinavian Archaeology*, pp. 217–223. Copenhagen: National Museum of Denmark.

──────. 1979b. "A Quantitative Analysis of Roman Imports in Europe North of the Limes (0–400 A.D.) and the Question of Roman-Germanic Exchange." In K. Kristiansen and C. Paludan-Müller, eds., *New Directions in Scandinavian Archaeology*, pp. 191–216. Copenhagen: National Museum of Denmark.

──────. 1980. "Besiedlung, soziale Struktur und politische Organisation in der älteren und jüngeren römischen Kaiserzeit Ostdänemarks." *Praehistorische Zeitschrift* 55:38–109.

Hencken, H. 1971. *The Earliest European Helmets*. Cambridge, Mass.: Peabody Museum, Harvard University.

──────. 1978. *The Iron Age Cemetery of Magdalenska gora in Slovenia*. Cambridge, Mass.: Peabody Museum, Harvard University.

Hensel, W. 1970. "Remarques sur les origines des villes en Europe centrale." In G. Mansuelli and R. Zangheri, eds., *Atti del convegno di studi sulla città etrusca e italica preromana*, vol. 1, pp. 323–328. Bologna: Istituto per la Storia di Bologna.

Herlihy, D. 1971. "The Economy of Traditional Europe." *Journal of Economic History* 31:153–164.

Herrmann, F.-R. 1966. *Die Funde der Urnenfelderkultur in Mittel- und Südhessen*. Berlin: Walter de Gruyter.

──────. 1974–1975. "Die urnenfelderzeitliche Siedlung von Künzing." *Jahresbericht der bayerischen Bodendenkmalpflege* 15–16:58–106.

Herrmann, J. 1969. "Burgen und befestigte Siedlungen der jüngeren Bronze- und frühen Eisenzeit in Mitteleuropa." In K.-H. Otto and J.

Herrmann, eds., *Siedlung, Burg und Stadt*, pp. 56–94. Berlin: Akademie-Verlag.

Herskovits, M. J. 1940. *The Economic Life of Primitive Peoples*. New York: Knopf.

Hingst, H. 1978. "Vor- und frühgeschichtliche Eisenverhüttung in Schleswig-Holstein." In W. Kroker, ed., *Eisen und Archäologie: Eisenerzbergbau und -verhüttung vor 2000 Jahren in der VR Polen*, pp. 63–71. Bochum: Bergbau-Museum.

Hodder, I. 1982. *Symbols in Action: Ethnoarchaeological Studies of Material Culture*. Cambridge: Cambridge University Press.

Hodges, H. W. M. 1964. *Artifacts*. New York: Praeger.

Hodges, R. 1981. *The Hamwih Pottery.*, Research Report no. 37. London: Council for British Archaeology.

———. 1982. *Dark Age Economics: The Origins of Towns and Trade AD 60–1000*. London: Duckworth.

Hodges, R., and D. Whitehouse. 1983. *Mohammed, Charlemagne and the Origins of Europe*. Ithaca, N.Y.: Cornell University Press.

Hodson, F. R. 1964. "La Tène Chronology, Continental and British." *Institute of Archaeology Bulletin* 4:123–141.

———. 1968. *The La Tène Cemetery at Münsingen-Rain*. Bern: Stämpfli.

Holmqvist, W. 1976. "Die Ergebnisse der Grabungen auf Helgö (1954–1974)." *Praehistorische Zeitschrift* 51:127–177.

Homans, G. C. 1942. *English Villagers of the Thirteenth Century*. Cambridge, Mass.: Harvard University Press.

Hopkins, K. 1978. *Conquerors and Slaves*. Cambridge: Cambridge University Press.

Hrubý, V. 1965. *Staré Mesto*. Prague: Československé Akademie Ved.

Hundt, H.-J. 1958. *Katalog Straubing I*. Kallmünz/Opf.: Michael Lassleben.

———. 1970. "Gewebefunde aus Hallstatt: Webkunst und Tracht in der Hallstattzeit." In *Krieger und Salzherren: Hallstattkultur im Ostalpenraum*, pp. 53–71. Mainz: Römisch-Germanisches Zentralmuseum.

———. 1974. "Donauländische Einflüsse in der frühen Bronzezeit Norditaliens." *Preistoria Alpina* 10:143–178.

Hus, A. 1971. *Vulci étrusque et étrusco-romaine*. Paris, Éditions Klincksieck.

Hvass, S. 1975. "Das eisenzeitliche Dorf bei Hodde, Westjütland." *Acta Archaeologica* (Copenhagen) 46:142–158.

Ivanov, I. S. 1978. "Les fouilles archéologiques de la nécropole chalcolithique à Varna (1972–1975)." *Studia praehistorica* 1–2:13–26.

Jaanusson, H. 1971. "Bronsålderboplatsen vid Hallunda." *Fornvännen* 66:173–185.

Jackson, K. H. 1964. *The Oldest Irish Tradition: A Window on the Iron Age*. Cambridge: Cambridge University Press.

Jacobi, G. 1974. *Werkzeug und Gerät aus dem Oppidum von Manching.* Wiesbaden: Franz Steiner.

———. 1977. *Die Metallfunde vom Dünsberg.* Wiesbaden: Landesamt für Denkmalpflege Hessen.

Jacobstahal, P. 1944. *Early Celtic Art.* Oxford: Clarendon Press.

Jankuhn, H. 1969. *Vor- und Frühgeschichte vom Neolithikum bis zur Völkerwanderungszeit.* Stuttgart: Eugen Ulmer.

———. 1977. *Einführung in die Siedlungsarchäologie.* Berlin: Walter de Gruyter.

Jankuhn, H., R. Schützeichel, and F. Schwind, eds. 1977. *Das Dorf der Eisenzeit und des frühen Mittelalters.* Göttingen: Vanderhoeck and Ruprecht.

Jansová, L. 1965. *Hrazany.* Prague: Československé Akademie Věd.

———. 1971. "Keltisches Oppidum Závist." *Archeologické rozhledy* 23:273–281.

Janssen, W. 1976. "Some Major Aspects of Frankish and Medieval Settlement in the Rhineland." In P. H. Sawyer, ed., *Medieval Settlement,* pp. 41–60. London: Edward Arnold.

———. 1977. "Dorf und Dorfformen des 7. bis 12. Jahrhunderts im Lichte neuer Ausgrabungen in Mittel- und Nordeuropa." In H. Jankuhn, R. Schützeichel, and F. Schwind, eds., *Das Dorf der Eisenzeit und des frühen Mittelalters,* pp. 285–356. Göttingen: Vandenhoeck and Ruprecht.

Jehl, M., and C. Bonnet. 1968. "Un potier de l'époque champs d'urnes au sommet du Hohlandsberg." *Cahiers alsaciens d'archéologie, d'art et d'histoire* 12:5–30.

———. 1971. "La station d'altitude de Linsenbrunnen-Wintzenheim-Hohlandsberg." *Cahiers alsaciens d'archéologie, d'art et d'histoire* 15:23–48.

Joachim, H.-E. 1973. "Ein reich ausgestattetes Wagengrab der Spätlatènezeit aus Neuwied, Stadtteil Heimbach-Weis." *Bonner Jahrbücher* 173:1–44.

———. 1980. "Jüngerlatènezeitliche Siedlungen bei Eschweiler, Kr. Aachen." *Bonner Jahrbücher* 180:355–441.

Joachim, W., and J. Biel. 1977. "Untersuchung einer späthallstatt-frühlatènezeitlicher Siedlung in Kornwestheim, Kreis Ludwigsburg." *Fundberichte aus Baden-Württemberg* 3:173–203.

Jockenhövel, A. 1973. "Urnenfelderzeitliche Barren als Grabbeigaben." *Archäologisches Korrespondenzblatt* 3:23–28.

———. 1974. "Zu befestigten Siedlungen der Urnenfelderzeit aus Süddeutschland." *Fundberichte aus Hessen* 14:19–62.

Joffroy, R. 1954. *Le trésor de Vix (Côte-d'Or).* Paris: Presses Universitaires de France.

————. 1962. *Le trésor de Vix: Histoire et portée d'une grande découverte.* Paris: Fayard.

Kahrstedt, U. 1938. "Eine historische Betrachtung zu einem prähistorischen Problem." *Praehistorische Zeitschrift* 28–29:401–405.

Kappel, I. 1969. *Die Graphittonkeramik von Manching.* Wiesbaden: Franz Steiner.

Kaus, K. 1977. "Zur Zeitstellung von ur- und frühgeschichtlichen Eisenverhüttungsanlagen Burgenlands auf Grund der Kleinfunde." In A. Ohrenberger and K. Kaus, eds., *Archäologische Eisenforschung in Europa,* pp. 63–70. Graz: Burgenländisches Landesmuseum.

————. 1981. "Herrschaftsbereiche der Kalenderbergkultur. In C. and A. Eibner, eds., *Die Hallstattkultur: Bericht über das Symposium in Steyr 1980 aus Anlass der Internationalen Ausstellung des Landes Oberösterreich,* pp. 149–158. Linz: Oberösterreichischer Landesverlag.

Kellner, H.-J. 1972. *Die Römer in Bayern.* 2d ed. Munich: Süddeutscher Verlag.

Kilian-Dirlmeier, I. 1970. "Bemerkungen zur jüngeren Hallstattzeit im Elsass." *Jahrbuch des Römisch-Germanischen Zentralmuseums* 17:84–93.

————. 1971. "Beobachtungen zur Struktur des Gräberfeldes von Hallstatt." *Mitteilungen der österreichischen Arbeitsgemeinschaft für Ur- und Frühgeschichte* 22:71–75.

————. 1974. "Zur späthallstattzeitlichen Nekropole von Mühlacker." *Germania* 52:141–146.

Kimmig, W. 1948–1950. "Neufunde der frühen Urnenfelderzeit aus Baden." *Badische Fundberichte* 18:80–95.

————. 1964. "Seevölkerbewegung und Urnenfelderkultur." In R. von Uslar and K. J. Narr, eds., *Stüdien aus Alteuropa,* vol. 1, pp. 220–283. Cologne: Böhlau.

————. 1968. *Die Heuneburg an der oberen Donau.* Stuttgart: Gesellschaft für Vor- und Frühgeschichte in Württemberg und Hohenzollern.

————. 1974. "Zum Fragment eines Este-Gefässes von der Heuneburg an der oberen Donau." *Hamburger Beiträge zur Archäologie* 4:33–102.

————. 1975a. "Die Heuneburg an der oberen Donau." In *Ausgrabungen in Deutschland 1950–1975,* vol. 1, pp. 192–211. Mainz: Römisch-Germanisches Zentralmuseum.

————. 1975b. "Early Celts on the Upper Danube: Excavations at the Heuneburg." In R. Bruce-Mitford, ed., *Recent Archaeological Excavations in Europe,* pp. 32–64. London: Routledge and Kegan Paul.

Kjaerum, P. 1954. "Striber på kryds og tvaers: Om plovfurer under en jysk stenalderhøj" (Criss-cross Furrows: Plough Furrows under a Stone Age Barrow in Jutland). *Kuml* 18–29.

Kleemann, O. 1954. "Eine neue Verbreitungskarte der Spangenbarren." *Archaeologia Austriaca* 14:68–77.

Knorringa, H. 1926. *Emporos: Data on Trade and Traders in Greek Literature from Homer to Aristotle.* Amsterdam: H. J. Paris.

Kooi, P. B. 1979. *Pre-Roman Urnfields in the North of the Netherlands.* Groningen: Wolters-Noordhoff.

Körber-Grohne, U. 1981. "Pflanzliche Abdrücke in eisenzeitlicher Keramik: Spiegelbild damaliger Nutzpflanzen?" *Fundberichte aus Baden-Württemberg* 6:165–211.

Kornemann, E. 1939. "Oppidum." In *Paulys Real-Encyclopädie der classischen Altertumswissenschaft,* vol. 35, cols. 708–725. Stuttgart: J. B. Metzler.

Kos, P. 1980. "Die Rolle der norischen Silbermünzen in der Geldwirtschaft des 1. Jahrhunderts v. Chr." *Situla* 20–21:389–396.

Kossack, G. 1954. "Pferdegeschirr aus Gräbern der älteren Hallstattzeit Bayerns." *Jahrbuch des Römisch-Germanischen Zentralmuseums* 1:111–178.

———. 1959. *Südbayern während der Hallstattzeit.* Berlin: Walter de Gruyter.

———. 1970. *Gräberfelder der Hallstattzeit an Main und Fränkischer Saale.* Kallmünz/Opf.: Michael Lassleben.

Koutecký, D. 1968. "Velké hroby, jejich konstrukce, pohřební ritus a sociální struktura obyvatelstva bylanská kultury" (Grossgräber: Ihre Konstruktion, Grabritus und soziale Struktur der Bevölkerung der Bylaner Kultur). *Památky Archeologické* 59:400–487.

Krämer, W. 1950. "Ein aussergewöhnlicher Latènefund aus dem Oppidum von Manching." In G. Behrens, ed., *Reinecke-Festschrift,* pp. 84–95. Mainz: Römisch-Germanisches Zentralmuseum.

———. 1951–1952. "Siedlungen der mittleren und späten Latènezeit bei Steinebach am Wörthsee, Ldkr. Starnberg." *Bayerische Vorgeschichtsblätter* 18–19:190–194.

———. 1952. "Das Ende der Mittellatènefriedhöfe und die Grabfunde der Spätlatènezeit in Südbayern." *Germania* 30:330–337.

———. 1958. "Manching, ein vindelikisches Oppidum an der Donau." In W. Krämer, ed., *Neue Ausgrabungen in Deutschland,* pp. 175–202. Berlin: Gebr. Mann.

———. 1960. "The *Oppidum* of Manching." *Antiquity* 34:191–200.

———. 1964. *Das keltische Gräberfeld von Nebringen (Kreis Böblingen).* Stuttgart: Silberburg.

———. 1975. "Zwanzig Jahre Ausgrabungen in Manching, 1955 bis 1974." In *Ausgrabungen in Deutschland 1950–1975,* vol. 1, pp. 287–297. Mainz: Römisch-Germanisches Zentralmuseum.

Krämer, W., and F. Schubert. 1970. *Die Ausgrabungen in Manching 1955–1961.* Wiesbaden: Franz Steiner.

Kromer, K. 1958. "Gedanken über den sozialen Aufbau der Bevölkerung auf dem Salzberg bei Hallstatt." *Archaeologia Austriaca* 24:39–58.

―――. 1959. *Das Gräberfeld von Hallstatt.* Florence: Sansoni.

―――. 1963. *Hallstatt: Die Salzhandelsmetropole des ersten Jahrtausends vor Christus in den Alpen.* Vienna: Naturhistorisches Museum.

Kruta, V. 1971. *Le trésor de Duchov dans les collections tchécoslovaques.* Ústí nad Labem.

Kubach, W. 1977. *Die Nadeln in Hessen und Rheinhessen.* Munich: Beck.

Kunow, J. 1980. *Negotiator et Vectura: Händler und Transport im freien Germanien.* Marburg: Vorgeschichtliches Seminar.

Kurtz, D. C., and J. Boardman. 1971. *Greek Burial Customs.* London: Thames and Hudson.

Kurz, S. 1982. "Ein hallstattzeitlicher Grabhügel und die Heuneburg-Aussensiedlung." In D. Planck, ed., *Archäologische Ausgrabungen in Baden-Württemberg 1981*, pp. 67–72. Stuttgart: Konrad Theiss.

Lamberg-Karlovsky, C. C., and J. A. Sabloff. 1979. *Ancient Civilizations: The Near East and Mesoamerica.* Menlo Park, Calif.: Cummings.

Landes, D. S. 1969. *The Unbound Prometheus: Technological Change and Industrial Development in Western Europe from 1750 to the Present.* Cambridge: Cambridge University Press.

Lang, A. 1974. *Die geriefte Drehscheibenkeramik der Heuneburg 1950–1970 und verwandte Gruppen.* Berlin: Walter de Gruyter.

―――. 1976. "Neue geriefte Drehscheibenkeramik von der Heuneburg." *Germania* 54:43–62.

Laslett, P. 1973. *The World We Have Lost.* 2d ed. New York: Charles Scribner's Sons.

Lauffer, S. 1955–1956. *Die Bergwerkssklaven von Laureion.* Mainz: Akademie der Wissenschaften und der Literatur, Abhandlung der Geistes- und Sozialwissenschaftlichen Klasse.

Laur-Belart, R. 1955. "Lehrgrabung auf dem Kestenberg." *Ur-Schweiz* 19:1–28.

Leach, E. 1977. "A View from the Bridge." In M. Spriggs, ed., *Archaeology and Anthropology*, pp. 161–176. British Archaeological Reports, Supplementary Series, vol. 19. Oxford: British Archaeological Reports.

Leone, M. P. 1982. "Some Opinions about Recovering Mind." *American Antiquity* 47:742–760.

Liebschwager, C. 1972. "Zur Frühlatènekultur in Baden-Württemberg." *Archäologisches Korrespondenzblatt* 2:143–148.

Lindqvist, S. 1936. *Uppsala Högar och Ottarshögen.* Stockholm: Wahlström and Widstrand.

Lippert, A. 1972. *Das Gräberfeld von Welzelach (Osttirol).* Bonn: Habelt.

Lüdi, W. 1955. "Beiträge zur Kenntnis der Vegetationsverhältnisse im schweizerischen Alpenvorland während der Bronzezeit." In W. U. Guyan, ed., *Das Pfahlbauproblem*, pp. 89–109. Basel: Birkhäuser.

Ludikovský, K. 1968. "Ausgrabung des keltischen Siedlung in Mistřín (Bez. Hodonín)." *Přehled Výzkumů* 1967:57.

Macalister, R. A. S. 1931. *Tara*. New York: Scribners.

McEvedy, C., and R. Jones. 1978. *Atlas of World Population History*. Harmondsworth: Penguin.

MacKendrick, P. 1970. *Romans on the Rhine: Archaeology in Germany*. New York: Funk and Wagnalls.

Mahr, G. 1967. *Die jüngere Latènekulture des Trierer Landes*. Berlin: Bruno Hessling.

Maier, F. 1970. *Die bemalte Spätlatène-Keramik von Manching*. Wiesbaden: Franz Steiner.

―――. 1973. "Keltische Altertümer in Griechenland." *Germania* 51:459–477.

―――. 1974. "Gedanken zur Entstehung der industriellen Grosssiedlung der Hallstatt- und Latènezeit auf dem Dürrnberg bei Hallein." *Germania* 52:326–347.

Malmström, V. H. 1971. *Geography of Europe*. Englewood Cliffs, N.J.: Prentice-Hall.

Mansfeld, G. 1973. *Die Fibeln der Heuneburg 1950–1970*. Berlin: Walter de Gruyter.

Mansuelli, G. A., and R. Scarani. 1961. *L'Emilia prima dei Romani*. Milan: Il Saggiatore.

Martin-Kilcher, S. 1981. "Das keltische Gräberfeld von Vevey VD." *Jahrbuch der Schweizerischen Gesellschaft für Urgeschichte* 64:107–156.

Mauss, M. 1967. *The Gift*. Trans. I. Cunnison. New York: W. W. Norton.

Meduna, J. 1970. "Das keltische Oppidum Staré Hradisko in Mähren." *Germania* 48:34–59.

―――. 1971. "Die keltische Oppida Mährens." *Archeologické rozhledy* 23:304–311.

―――. 1980. *Die latènezeitlichen Siedlungen in Mähren*. Brno: Československá Akademie Věd.

―――. 1982. Review of W. Stöckli, *Die Grob- und Importkeramik von Manching*. *Praehistorische Zeitschrift* 57:150–156.

Megaw, J. V. S. 1970. *Art of the European Iron Age*. New York: Harper and Row.

Megaw, J. V. S., and D. D. A. Simpson, eds. 1979. *Introduction to British Prehistory*. Leicester: Leicester University Press.

Menke, M. 1977. "Zur Struktur und Chronologie der spätkeltischen und frührömischen Siedlungen im Reichenhaller Becken." In B. Chropovský, ed., *Symposium: Ausklang der Latène-Zivilisation und Anfänge der germanischen Besiedlung im mittleren Donaugebiet*, pp. 223–238. Bratislava: Slowakische Akademie der Wissenschaften.

Milisauskas, S. 1978. *European Prehistory*. New York: Academic Press.

Millotte, J. P. 1963. *Le Jura et les plaines de Saône aux âges des métaux*. Paris: Société d'édition "Les Belles Lettres."

Minns, E. H. 1913. *Scythians and Greeks*. Cambridge: Cambridge University Press.

Mittauer, M. 1979. *Grundtypen alteuropäischer Sozialformen*. Stuttgart-Bad Cannstatt: Frommann-Holzboog.

Moberg, C.-A. 1977. "La Tène and Types of Society in Scandinavia." In V. Markotic, ed., *Ancient Europe and the Mediterranean*, pp. 115–120. Warminster: Aris and Phillips.

———. 1981. "From Artifacts to Timetables to Maps (to Mankind?): Regional Traditions in Archaeological Research in Scandinavia." *World Archaeology* 13:209–221.

Moore, C. B., ed. 1974. *Reconstructing Complex Societies. American Schools of Oriental Research Bulletin*, suppl. no. 20.

Moosleitner, F. 1977. "Hallstattzeitliche Grabfunde aus Uttendorf im Pinzgau (Österreich)." *Archäologisches Korrespondenzblatt* 7:115–119.

———. 1979. "Ein hallstattzeitlicher 'Fürstensitz' am Hellbrunnerberg bei Salzburg." *Germania* 57:53–74.

———. 1980. "Scheibenförmiger Eisenbarren." In L. Pauli, ed., *Die Kelten in Mitteleuropa*, p. 300. Salzburg: Landesregierung.

Moosleitner, F., L. Pauli, and E. Penninger. 1974. *Der Dürrnberg bei Hallein II*. Munich: Beck.

Mordant, C., D. Mordant, and J.-Y. Prampart. 1976. *Le dépôt de bronze de Villethierry (Yonne)*. Paris: Centre National de la Recherche Scientifique.

Morton, F. 1954. *Hallstatt: Die letzten einhundertfünfzig Jahre des Bergmannsortes*. Hallstatt: Musealverein.

———. 1956. *Salzkammergut: Die Vorgeschichte einer berühmten Landschaft*. Hallstatt: Musealverein.

Mossler, G., and L. Pauli. 1980. "Ausstattung eines Frauengrabes in Niederösterreich." In L. Pauli, ed., *Die Kelten in Mitteleuropa*, pp. 235–236. Salzburg: Landesregierung.

Motyková, K., P. Drda, and A. Rybová. 1978. *Závist: Keltské hradiště ve středních Čechách (Závist: Ein keltischer Burgwall in Mittelböhmen)*. Prague: Československé Akademie Věd.

Motyková, K., A. Rybová, and P. Drda. 1981. "The Závist Stronghold and Its Importance for the Celtic Settlement of Bohemia." In J. Hrala, ed., *Archaeological News in the Czech Socialist Republic*, pp. 91–97. Prague: Czechoslovak Academy of Sciences.

Motyková-Šneidrová, K. 1960. "Osídlení z mladší doby laténské, z doby římské a stěhování národů v záluží u Čelákovic" (Die Siedlungen in Záluží bei Čelákovice aus der frühen La Tène-Periode, der römischen Kaiserzeit und aus der Zeit der Völkerwanderung). *Památky Archeologické* 51:161–183.

Muhly, J. D. 1973. *Copper and Tin*. New Haven: Connecticut Academy of Arts and Sciences.

Müller-Karpe, A. and M. 1977. "Neue latènezeitliche Funde aus dem Heidetränk-Oppidum im Taunus." *Germania* 55:33–63.

Müller-Karpe, H. 1952. *Das Urnenfeld von Kelheim*. Kallmünz/Opf.: Michael Lassleben.

———. 1955. "Das urnenfelderzeitliche Wagengrab von Hart a. d. Alz, Oberbayern." *Bayerische Vorgeschichtsblätter* 21:46–75.

———. 1957. *Münchener Urnenfelder*. Kallmünz/Opf.: Michael Lassleben.

———. 1959. *Beiträge zur Chronologie der Urnenfelderzeit nördlich und südlich der Alpen*. Berlin: Walter de Gruyter.

———. 1961. *Die Vollgriffschwerter der Urnenfelderzeit aus Bayern*. Munich: Beck.

———. 1969. "Das urnenfelderzeitliche Toreutengrab von Steinkirchen, Niederbayern." *Germania* 47:86–91.

Müller-Wille, M. 1977a. "Bäuerliche Siedlungen der Bronze- und Eisenzeit in den Nordseegebieten." In H. Jankuhn, R. Schützeichel, and F. Schwind, eds., *Das Dorf der Eisenzeit und des frühen Mittelalters*, pp. 153–218. Göttingen: Vandenhoeck and Ruprecht.

———. 1977b. "Der frühmittelalterliche Schmied im Spiegel skandinavischer Grabfunde." *Frühmittelalterliche Studien* 11:127–201.

———. 1979. "Siedlungs- und Flurformen als Zeugnisse frühgeschichtlicher Betriebsformen der Landwirtschaft." In H. Jankuhn and R. Wenskus, eds., *Geschichtswissenschaft und Archäologie*, pp. 355–372. Sigmaringen: Jan Thorbecke.

Müllner, A. 1908. *Geschichte des Eisens in Innerösterreich von der Urzeit bis zum Anfange des XIX. Jahrhunderts*, pt. 1, *Krain, Küstenland und Istrien*. Vienna: von Halm and Goldmann.

Multhauf, R. P. 1978. *Neptune's Gift: A History of Common Salt*. Baltimore: Johns Hopkins University Press.

Muncey, R. W. 1936. *Our Old English Fairs*. London: Sheldon Press.

Mutton, A. F. A. 1961. *Central Europe: A Regional and Human Geography*. London: Longmans.

Nash, D. 1976. "The Growth of Urban Society in France." In B. Cunliffe and T. Rowley, eds., *Oppida: The Beginnings of Urbanisation in Barbarian Europe*, pp. 95–133. British Archaeological Reports, Supplementary Series, vol. 11. Oxford: British Archaeological Reports.

———. 1978a. "Territory and State Formation in Central Gaul." In D.

Green, C. Haselgrove, and M. Spriggs, eds., *Social Organisation and Settlement*, pp. 455–475. British Archaeological Reports, Supplementary Series, vol. 47. Oxford: British Archaeological Reports.

————. 1978b. *Settlement and Coinage in Central Gaul c. 200–50 B.C.* British Archaeological Reports, Supplementary Series, vol. 39. Oxford: British Archaeological Reports.

————. 1981. "Coinage and State Development in Central Gaul." In B. Cunliffe, ed., *Coinage and Society in Britain and Gaul*, pp. 10–17. London: Council for British Archaeology.

Nebehay, S. 1971. "Das latènezeitliche Gräberfeld von der Flur Mühlbach-äcker bei Au am Leithagebirge P. B. Bruck a. d. Leitha, NÖ." *Archaeologia Austriaca* 50:138–175.

————. 1973. *Das latènezeitliche Gräberfeld von der kleinen Hutweide bei Au am Leithagebirge, p. B. Bruck a. d. Leitha, NÖ.* Vienna: Franz Deuticke.

————. 1977. "La Tène in Eastern Austria." In M. Guštin, ed., *Keltske Študije*, pp. 51–58. Brežice: Posavski musej.

Nekvasil, J. 1980. "Die Býčí skála-Höhle." In E. Lessing, ed., *Hallstatt: Bilder aus der Frühzeit Europas*, pp. 94–99. Vienna: Jugend und Volk.

————. 1981. "Eine neue Betrachtung der Funde aus der Býčí Skála-Höhle." *Anthropologie* 19:107–110.

Nenquin, J. 1961. *Salt: A Study in Economic Prehistory.* Brugge: De Tempel.

Neubauer, H. 1956. "Uttenkofen." *Bayerische Vorgeschichtsblätter* 21:251.

Neuninger, H., R. Pittioni, and E. Preuschen. 1969. *Salzburgs Kupfererzlagerstätten und Bronzefunde aus dem Lande Salzburg. Archaeologia Austriaca*, suppl. vol. 9.

Neustupný, J. 1969. "Zu den urgeschichtlichen Vorformen des Städtewesens." In K.-H. Otto and J. Herrmann, eds., *Siedlung, Burg and Stadt*, pp. 26–41. Berlin: Akademie-Verlag.

————. 1970. "Essai d'explication de la fonction des stations préhistoriques fortifées en Europe centrale." In *Atti del convegno di studi sulla città etrusca e italica preromana*, vol. 1, pp. 339–343. Bologna: Istituto per la Storia di Bologna.

————. 1977. "The Time of the Hill-Forts." In V. Markotic, ed., *Ancient Europe and the Mediterranean*, pp. 135–139. Warminster: Aris and Phillips.

Nierhaus, R. 1954. "Kaiserzeitlicher Südweinimport nach dem freien Germanien?" *Acta Archaeologica* (Copenhagen) 25:252–260.

Niesiołowska-Wędzka, A. 1974. *Początki i rozwój grodów kultury Łużyckiej (Anfänge und Entwicklung der Burgen der Lausitzer Kultur).* Wrocław: Wydawnictwo Polskiej Akademii Nauk.

Oberg, K. 1973. *The Social Economy of the Tlingit Indians.* Seattle: University of Washington Press.

Obermayr, A. 1971. *Kelten und Römer am Magdalensberg.* Vienna: Österreichischer Bundesverlag.

Oldenstein, J. 1975. "Die Zusammensetzung des römischen Imports in den sogenannten Lübsowgräbern als möglicher Hinweis auf die soziale Stellung der Bestatteten." *Archäologisches Korrespondenzblatt* 5:299–305.

O'Riordain, S. P. 1964. *Tara.* Dundalk: Dundalgan Press.

Orme, B. 1981. *Anthropology for Archaeologists.* Ithaca, N.Y.: Cornell University Press.

Otto, K.-H. 1955. *Die sozialökonomischen Verhältnisse bei den Stämmen der Leubinger Kultur in Mitteldeutschland.* Ethnographisch-Archäologische Forschungen, vol. 3, pt. 1. Berlin: Deutscher-Verlag der Wissenschaften.

———. 1978. "Die historische Bedeutung der mittleren und jüngeren Bronzezeit." In W. Coblenz and F. Horst, eds., *Mitteleuropäische Bronzezeit,* pp. 57–69. Berlin: Akademie-Verlag.

Otto, K.-H., and J. Herrmann, eds. 1969. *Siedlung, Burg und Stadt.* Berlin: Akademie-Verlag.

Overbeck, B. 1980. "Die Münzen." In L. Pauli, ed., *Die Kelten in Mitteleuropa,* pp. 101–110, 316–335. Salzburg: Landesregierung.

Pagès-Allary, J., J. Déchelette, and A. Lauby. 1903. "Le tumulus arverne de Celles." *L'Anthropologie* 14:385–416.

Pallottino, M. 1971. *Civiltà artistica etrusco-italica.* Florence: Sansoni.

Panciera, S. 1957. *Vita economica di Aquileia in età romana.* Aquileia: Associazione nazionale per Aquileia.

Papousek, D. A. 1981. *The Peasant-Potters of Los Pueblos.* Assen: Von Gorcum.

Párducz, M. 1952. "Le cimetière hallstattien de Szentes-Vekerzug." *Acta Archaeologica* (Budapest) 2:143–172.

———. 1954. "Le cimetière hallstattien de Szentes-Vekerzug II." *Acta Archaeologica* (Budapest) 4:25–91.

———. 1955. "Le cimetière hallstattien de Szentes-Vekerzug III." *Acta Archaeologica* (Budapest) 6:1–22.

———. 1966. "The Scythian Cemetery at Tápiószele." *Acta Archaeologica* (Budapest) 18:35–91.

Paret, O. 1942. "Der Goldreichtum im hallstättischen Südwestdeutschland." *IPEK* 15–16:76–85.

Patek, E. 1976. "A Hallstatt Kultúra Sopron Környéki Csoportja" (Die Gruppe der Hallstattkultur in der Umgebung von Sopron). *Archaeologiai Értesítö* 103:3–28.

———. 1981. "Die Anfänge der Siedlung und des Gräberfeldes von Sopron-Burgstall." In C. and A. Eibner, eds., *Die Hallstattkultur: Bericht über das Symposium in Steyr 1980 aus Anlass der Internationalen Ausstellung des Landes Oberösterreich*, pp. 93–104. Linz: Oberösterreichischer Landesverlag.

Pauli, L. 1972. *Untersuchungen zur Späthallstattkultur in Nordwürttemberg.* Hamburger Beiträge zur Archäologie, vol. 2, no. 1. Hamburg: Helmut Buske.

——. 1974. "Der goldene Steig: Wirtschaftsgeographisch-archäologische Untersuchungen im östlichen Mitteleuropa." In G. Kossack and G. Ulbert, eds., *Studien zur vor- und frühgeschichtlichen Archäologie*, vol. 1, pp. 115–139. Munich: Beck.

——. 1978. *Der Dürrnberg bei Hallein III.* Munich: Beck.

——. 1980a. *Die Alpen in Frühzeit und Mittelalter.* Munich: Beck.

——. 1980b. "Katalog." In L. Pauli ed., *Die Kelten in Mitteleuropa*, pp. 196–315. Salzburg: Landesregierung.

Peacock, D. P. S. 1971. "Roman Amphorae in Pre-Roman Britain." In D. Hill and M. Jesson, eds., *The Iron Age and Its Hillforts*, pp. 161–188. Southampton: University of Southampton Press.

Penninger, E., 1972. *Der Dürrnberg bei Hallien I.* Munich: Beck.

——. 1980. "Der Salzbergbau auf dem Dürrnberg." In L. Pauli, ed., *Die Kelten in Mitteleuropa*, pp. 182–188. Salzburg: Landesregierung.

Percival, J. 1980. *Living in the Past.* London: BBC.

Peroni, R. 1973. *Studi di cronologia hallstattiana.* Rome: de Luca.

——. 1979. "From Bronze Age to Iron Age." In D. and F. R. Ridgway, eds., *Italy before the Romans*, pp. 7–30. New York: Academic Press.

Pertlwieser, M. 1969. "Die hallstattzeitliche Höhensiedlung auf dem Waschenberg bei Bad Wimsbach/Neydharting, Politischer Bezirk Wels, Oberösterreich." *Jahrbuch des Oberösterreichischen Musealvereins* 114:29–48.

——. 1970. "Die hallstattzeitliche Höhensiedlung auf dem Waschenberg bei Bad Wimsbach/Neydharting, Politischer Bezirk Wels, Oberösterreich: Die Objekte." *Jahrbuch des Oberösterreichischen Musealvereins* 115:37–70.

——. 1971. "Die hallstattzeitliche Höhensiedlung auf dem Waschenberg bei Bad Wimsbach/Neydharting, Politischer Bezirk Wels, Oberösterreich: Die Funde." *Jahrbuch des Oberösterreichischen Musealvereins* 116:51–80.

Peschel, K. 1971a. "Zur Frage der Sklaverei bei den Kelten während der vorrömischen Eisenzeit." *Ethnographisch-Archäologische Zeitschrift* 12:527–539.

——. 1971b. "Höhensiedlungen der Spätlatènezeit in Mitteldeutschland." *Archeologické rozhledy* 23:470–485.

Pič, J. L. 1906. *Le Hradischt de Stradonitz en Bohême.* Trans. J. Déchelette. Leipzig: Karl W. Hiersemann.

Pichlerová, M. 1969. *Nové Košariská*. Bratislava: Slovenské Národné Múzeum.

Piggott, S. 1959. "A Late Bronze Age Wine Trade?" *Antiquity* 33:122–123.

———. 1965. *Ancient Europe*. Chicago: Aldine.

Piggott, S., ed. 1981. *The Agrarian History of England and Wales*, vol. 1, *Prehistory*. Cambridge: Cambridge University Press.

Pingel, V. 1971. *Die glatte Drehscheiben-Keramik von Manching*. Wiesbaden: Franz Steiner.

Pirenne, H. 1925. *Medieval Cities*. Trans. F. D. Halsey. Princeton: Princeton University Press.

———. 1936. *Economic and Social History of Medieval Europe*. Trans. I. E. Clegg. London: K. Paul, Trench, Truber.

Pirling, R. 1964. "Ein fränkisches Fürstengrab aus Krefeld-Gellep." *Germania* 42:188–216.

———. 1975. "Die Gräberfelder von Krefeld-Gellep." In *Ausgrabungen in Deutschland 1950–1975*, vol. 2, pp. 165–180. Mainz: Römisch-Germanisches Zentralmuseum.

———. 1980. *Die mittlere Bronzezeit auf der Schwäbischen Alb*. Munich: Beck.

Pittioni, R. 1951. "Prehistoric Copper-Mining in Austria." *Institute of Archaeology Annual Report* 7:16–43.

———. 1952. "Das Brandgrab vom Lebenberg bei Kitzbühel, Tirol." *Archaeologia Austriaca* 10:53–60.

———. 1976. "Bergbau: Kupfererz." In J. Hoops, ed., *Reallexikon der germanischen Altertumskunde*, 2d ed., vol. 2, pp. 251–256. Berlin: Walter de Gruyter.

Pleiner, R. 1962. *Staré evropské kovářství* (*Alteuropäisches Schmiedehandwerk*). Prague: Československá Akademie Ved.

———. 1964. "Die Eisenverhüttung in der "Germania Magna" zur römischen Kaiserzeit." *Berichte der Römisch-Germanischen Kommission* 45:11–86.

———. 1976. "Bergbau: Eisenerz." In J. Hoops, ed., *Reallexikon der germanischen Altertumskunde*, 2d ed., vol. 2, pp. 258–261. Berlin: Walter de Gruyter.

———. 1977a. "Extensive Eisenverhüttungsgebiete im freien Germanien." In B. Chropovský, ed., *Symposium: Ausklang der Latène-Zivilisation und Anfänge der germanischen Besiedlung im mittleren Donaugebiet*, pp. 297–305. Bratislava: Vydavateľstvo Slovenskej Akadémie Vied.

———. 1977b. "Neue Grabungen frühgeschichtlicher Eisenhüttenplätze in der Tschechoslowakei und die Bedeutung des Schachtofens für die Entwicklung des Schmelzvorganges." In A. Ohrenberger and K. Kaus, eds., *Archäologische Eisenforschung in Europa*, pp. 107–117. Graz: Burgenländisches Landesmuseum.

————. 1980. "Early Iron Metallurgy in Europe." In T. A. Wertime and J. D. Muhly, eds., *The Coming of the Age of Iron*, pp. 375–415. New Haven: Yale University Press.

————. 1981. "Metallography of La Tène Period Iron Implements from the Celtic Oppida." In *Archaeological News in the Czech Socialist Republic*, pp. 106–107. Prague: Czechoslovak Academy of Sciences.

Pleinerová, I. 1973. "Bronzové nádoby v bylanské kultuře" (Bronzegefässe in der Bylaner Kultur). *Památky Archeologické* 64:272–300.

Podborský, V. 1965. *Die Hallstattsiedlung in Těšetice*. Prague: National Museum.

Polanyi, K. 1944. *The Great Transformation*. New York: Rinehart.

————. 1959. "Anthropology and Economic Theory." In M. H. Fried, ed., *Readings in Anthropology*, vol. 2, pp. 161–184. New York: Thomas Y. Crowell.

Polenz, H. 1971. *Mittel- und spätlatènezeitliche Brandgräber aus Dietzenbach: Landkreis Offenbach am Main*. Offenbach: Stadt und Landkreis Offenbach.

Pounds, N. J. G. 1969. *Eastern Europe*. London: Longmans.

Powell, T. G. E. 1971. "The Introduction of Horse-Riding to Temperate Europe." *Proceedings of the Prehistoric Society* 27, pt. 2, pp. 1–14.

Pressmar, E. 1979. *Elchinger Kreuz, Ldkr. Neu-Ulm: Siedlungsgrabung mit urnenfelderzeitlichem Töpferofen*. Kallmünz/Opf.: Michael Lassleben.

Primas, M. 1977a. "Zur Informationsausbreitung im südlichen Mitteleuropa." *Jahresbericht des Instituts für Vorgeschichte der Universität Frankfurt am Main* 1977:164–184.

————. 1977b. "Beobachtungen zu den spätbronzezeitlichen Siedlungs- und Depotfunden der Schweiz." In K. Stüber and A. Zürcher, eds., *Festschrift Walter Drack*, pp. 44–55. Stäfa (Zurich): Gut and Co.

Primas, M., and U. Ruoff. 1981. "Die urnenfelderzeitliche Inselsiedlung 'Grosser Hafner' im Zürichsee (Schweiz)." *Germania* 59:31–50.

Rahtz, P. 1976. "Buildings and Rural Settlement." In D. M. Wilson, ed., *The Archaeology of Anglo-Saxon England*, pp. 49–98. London: Methuen.

Rajewski, Z. 1959. *Biskupin Polish Excavations*. Warsaw: Polonia.

————. 1974. "Was Wehrsiedlungen-Burgen sowie deren Überbauung an wirtschaftlich-gesellschaftlichem Wert bergen." In B. Chropovský, ed., *Symposium zu Problemen der jüngeren Hallstattzeit in Mitteleuropa*, pp. 427–433. Bratislava: Vydavateľstvo Slovenskej Akadémie Vied.

Randsborg, K. 1973. "Wealth and Social Structure as Reflected in Bronze Age Burials." In C. Renfrew, ed., *The Explanation of Culture Change*, pp. 565–570. Pittsburgh, Pa.: University of Pittsburgh Press.

————. 1974. "Social Stratification in Early Bronze Age Denmark." *Praehistorische Zeitschrift*. 49:38–61.

————. 1980. *The Viking Age in Denmark: The Formation of a State*. London: Duckworth.

Rathje, W. L. 1970. "Socio-Political Implications of Lowland Maya Burials." *World Archaeology* 1:359–374.

———. 1971. "The Origins and Development of Lowland Classic Maya Civilization." *American Antiquity* 36:275–287.

———. 1972. "Praise the Gods and Pass the Metates: An Hypothesis of the Development of Lowland Rainforest Civilizations in Mesoamerica." In M. P. Leone, ed., *Contemporary Archaeology*, pp. 365–392. Carbondale: Southern Illinois University Press.

Redman, C. L. 1978. *The Rise of Civilization.* San Francisco: Freeman.

Rees, S. E. 1979. *Agricultural Implements in Prehistoric and Roman Britain.* British Archaeological Reports, British Series, vol. 69. Oxford: British Archaeological Reports.

———. 1981. "Agricultural Tools: Function and Use." In R. Mercer, ed., *Farming Practice in British Prehistory*, pp. 66–84. Edinburgh: Edinburgh University Press.

Reim, H. 1981. "Handwerk und Technik." In K. Bittel, W. Kimmig, and S. Schiek, eds., *Die Kelten in Baden-Württemberg*, pp. 204–227. Stuttgart: Konrad Theiss.

Reinecke, P. 1934. "Der Bronzedepotfund von Hallstatt in Oberösterreich." *Wiener Prähistorsiche Zeitschrift* 21:1–11.

———. 1958. "Einfuhr- oder Beutegut?" *Bonner Jahrbücher* 158:246–252.

Reinerth, H. 1928. *Die Wasserburg Buchau.* Augsburg: Filser.

———. 1936. *Das Federseemoor.* Leipzig: Kabitzsch.

Reitinger, J. 1968. *Die ur- und frühgeschichtlichen Funde in Oberösterreich.* Linz: Oberösterreichischer Landesverlag.

———. 1971. "Die Latènezeit in Österreich." *Archeologické rozhledy* 23:452–469.

Renfrew, C. 1972. *The Emergence of Civilisation: The Cyclades and the Aegean in the Third Millennium B.C.* London: Methuen.

———. 1978. "Varna and the Social Context of Early Metallurgy." *Antiquity* 52:199–203.

Renfrew, C., and S. Shennan, eds. 1982. *Ranking, Resource and Exchange.* Cambridge: Cambridge University Press.

Renfrew, C., and M. Wagstaff, eds. 1982. *An Island Polity: The Archaeology of Exploitation in Melos.* Cambridge: Cambridge University Press.

Renfrew, J. 1973. *Palaeoethnobotany.* New York: Columbia University Press.

Reynolds, P. J. 1979. *Iron-Age Farm: The Butser Experiment.* London: British Museum.

Rieckhoff-Pauli, S. 1980. "Das Ende der keltischen Welt: Kelten—Römer—Germanen." In L. Pauli, ed., *Die Kelten in Mitteleuropa*, pp. 37–47. Salzburg: Landesregierung.

Riehm, K. 1954. "Vorgeschichtliche Salzgewinnung an Saale und Seille." *Jahresschrift für mitteldeutsche Vorgeschichte* 38:112–156.

Riek, G. 1962. *Der Hohmichele.* Berlin: Walter de Gruyter.

Rieth, A. 1942. *Die Eisentechnik der Hallstattzeit.* Leipzig: J. A. Barth.

Říhovský, J. 1972. "Dosavadní výsledky výzkumu velatického sídliště v Lovčičkách na Slavkovsku" (Die bisherigen Ergebnisse der Ausgrabung in der Velaticer Siedlung von Lovčičky bei Slavkov). *Archeologické rozhledy* 24:173–181.

————. 1978. "Hrob bojovníka z počátku mladší doby bronzové z Ivančic" (Das frühe jungbronzezeitliche Kriegergrab aus Ivančice). *Památky Archeologické* 69:45–51.

Roebuck, C. 1959. *Ionian Trade and Colonization.* New York: Archaeological Institute of America.

Rogers, E. A., and F. F. Shoemaker. 1971. *The Communication of Innovations.* New York: Free Press.

Rolland, H. 1951. *Fouilles de Saint-Blaise (Bouches-du-Rhône).* Paris: CNRS.

Rosenberg, G. 1937. *Hjortspringfundet.* Copenhagen: Nordisk Forlag.

Ross, A. 1967. *Pagan Celtic Britain.* London: Routledge and Kegan Paul.

Rowlands, M. J. 1972. "The Archaeological Interpretation of Prehistoric Metalworking." *World Archaeology* 3:210–223.

————. 1973. "Modes of Exchange and the Incentives for Trade, with Reference to Later European Prehistory." In C. Renfrew, ed., *The Explanation of Culture Change,* pp. 589–600. Pittsburgh, Pa.: University of Pittsburgh Press.

Rowlett, R. M., H. L. Thomas, and E. S.-J. Rowlett. 1982. "Stratified Iron Age House Floors on the Titelberg, Luxembourg." *Journal of Field Archaeology* 9:301–312.

Russell, J. C. 1958. *Late Ancient and Medieval Populations.* Transactions of the American Philosophical Society, n.s. 48:3.

Rusu, M. 1969. "Das keltische Fürstengrab von Ciumeşti in Rumänien." *Berichte der Römisch-Germanischen Kommission* 50:267–300.

Rychner, V. 1979. *L'âge du bronze final à Auvernier.* Lausanne: Bibliothèque historique vaudoise.

Sage, W. 1969. *Die fränkische Siedlung bei Gladbach, Kreis Neuwied.* Bonn: Rheinisches Landesmuseum.

Sahlins, M. 1963. "Poor Man, Rich Man, Big Man, Chief: Political Types in Melanesia and Polynesia." *Comparative Studies in Society and History* 5:285–303.

————. 1972. *Stone Age Economics.* Chicago: Aldino Atherton.

Šaldová, V. 1977. "Sociálně-ekonomické podmínky vzniku a funkce hradišť z pozdní doby bronzové v západních Čechách" (Die sozialökonomischen Bedingungen der Entstehung und Funktion der spätbronzezeitlichen Höhensiedlungen in Westböhmen). *Památky Archeologické* 68:117–163.

————. 1981. "Rovinná sídliště pozdní doby bronzové z západních

Čechách" (Die Flachlandsiedlungen der Spätbronzezeit in West-böhmen). *Památky Archeologické* 72:93–152.

Sankot, P. 1978. "Struktur des latènezeitlichen Gräberfeldes." In J. Wald-hauser, ed., *Das keltische Gräberfeld bei Jenišův Újezd in Böhmen*, pp. 78–93. Teplice: Krajské Muzeum.

Šašel, J. 1977. "Strabo, Ocra and Archaeology." In V. Markotic, ed., *Ancient Europe and the Mediterranean*, pp. 157–160. Warminster: Aris and Phillips.

Sassatelli, G. 1978. "Bologna: Tomba Benacci 953." In *I Galli e l'Italia*, pp. 118–121. Rome: Soprintendenza Archeologica di Roma.

Sawyer, P. H. 1977. "Kings and Merchants." In P. H. Sawyer and I. N. Wood, eds., *Early Medieval Kingship*, pp. 139–158. Leeds: University of Leeds.

Schaaff, U. 1980. "Ein spätkeltisches Kriegergrab mit Eisenhelm aus Novo mesto." *Situla* 20–21:397–413.

Schaaff, U., and A. K. Taylor. 1975a. "Südimporte im Raum nördlich der Alpen (6.–4. Jahrhundert v. Chr.)." In *Ausgrabungen in Deutschland 1950–1975*, vol. 3, pp. 312–316. Mainz: Römisch-Germanisches Zentral-museum.

———. 1975b. "Spätkeltische Oppida im Raum nördlich der Alpen." In *Ausgrabungen in Deutschland 1950–1975*, vol. 3, pp. 322–327. Mainz: Römisch-Germanisches Zentralmuseum.

Schaeffer, C. F. A. 1930. *Les tertres funéraires préhistoriques dans la Fôret de Hagenau II: Les tumulus de l'âge du Fer*. Hagenau: Imprimerie de la Ville.

Schauberger, O. 1960. *Ein Rekonstruktionsversuch der prähistorischen Gruben-baue im Hallstätter Salzberg*. Vienna: Anthropologische Gesellschaft.

———. 1976. "Neue Aufschlüsse im 'Heidengebirge' von Hallstatt und Dürrnberg/Hallein." *Mitteilungen der Anthropologischen Gesellschaft in Wien* 106:154–160.

Schauer, P. 1971. *Die Schwerter in Süddeutschland, Österreich und der Schweiz I*. Munich: Beck.

Scheers, S. 1981. "The Origins and Evolution of Coinage in Belgic Gaul." In B. Cunliffe, ed., *Coinage and Society in Britain and Gaul*, pp. 18–23. London: Council for British Archaeology.

Schiek, S. 1959. "Vorbericht über die Ausgrabung des vierten Fürsten-grabhügels bei der Heuneburg." *Germania* 37:117–131.

Schietzel, K. 1975. "Haithabu." In *Ausgrabungen in Deutschland 1950–1975*, vol. 3, pp. 57–71. Mainz: Römisch-Germanisches Zentralmuseum.

———. 1981. *Stand der siedlungsarchäologischen Forschungen in Haithabu*. Neumünster: Karl Wachholtz.

Schindler, R. 1971. "Ein Kriegergrab mit Bronzehelm der Spätlatènezeit aus Trier-Olewig." *Trierer Zeitschrift* 34:43–82.

Schlesinger, W. 1973. "Der Markt als Frühform der deutschen Stadt." In H. Jankuhn, W. Schlesinger, and H. Steuer, eds., *Vor- und Frühformen der europäischen Stadt im Mittelalter*, pt. 1, pp. 262–293. Göttingen: Vandenhoeck and Ruprecht.

Schmid, W. 1933. "Die Fürstengräber von Klein Glein in Steiermark." *Praehistorische Zeitschrift* 24:219–282.

Schönberger, H. 1952. "Die Spätlatènezeit in der Wetterau." *Saalburg-Jahrbuch* 11:21–130.

Schönberger, M. 1926. "Die Bevölkerungsstatistik eines Gebirgstales: 1621–1920." *Mitteilungen der Anthropologischen Gesellschaft in Wien* 56:271–281.

Schröter, P. 1975. "Zur Besiedlung des Goldberges im Nördlinger Ries." In *Ausgrabungen in Deutschland 1950–1975*, vol. 1, pp. 98–114. Mainz: Römisch-Germanisches Zentralmuseum.

Schubert, F. 1972. "Manching IV: Vorbericht über die Ausgrabungen in den Jahren 1965 bis 1967." *Germania* 50:110–121.

Schwartz, D. W. 1979. Foreword. In S. M. Greenfield, A. Strickon, and R. T. Aubey, eds., *Entrepreneurs in Cultural Context*, pp. vii–viii. Albuquerque: University of New Mexico Press.

Schweingruber, F. H. 1976. *Prähistorisches Holz*. Bern: Paul Haupt.

Scudder, T., and E. F. Colson. 1972. "The Kariba Dam Project: Resettlement and Local Initiative." In H. R. Bernard and P. J. Pelto, eds., *Technology and Social Change*, pp. 39–69. New York: Macmillan.

Scullard, H. H. 1967. *The Etruscan Cities and Rome*. Ithaca, N.Y.: Cornell University Press.

Seltman, C. T. 1957. *Wine in the Ancient World*. London: Routledge.

Semple, E. C. 1931. *The Geography of the Mediterranean Region: Its Relation to Ancient History*. New York: Henry Holt.

Service, E. R. 1962. *Primitive Social Organization*. New York: Random House.

Shennan, S. 1975. "The Social Organisation at Branč." *Antiquity* 49:279–288.

Sherratt, A. 1981. "Plough and Pastoralism: Aspects of the Secondary Products Revolution." In I. Hodder, G. Isaac, and N. Hammond, eds., *Pattern of the Past*, pp. 261–305. Cambridge: Cambridge University Press.

Speck, J. 1955. "Die Ausgrabungen in der spätbronzezeitlichen Ufersiedlung Zug- 'Sumpf.'" In W. U. Guyan, ed., *Das Pfahlbauproblem*, pp. 275–334. Basel: Birkhäuser.

Spehr, E. 1968. "Zwei Gräberfelder der jüngeren Latène- und frühesten römischen Kaiserzeit von Naumburg (Saale)." *Jahresschrift für mitteldeutsche Vorgeschichte* 52:233–290.

Spehr, R. 1966. "Ein spätkaiserzeitlich-völkerwanderungszeitlicher Hort-fund mit Eisengeräten von Radeberg-Lotzdorf, Kreis Dresden: Die Funde." *Arbeits- und Forschungsberichte zur sächsischen Bodendenkmalpflege* 14–15:169–219.

―――. 1971. "Die Rolle der Eisenverarbeitung in der Wirtschaftsstruktur des Steinsburg-Oppidums." *Archeologické rozhledy* 23:486–503.

Sperber, L. 1980. "Grabungen in den hallstattzeitlichen Fürstengrabhü-geln und in der Heuneburg-Aussensiedlung." In D. Planck, ed., *Arch-äologische Ausgrabungen 1979*, pp. 39–44. Stuttgart: Gesellschaft für Vor- und Frühgeschichte in Württemberg und Hohenzollern.

―――. 1981. "Fürstengrabhügel und Heuneburg-Aussensiedlung auf dem 'Giessübel' bei Hundersingen, Gemeinde Herbertingen, Kreis Sig-maringen." In D. Planck, ed., *Archäologische Ausgrabungen 1980*, pp. 43–49. Stuttgart: Gesellschaft für Vor- und Frühgeschichte in Württemberg und Hohenzollern.

Spicer, E. H., ed. 1952. *Human Problems in Technological Change*. New York: Russell Sage Foundation.

Spindler, K. 1971–1977. *Magdalenenberg*. 5 vols. Villingen: Neckar-Verlag.

―――. 1975. "Zum Beginn der hallstattzeitlichen Besiedlung auf der Heuneburg." *Archäologisches Korrespondenzblatt* 5:41–45.

Sprockhoff, E. 1930. *Zur Handelsgeschichte der germanischen Bronzezeit*. Berlin: Walter de Gruyter.

Šramko, B. A. 1974. "Zur Frage über die Technik und die Bearbeitungs-zentren von Bundmetallen in der Früheisenzeit." In B. Chropovský, ed., *Symposium zu Problemen der jüngeren Hallstattzeit in Mitteleuropa*, pp. 469–485. Bratislava: Vydavatel'stvo Slovenskej Akadémie Vied.

―――. 1981. "Die ältesten Eisenfundstücke in Osteuropa." In R. Pleiner, ed., *Frühes Eisen in Europa*, pp. 109–114. Schaffhausen: Verlag Peter Meili.

Stadelmann, J. 1980. "Der Runde Berg bei Urach, ein bronze- und urnen-felderzeitliche Höhensiedlung." *Archäologisches Korrespondenzblatt* 10:33–38.

Staehelin, F. 1948. *Die Schweiz in römischer Zeit*. 3d ed. Basel: Benno Schwabe.

Stary, P. F. 1980. "Das spätbronzezeitliche Häuptlingsgrab von Hagenau, Kr. Regensburg." In K. Spindler, ed., *Vorzeit zwischen Main und Donau*, pp. 46–97. Erlangen: Universitätsbund Erlangen-Nürnberg.

Stead, I. M. 1967. "A La Tène III Burial at Welwyn Garden City." *Archae-ologia* 101:1–62.

Steensberg, A. 1936. "North West European Plough-Types of Prehistoric Times and the Middle Ages." *Acta Archaeologica* (Copenhagen) 7:244–280.

_____. 1943. *Ancient Harvesting Implements.* Copenhagen: Nordisk Forlag.

Steuer, H. 1979. "Frühgeschichtliche Sozialstrukturen in Mitteleuropa." In H. Jankuhn and R. Wenskus, eds., *Geschichtswissenschaft und Archäologie,* pp. 595–633. Sigmaringen: Jan Thorbecke.

Stjernquist, B. 1972. "Archaeological Analysis of Prehistoric Society." *Norwegian Archaeological Review* 2:2–26.

_____. 1981. *Gårdlösa: An Iron Age Community in Its Natural and Social Setting.* Lund: CWK Gleerup.

Stöckli, W. E. 1979a. *Die Grob- und Importkeramik von Manching.* Wiesbaden: Franz Steiner.

_____. 1979b. "Die Keltensiedlung von Altendorf (Landkreis Bamberg)." *Bayerische Vorgeschichtsblätter* 44:27–43.

Strickon, A. 1979. "Ethnicity and Entrepreneurship in Rural Wisconsin." In S. M. Greenfield, A. Strickon, and R. T. Aubey, eds., *Entrepreneurs in Cultural Context,* pp. 159–189. Albuquerque: University of New Mexico Press.

Süss, L. 1973. "Zur latènezeitlichen Salzgewinnung in Bad Nauheim." *Fundberichte aus Hessen* 13:167–180.

Szabó, M. 1971. *Auf den Spuren der Kelten in Ungarn.* Trans. S. Baksa-Soós. Budapest: Corvina Verlag.

Szombathy, J. 1903. "Das Grabfeld zu Idria bei Baca." *Mitteilungen der Prähistorischen Kommission* 1:291–363.

Taus, M. 1963. "Ein spätlatènezeitliches Schmied-Grab aus St. Georgen am Steinfeld, p. B. St. Pölten, NÖ." *Archaeologia Austriaca* 34:13–16.

Tax, S. 1953. *Penny Capitalism.* Washington: Smithsonian Institution.

Terenožkin, A. I. 1980. "Die Kimmerier und ihre Kultur." In *Die Hallstattkultur: Frühform europäischer Einheit,* pp. 20–29. Linz: Oberösterreichischer Landesverlag.

Thill, G. 1967a. "Die Keramik aus vier spätlatènezeitlichen Brandgräbern bei Goeblingen-Nospelt." *Hémecht* 19:199–213.

_____. 1967b. "Die Metallgegenstände aus vier spätlatènezeitlichen Brandgräbern bei Goeblingen-Nospelt." *Hémecht* 19:87–98.

Tierney, J. J. 1960. *The Celtic Ethnography of Posidonius.* Dublin: Royal Irish Academy.

Tischler, F. 1952. "Zur Datierung der frühmittelalterlichen Tonwaren von Badorf." *Germania* 30:194–200.

Todd, M. 1975. *The Northern Barbarians 100 B.C.–A.D. 300.* London: Hutchinson.

Todorović, J. 1968. *Kelti u jugoistočnoj Evropi (Die Kelten in Süd-ost Europa).* Belgrade: Muzej Grada.

Torbrügge, W. 1970–1971. "Vor- und frühgeschichtliche Flussfunde." *Berichte der Römisch-Germanischen Kommission* 51–52:1–145.

Tourtellot, G., and J. A. Sabloff. 1972. "Exchange Systems among the Ancient Maya." *American Antiquity* 37:126–135.

Toynbee, A. J. 1965. *Hannibal's Legacy: The Hannibalic War's Effects on Roman Life*. London: Oxford University Press.

Ucko, P. 1969. "Ethnography and Archaeological Interpretation of Funerary Remains." *World Archaeology* 1:262–280.

Unz, C. 1973. *Die spätbronzezeitliche Keramik in Südwestdeutschland, in der Schweiz, und in Ostfrankreich*. Berlin: Walter de Guyter.

van Es, W. A. 1965. *Wijster: A Native Village beyond the Imperial Frontier 150–425 A.D*. Groningen: J. B. Wolters.

––––––. 1973. "Die neuen Dorestad-Grabungen 1967–1972." In H. Jankuhn, W. Schlesinger, and H. Steuer, eds., *Vor- und Frühformen der europäischen Stadt im Mittelalter*, pt. 1, pp. 202–217. Göttingen: Vandenhoeck and Ruprecht.

van Regteren Altena, H. H., and H. A. Heidinga. 1977. "The North Sea Region in the Early Medieval Period." In B. L. van Beels, R. W. Brandt, and W. Groenman-van Waatringe, eds., *Ex Horreo IPP 1951–1976*, pp. 47–67. Amsterdam: University of Amsterdam.

Vermeule, E. 1964. *Greece in the Bronze Age*. Chicago: University of Chicago Press.

Villard, F. 1960. *La céramique grecque de Marseille*. Paris: de Boccard.

Vladár, J. 1973. *Pohrebiská zo staršej doby bronzovej v Branči*. Bratislava: Vydavateľstvo Slovenskej Akadémie Vied.

Vogt, E. 1949–1950. "Der Beginn der Hallstattzeit in der Schweiz." *Jahrbuch der Schweizerischen Gesellschaft für Urgeschichte* 40:209–231.

von Brunn, W. A. 1968. *Mitteldeutsche Hortfunde der jüngeren Bronzezeit*. Berlin: Walter de Gruyter.

von Föhr, J. 1892. *Hügelgräber auf der schwäbischen Alb*. Stuttgart: W. Kohlhammer.

von Hase. F.-W. 1973. "Unbekannte frühetruskische Edelmetallfunde mit Maskenköpfen: Mögliche Vorbilder keltischer Maskendarstellungen." *Hamburger Beiträge zur Archäologie* 3, no. 1, pp. 51–64.

von Merhart, G. 1952. "Studien über einige Gattungen von Bronzegefässen." In H. Klumbach, ed., *Festschrift des Römisch-Germanischen Zentralmuseums*, vol. 2, pp. 1–71. Mainz.

von Miske, K. 1929. "Bergbau, Verhüttung und Metallbearbeitungswerkzeuge aus Velem St. Veit (Westungarn)." *Wiener Prähistorische Zeitschrift* 16:81–94.

Vouga, P. 1923. *La Tène*. Leipzig: Karl W. Hiersmann.

Wackernagel, H. G. 1930. "Massalia." In *Paulys Real-Encyclopädie der classischen Altertumswissenschaft*, vol. 28, cols. 2130–2152. Stuttgart: J. B. Metzler.

Wahle, E. 1964. *Tradition und Auftrag prähistorischer Forschung.* Ed. H. Kirchner. Berlin: Duncker and Homblot.

Wailes, B. 1970. "The Origins of Settled Farming in Temperate Europe." In G. Cardona, H. M. Hoenigswald, and A. Senn, eds., *Indo-European and Indo-Europeans,* pp. 279–305. Philadelphia: University of Pennsylvania Press.

―――. 1972. "Plow and Population in Temperate Europe." In B. Spooner, ed., *Population Growth: Anthropological Implications,* pp. 154–179. Cambridge, Mass.: MIT Press.

―――. 1981. "Early Medieval Ireland: An Ethnohistorical Perspective for Europe?" Paper presented at American Anthropological Association annual meeting, Los Angeles.

Wainwright, G. J. 1979. *Gussage All Saints.* London: Her Majesty's Stationery Office.

Waldhauser, J. 1977. "Keltské sídliště u Radovesic v severozápadních Čechách" (Die keltische Siedlung bei Radovesice, Bez. Teplice in Nordwest-Böhmen). *Archeologické rozhledy* 29:144–177.

―――. 1979. "Beitrag zum Studium der keltischen Siedlungen, Oppida und Gräberfelder in Böhmen." In P.-M. Duval and V. Kruta, eds., *Les mouvements celtiques du Ve au Ier siècle avant notre ère,* pp. 117–156. Paris: Centre National de la Recherche Scientifique.

―――. 1981. "Strategie der gemeinsamen anthropologischen und archäologischen Forschung der Latènezeit in Böhmen." *Anthropologie* 19:115–120.

Waldhauser, J., ed. 1978. *Das keltische Gräberfeld bei Jenišův Újezd in Böhmen.* Teplice: Krajské Muzeum.

Walford, C. 1883. *Fairs, Past and Present.* London: Elliot Stock.

Waterbolk, H. T. 1964. "The Bronze Age Settlement of Elp." *Helinium* 4:97–131.

Wells, C. M. 1972. *The German Policy of Augustus.* Oxford: Clarendon Press.

Wells, P. S. 1978. "Twenty-Six Graves from Hallstatt Excavated by the Duchess of Mecklenburg." *Germania* 56:66–88.

―――. 1980a. "The Early Iron Age Settlement of Hascherkeller in Bavaria: Preliminary Report on the 1979 Excavations." *Journal of Field Archaeology* 7:313–328.

―――. 1980b. *Culture Contact and Culture Change: Early Iron Age Central Europe and the Mediterranean World.* Cambridge: Cambridge University Press.

―――. 1981. *The Emergence of an Iron Age Economy: The Mecklenburg Grave Groups from Hallstatt and Stična.* Cambridge, Mass.: Peabody Museum, Harvard University.

―――. 1983. *Rural Economy in the Early Iron Age: Excavations at Hascherkeller 1978–1981.* Cambridge, Mass.: Peabody Museum, Harvard University.

Wells, P. S., and L. Bonfante. 1979. "West-Central Europe and the Mediterranean: The Decline in Trade in the Fifth Century B.C." *Expedition* 21:18–24.

Werner, J. 1939. "Die Bedeutung des Städtewesens für die Kulturentwicklung des frühen Keltentums." *Die Welt als Geschichte* 4:380–390.

———. 1954. "Die Bronzekanne von Kelheim." *Bayerische Vorgeschichtsblätter* 20:43–73.

———. 1961. "Bemerkungen zu norischen Trachtzubehör und zu Fernhandelsbeziehungen der Spätlatènezeit im Salzburger Land." *Mitteilungen der Gesellschaft für Salzburger Landeskunde* 101:143–160.

———. 1964. "Frankish Royal Tombs in the Cathedrals of Cologne and Saint-Denis." *Antiquity* 38:201–216.

———. 1970. "Zur Verbreitung frühgeschichtlicher Metallarbeiten." *Antikvariskt Archiv* 38:65–81.

———. 1978. "Zur Bronzekanne von Kelheim." *Bayerische Vorgeschichtsblätter* 43:1–18.

Wheeler, R. E. M. 1943. *Maiden Castle, Dorset.* London: Society of Antiquaries.

Wightman, E. M. 1970. *Roman Trier and the Treveri.* New York: Praeger.

Will, E. 1958. "Archéologie et histoire économique." *Études d'archéologie classique* 1:149–166.

Wilson, D. M., ed. 1976. *The Archaeology of Anglo-Saxon England.* London: Methuen.

Winkelmann, W. 1958. "Die Ausgrabungen in der frühmittelalterlichen Siedlung bei Warendorf (Westfalen)." In W. Krämer, ed., *Neue Ausgrabungen in Deutschland,* pp. 492–517. Berlin: Gebr. Mann.

Winner, I. 1971. *A Slovenian Village.* Providence: Brown University Press.

Winters, H. D. 1968. "Value Systems and Trade Cycles of the Late Archaic in the Midwest." In S. R. and L. R. Binford, eds., *New Perspectives in Archeology,* pp. 175–222. Chicago: Aldine.

Wittvogel, K. A. 1957. *Oriental Despotism.* New Haven: Yale University Press.

Wyss, R. 1954. "Das Schwert des Korisios." *Jahrbuch des Bernischen Historischen Museums* 34:201–222.

———. 1956. "The Sword of Korisios." *Antiquity* 30:27–28.

———. 1967. *Bronzezeitliche Gusstechnik.* Bern: Paul Haupt.

———. 1969. "Wirtschaft und Technik." In W. Drack, ed., *Ur- und frühgeschichtliche Archäologie der Schweiz,* vol. 2, *Die Jüngere Steinzeit,* pp. 117–138. Basel: Schweizerische Gesellschaft für Ur- und Frühgeschichte.

———. 1971a. "Siedlungswesen und Verkehrswege." In W. Drack, ed., *Ur- und frühgeschichtliche Archäologie der Schweiz,* vol. 3, *Die Bronzezeit,* pp. 103–122. Basel: Schweizerische Gesellschaft für Ur- und Frühgeschichte.

———. 1971b. "Technik, Wirtschaft und Handel." In W. Drack, ed., *Ur- und frühgeschichtliche Archäologie der Schweiz*, vol. 3, *Die Bronzezeit*, pp. 123–144. Basel: Schweizerische Gesellschaft für Ur- und Frühgeschichte.

———. 1974a. "Grabritus, Opferplätze und weitere Belege zur geistigen Kultur der Latènezeit." In W. Drack, ed., *Ur- und frühgeschichtliche Archäologie der Schweiz*, vol. 4, *Die Eisenzeit*, pp. 167–196. Basel: Schweizerische Gesellschaft für Ur- und Frühgeschichte.

———. 1974b. "Technik, Wirtschaft, Handel und Kriegswesen der Eisenzeit." In W. Drack, ed., *Ur- und frühgeschichtliche Archäologie der Schweiz*, vol. 4, *Die Eisenzeit*, pp. 105–138. Basel: Schweizerische Gesellschaft für Ur- und Frügeschichte.

Zahlhaas, G. 1971. "Der Bronzeeimer von Waldalgesheim." *Hamburger Beiträge zur Archäologie* 1, no. 2, pp. 115–130.

Zannoni, A. 1876–1884. *Gli scavi della Certosa di Bologna*. Bologna: Regia Tipografia.

Zeller, K. W. 1980. "Die modernen Grabungen auf dem Dürrnberg." In L. Pauli, ed., *Die Kelten in Mitteleuropa*, pp. 159–181. Salzburg: Landesregierung.

Zimmermann, W. H. 1978. "Economy of the Roman Iron Age Settlement at Flögeln, Kr. Cuxhaven, Lower Saxony." In B. Cunliffe and T. Rowley, eds., *Lowland Iron Age Communities in Europe*, pp. 147–165. British Archaeological Reports, International Series, vol. 48. Oxford: British Archaeological Reports.

Zirra, V. 1979. "A propos de la présence des éléments latèniens sur la rive occidentale de la mer Noire." In P.-M. Duval and V. Kruta, eds., *Les mouvements celtiques du Ve au Ier siècle avant notre ère*, pp. 189–193. Paris: Centre National de la Recherche Scientifique.

Zürn, H. 1957. *Katalog Zainingen*. Stuttgart: Silberberg.

———. 1970. *Hallstattforschungen in Nordwürttemberg*. Stuttgart: Staatliches Amt für Denkmalpflege.

Origen de las ilustraciones

H. T. Waterbolk, Biological-Archaeological Institute, Universidad de Groninga, Países Bajos:
  Figura 4, de H. T. WATERBOLK: «The Bronze Age Settlement of Elp», *Helinium*, 4 (1964), p. 117, fig. 11.

Editorial C. H. Beck, Munich:
  Figura 5, de H. DANNHEIMER: «Siedlungsgeschichtliche Beobachtungen im Osten der Münchener Schotterebene», *Bayerische Vorgeschichtsblätter* 41 (1976), p. 112. fig. 3.
  Figura 12, de P. SCHAUER: *Die Schwerter in Süddeutschland, Österreich und der Schweiz, I*, 1971, pl. 123A.
  Figura 13, de SCHAUER (1971), pl. 62, 422 y pl. 70, 477.
  Figura 50. de J. WERNER: «Zur Bronzekanne von Kelheim», *Bayerische Vorgeschichtsblätter* 43 (1978), p. 3, fig. 1(1).
  Figura 51, de WERNER (1978), p. 7, fig. 3.

Jysk Arkaeologisk Selskab, Moesgard:
  Figura 6, de P. V. GLOB: *Ard og plov i Nordens oldtid*, 1951, p. 26, fig. 23.
  Figura 56, de GLOB (1951), p. 37, fig. 37.

Walter de Gruyter & Co., Berlín:
  Figura 7, de H. MÜLLER-KARPE: *Beiträge zur Chronologie der Urnenfelderzeit nördlich und südlich der Alpen*, 1959, pl. 149.
  Figura 8, de MÜLLER-KARPE (1959), pl. 177C.
  Figura 9, de MÜLLER-KARPE (1959), pls. 164 y 165A.
  Figura 11, de MÜLLER-KARPE (1959), pl. 128A.

Journal of Field Archaeology, Boston:
  Figura 10, de P. S. WELLS, «The Early Iron Age Settlement of Hascherkeller in Bavaria: Preliminary Report on the 1979 Excavations», *Journal of Field Archaeology*, 7 (1980), p. 320, fig. 12. Fotografía de Hillel Burger.

Wilhelm Angeli, Naturhistorisches Museum, Prähistorische Abteilung, Viena:
  Figura 18.

Römisch-Germanisches Zentralmuseum, Mainz:

Figura 19, de P. S. Wells: «Eine bronzene Rinderfigur aun Hallstatt», *Archäologisches Korrespondenzblatt,* 8 (1978), p. 108, fig. 1.

Figura 35, de K. Spindler: «Grabfunde der Hallstattzeit vom Magdalenenberg bei Villingen im Schwarzwald», *Ausgrabungen in Deutschland 1950-1975.* Monografías del Römisch-Germanisches Zentralmuseum núm. 1, vol 1, (1975), p. 232, fig. 36.

Figura 63, de W. Haarnagel: «Die Wurtensiedlung Feddersen Wierde im Nordsee-Küstengebiet», *Ausgrabungen in Deutschland 1950-1975.* Monografías del Römisch-Germanisches Zentralmuseum, núm. 1, vol. 2, (1975) p. 23, fig. 14.

Figura 65, de K. Schietzel: «Haithabu», *Ausgrabungen in Deutschland 1950-1975.* Monografías del Römisch-Germanisches Zentralmuseum. núm. 1, vol. 3, (1975) p. 61, fig. 4.

Peabody Museum, Universidad de Harvard, Cambridge, Massachusetts:

Figura 22, de H. Hencken: *The Iron Age Cemetery of Magdalenska gora in Slovenia,* 1978, p. 108, fig. 39.

Figura 23, de P. S. Wells: *The Emergence of an Iron Age Economy: The Mecklenburg Grave Groups from Hallstatt and Stična,* 1981, p. 46, fig. 23.

Figura 24, de Wells (1981), p. 214, fig. 162a.

Figura 25, de Wells (1981), p. 206, fig. 147c; p. 195, fig. 126a, b; p. 153, fig. 37a.

Figura 40, de Hencken (1978), p. 153, fig. 125.

Wolfgang Kimmig, Institut für Vor- und Frühgeschichte, Universidad de Tubinga:

Figura 28.

René Joffroy, Musée des Antiquités Nationales, Saint-Germain-en-Laye:

Figura 29.

Hilmar Schickler, Württembergisches Landesmuseum, Stuttgart:

Figuras 30, 36 y 44.

Egon Gersbach, Institut für Vor- und Frühgeschichte, Universität Tübingen and Amt der Oberösterreichischer Landesregierung, Kulturabteilung, Linz:

Figura 31, de E. Gersbach: «Neue Aspekte zur Geschichte des späthallstatt-frühlatènezeitlichen Fürstensitzes auf der Heuneburg», *Die Hallstattkultur: Symposium 1980,*1981, p. 360, fig. 4.

Figura 32, de Gersbach (1981), p. 362, fig. 7.

Figura 33, de Gersbach (1981), p. 361, fig. 5(2).

Wilhelm Angeli, Naturhistorisches Museum, Prähistorische Abteilung, Viena, y Römisch-Germanisches Zentralmuseum, Mainz:

Figura 43, de *Krieger und Salzherren: Hallstattkultur im Ostalpenraum,* Römisch-Germanisches Zentralmuseum, Catálogo núm. 4, 1970, pl. 78, izq. Dibujo de M. Kliesch.

Editorial Franz Steiner, Wiesbaden:

Figura 47, de G. Jacobi: *Werkzeug und Gerät aus dem Oppidum von Manching,* 1974, pl. 1.

Figura 48, de Jacobi (1974), p. 251, fig. 57.

Figura 49, de W. E. Stöckli: *Die Grob- und Importkeramik von Manching,* 1979, pl. 72, 943.

Figura 54, de Jacobi (1974), pl. 27.

Figura 57, de Jacobi (1974), p. 79, fig. 23.

Editorial Philipp von Zabern, Mainz:

Figura 59, de A. Haffner: «Zum Ende der Latènezeit im Mittelrheingebiet unter besonderer Berücksichtigung des Trierer Landes», *Archäologisches Korrespondenzblatt* 4 (1974), p. 63, fig. 3.

Römisch-Germanische Kommission des Deutschen Archäologischen Instituts, Frankfurt:

Figura 53, de W. Krämer: «Manching II: Zu den Ausgrabungen in den Jahren 1957 bis 1961», *Germania* 40 (1962), encarte 2.

Editorial Gebr. Mann, Berlín:

Figura 64, de W. Winkelmann: «Die Ausgrabungen in der frühmittelalterlichen Siedlung bei Warendorf (Westfalen)», *Neue Ausgrabungen in Deutschland,* 1958, encarte 2.

Índice analítico

agricultura: 23-24, 33, 40-47, 106, 146, 149, 153, 156-159, 171, 178; v. t. *Arado; Güadaña; Hoz*
Alexander; John: 13, 20, 22
Aquileia: 130, 139, 141, 168
arado: 32-33, 106, 146, 148, 155-157, 171
arqueología experimental: agricultura: 23; trabajo del bronce 28: construcción de terraplenes: 40; minería de la sal: 78-80; efectividad de las armas: 59
Ateneo: 139, 156
ática, cerámica: 93-94, 99, 103, 109-110

Badorf: 166, 176, 179
Bibracte: 143, 147, 149, 154
Birka, 166, 176, 179
Biskupin: 92, 104-105
Bolonia: 72, 90, 92, 105, 114, 116, 128, 136, 141
Bronce: 17-19, 44-46, 48-49, 50-65; v. t. *Mineros*
Buchau: v. *Wasserburg Buchau*

campos: 46
casas: 39, 97-99, 155-156, 170-171, 175-176
Celles: 130, 132, 134
cerámica: 38, 50-51, 107, 121, 157, 176
César, Julio, 142, 146, 154, 162, 165
ciudad, definición de: 13-14
Colonia: 166, 168, 174, 176-177
collares de oro: 109-110
Collis, John: 20
comida: v. *Agricultura*
Crumley: 20, 22

Childe, V. Gordon: 13-14, 17-19, 21

Diodoro de Sicilia: 45, 139, 141, 154, 156
Dionisio de Halicarnaso: 115, 116-117
Dorstad: 166, 181
Dürrnberg: 114, 123-124, 159

egea en comparación con la Europa central, la región: 14, 17, 103
Elp: 35-37, 39, 41
esclavitud: 61, 124, 131, 146-147, 162, 166, 169
Este: 72, 86, 90
Estrabón: 86, 96, 138, 142, 154, 156

ferias: 152-153
Feddersen Wierde: 166, 170-172
Filip, Jan: 19-20, 22, 140

Goeblingen-Nospelt: 137, 153, 161-164, 170
Grafenbühl: 95, 102, 108
griego, comercio: 91-102, 111
guadaña: 157-159
Gussage All Saints: 92, 106, 130, 131, 155

Haithabu: 166, 181
Hallstatt: 35, 66, 71-80, 87-89, 113, 123-124, 126, 159, 184
Hascherkeller: 35, 50, 57
Helgö: 166, 179
Heuneburg: 19, 92-94, 96-100, 102-104, 107, 110-111, 142
hierro, trabajo del: 49, 80, 84, 86, 106, 121, 129-135, 139, 151-152, 168, 171
Hochdorf: 95, 107-108, 109-110
hoz: 44-45, 54-57, 61
Hrazany: 143, 147

Kappel, depósito de: 130, 132, 135, 157, 163
Kelheim, necrópolis de: 35, 37, 68, 69, 78
Krefeld-Gellep: 166, 174, 177

La Tène: 130, 141, 158
Livio: 113, 114, 116-118

Magdalenenberg: 107-108, 121
Magdalensberg: 130, 136, 139, 143, 146, 159
Magdalenska Gora: 72, 80, 81, 86, 113, 122

Manching: 129-130, 131-132, 137, 142-154, 157-159, 163
Massalia: 92-93, 99, 100-101
medio como factor de desarrollo cultural, el: 15, 34, 183-184
Mesoamérica, en comparación con la Europa central: 14, 15, 31, 183-184
minería: cobre: 51-52, 79, 89, 104; sal: 66, 74, 76, 80, 123, 157-159
mineros/metalúrgicos: 17-19, 52, 60, 121, 131-132, 135
monedas: tesorillos: 152-153, 163, 173; acuñación: 152, 155, 162-163

Nash, Daphne: 13, 20, 22
negociante, definición de: 27-28

Plinio: 115, 127
población: criterios para distinguir los poblados de las ciudades: 13; cantidades estimativas: 34-38, 80, 88-90, 97-98, 104-105, 119, 123, 149-151, 154, 165, 175-176, 179
poblado: v. Ciudad
Polibio: 96, 116
Próximo Oriente, en comparación con la Europa central: 14, 16, 17, 31, 104, 183-184, 185
Radovesice: 114, 119-120
Rowlands, Michael: 19-20

sal: v. Dürrnberg; Hallstatt; Minería
Spina: 92, 105, 114, 127-128
Staré Hradisko: 129-130, 138, 142-147, 149
Steinsburg: 130, 143, 146, 149, 157-158
Stična: 72, 80-88, 113
Stradonice: 130, 138, 143, 147, 149, 154
subsistencia: v. Agricultura

Trísov: 130, 131, 142-143, 147, 149

Velemszentvid: 35, 57, 58, 129-131, 143, 147
villa: v. Ciudad
vino, comercio de: 60, 86, 91, 94, 99, 109-110, 113-115, 127, 136-139, 152, 156, 168, 171
Vix: 92-94, 102, 108, 110

Warendorf: 166, 175-176
Waschenberg: 72, 86, 106
Wasserburg Buchau: 34, 35, 38, 41, 50
Winklsass, depósito de: 45, 57

Závist: 19, 92, 105, 130, 142-143, 149